DEUTSCHE BEITRÄGE
ZUR GEISTIGEN ÜBERLIEFERUNG

Herausgegeben in Verbindung mit

HELENA M. GAMER · ULRICH MIDDELDORF · WILHELM PAUCK

FRITZ K. RICHTER · WERNER RICHTER · HANS ROTHFELS

von

ARNOLD BERGSTRÄSSER

1953

*Issued in co-operation with the Literary Society of Chicago by the Department
of Germanic Languages and Literatures at the University of Chicago*

HENRY REGNERY COMPANY · CHICAGO

Die europäische Ausgabe dieses Bandes erscheint im
Verlag Hermann Rinn, München

Printed by Buchgewerbehaus München, Deutschland

Die amerikanische Ausgabe dieses Bandes erscheint im
Verlag Henry Regnery Company, Chicago

Druck: Münchner Buchgewerbehaus GmbH, München, Deutschland

INHALT

77864

VORWORT

In Zusammenarbeit mit der Deutschen Abteilung der University of Chicago sind wir in der Lage, ein zweites Jahrbuch vorzulegen. Das erste erschien 1947 bei der University of Chicago Press. Das vorliegende erscheint dank dem Entgegenkommen der Verlage Henry Regnery Company in Chicago und Hermann Rinn in München gleichzeitig in Deutschland und den Vereinigten Staaten. Die hier abgedruckten Aufsätze über „Das alte München", „Wolframs Parzival", „Winckelmanns Griechenbild", „Das Bild der Dichtung bei Jean Paul und Goethe", „Ranke und die geschichtliche Welt" und „Rudolf Otto" sind aus Vorträgen hervorgegangen, die vor der Gesellschaft gehalten wurden. Im Winter 1951/1952 hat Wolfgang Liepe dort eine zusammenfassende Darstellung seiner Hebbel-Forschungen gegeben. Der Aufsatz von Joachim Wach ist in englischer Sprache in sein Buch *Types of Religious Experience*, The University of Chicago Press, aufgenommen worden. Frau Christiane Zimmer hat es uns ermöglicht, aus dem Nachlaß von Heinrich Zimmer den Aufsatz „Gawan beim grünen Ritter" zu veröffentlichen.

Unser Mitherausgeber Werner Richter ist Professor der Deutschen Literatur an der Universität Bonn und zur Zeit Rektor, Hans Rothfels ist Professor der Neueren Geschichte an der Universität Tübingen, Helmut Kuhn Professor der Philosophie an der Universität Erlangen. Professor Herbert Steiner, Herausgeber der Zeitschrift *Mesa* und der Gesamtausgabe der Werke Hofmannsthals, lehrt im Pennsylvania State College, Professor Curt von Faber du Faur an der Yale University, Newhaven, Connecticut, Professor Fritz K. Richter am Illinois Institute of Technology in Chicago, die übrigen Mitarbeiter und Mitherausgeber an der University of Chicago.

Die Literarische Gesellschaft Chicago hat ihre Arbeit an der Pflege der deutschen Sprache, Literatur und Kunst durch jährliche Vortragsreihen fortgesetzt und ihre Bibliothek dank der Unterstützung ihrer Freunde zu einer das zeitgenössische deutschsprachige Schrifttum gut vertretenden Sammlung entwickeln können.

Arnold Bergsträsser

DAS ALTE MÜNCHEN

Ludwig Bachhofer

DURCH DIE kriegerischen Ereignisse der Jahre 1943—1945 haben die Worte „das alte München" eine schicksalsschwere Bedeutung erhalten. Es scheint, als ob das meiste dessen, was München zu einer der schönsten Städte Deutschlands gemacht hatte, in Schutt und Asche verwandelt wurde; so daß das München, das so viele von uns gekannt und geliebt haben, der Vergangenheit und damit der Erinnerung angehört.

Doch die Erinnerung ist noch lebendig, im Reisenden sowohl, der mit erhöhter Spannung durch die Stadt gegangen war, und noch mehr in dem, der entscheidende Jahre seines Lebens in München zugebracht hat. Sie wachzuhalten, ist der Zweck dieses Vortrags; und ich glaube, sie wird am besten vertieft und gefestigt durch das Verständnis, das aus der Kenntnis der historischen Situationen kommt.

*

Es gibt gewachsene und geplante Städte. Diese sind immer das Produkt komplizierter wirtschaftlicher und militärischer Überlegung, und eine späte Erscheinung. Eine gewachsene Stadt wirkt daneben urtümlich, wie vom Lande selbst hervorgetrieben; man sieht ihr an, daß sie nicht als etwas Fertiges hingestellt worden war, sondern langsam von einem Kern aus sich verbreitete. München ist eine solche gewachsene Stadt; und wie immer in derartigen Fällen, kann der sie nicht recht begreifen, der ihr Wachstum nicht verfolgt hat. Die verschiedenen Phasen dieses Wachstums haben ihre Spuren hinterlassen in der Anlage der Stadt, also in ihrem Plan und in ihren sakralen und profanen Monumenten.

Der Stadtplan

Den Reisenden, der in München den Bahnhof verließ, erwartete kein besonderer Eindruck: der Bahnhofplatz ist unbedeutend, und erst am Karlsplatz merkt man, daß die eigentliche Stadt beginnt. Das Karlstor überbrückt eine Hauptverkehrsader, die Neuhauserstraße, die dann als die engere Kaufingerstraße in den Marienplatz mündet.

Dieser Platz ist das Herz der Stadt, heute noch genau so wie vor achthundert Jahren. Er war immer ein geschlossener Platz, dessen Wände aus lückenlosen Häuserfronten bestanden und den die Zufahrtstraßen nur tangierten. Heute beherrscht ihn das neue Rathaus, das die ganze Nordseite einnimmt; es ist ein moderner Bau in Zuckerbäckergotik und wenig bemerkenswert. Bis ans Ende des 19. Jahrhunderts war der Marienplatz von Lauben umsäumt, wie auf einem Stich Merians vom Jahre 1644, und man kann ruhig annehmen, daß er in den voraufgehenden Jahrhunderten nicht viel anders ausgesehen hat. Auf dem Merianschen Stich schließt die Kaufingerstraße ein schlanker Turm ab; das war der Schöne Turm (abgebrochen 1807), der sich über dem Westtor der Stadtmauer von 1254 erhob. Die anderen Ausgänge schützten der Wilprechtsturm im Norden, am Ausgang der Weinstraße (abgebrochen 1690), das Talbrucktor, an der Stelle des Alten Rathausturms, und der Ruffiniturm im Süden, am Ausgang des Rindermarkts (abgebrochen 1808).

Man muß sich klarmachen, wie winzig die Stadt damals war; man konnte sie in ein paar Minuten von Süd nach Nord und vom Osten nach Westen ausgehen. Ihre Spuren waren bis vor kurzem erkennbar, denn die krummen Straßen der Innenstadt folgten den Mauern und Gräben der alten Befestigung. Die Namen Rosental, Färbergraben, Löwengrube und Hofgraben erinnern ebenso an den Zug des ältesten Stadtgrabens wie das Auf und Ab im Gelände.

Wie die meisten deutschen Städte erhielt München seine charakteristische Gestalt im 14. Jahrhundert, nach der Erweiterung, die 1301 begann und von Ludwig dem Bayern energisch betrieben wurde. Am weitesten schob sich das Stadtgebiet nach Osten, Süden und Westen vor, am wenigsten nach Norden. Seine Ausdehnung war bestimmt durch vier neue Tore, von denen heute noch drei an den alten Stellen liegen: das Karlstor von 1315, das Isartor von 1314, das Sendlinger Tor von 1319. Alle diese Tore wurden umgebaut und verloren dabei am Anfang des 19. Jahrhunderts den hohen Mittelturm, mit Ausnahme des Isartors, das etwas willkürlich von Gärtner hergerichtet wurde (1833—1835). Das Schwabinger Tor wurde 1318 erbaut und erst 1816 abgetragen; es stand auf dem Odeonsplatz, auf der Höhe der Briennerstraße.

Der Umfang dieser neuen Stadt läßt sich leicht im Plan ablesen, denn die Sonnen-, Blumen-, Frauen-, Herren- und Kanalstraße, der Maximilians-, Lenbach- und Karlsplatz liegen über ihrer Umwallung. München lag immer noch in respektvoller Entfernung von der Isar.

Auch das hat München mit den übrigen deutschen Städten gemein, daß es diese Gestalt fast unverändert bis an den Anfang des 19. Jahrhunderts beibehielt.

Damals begann die großartige Erweiterung, die München sein modernes Aussehen gab; 1802 entstanden die Maximiliansanlagen über den geschleiften Mauern zwischen Karls- und Schwabinger Tor; die Landstraße nach Nymphenburg, also der Ausfall nach Westen, war schon 1800 als Königin-, später als Briennerstraße geregelt worden; es folgte die Ludwigstraße nach Norden und um die Jahrhundertmitte die Maximilianstraße nach Osten. Allen diesen Straßenzügen liegt eine bedeutende monumentale Absicht zugrunde. Nur für die Ausfahrt nach Süden, vom Sendlinger Torplatz aus, fehlte die große Idee, was jedem peinlich zu Bewußtsein kommt, der auf diesem Weg München nach dem Gebirge zu verläßt.

Die Denkmäler

Das Wahrzeichen Münchens ist der Dom mit dem merkwürdigen und einzigartigen Abschluß seines Turmpaares. Der Bau wirkt ungeheuer mächtig, wenn man im Gewirr enger Gassen auf ihn stößt; aus der Ferne gesehen, beherrscht er das Stadtbild durch die Wucht seiner enggestellten Türme und des Daches. Diese Wirkung kommt natürlich von den gewaltigen Dimensionen der Kirche und dem Kontrast mit den kleinen Bauten der Umgebung; der besondere Eindruck des Massigen aber kommt daher, daß das Langhaus seine Strebepfeiler nach innen gezogen hat und dadurch als geschlossenes Volumen wirkt; in der Nähe treten die hohen Fenster kaum in Erscheinung, weil die Zugänge den Bau nur in schärfster Verkürzung zeigen; und aus geringer Entfernung schon bleibt nur das riesige Dach sichtbar. Mit den Türmen liegt es ähnlich: man empfindet sie als plastisch begrenzte Körper. Wenn man näher tritt, sieht man, daß sie sich aus verhältnismäßig klar begrenzten Teilen von bestimmten kubischen Proportionen zusammenfügen. Man kann sich kaum einen größeren Gegensatz zu den Türmen anderer spätgotischer Dome denken, die der Länge nach aufgeschlitzt, aufgelöst und durchbrochen, in einem Zug in die Höhe schießen: hier die gesammelte Kraft, dort das Versprühen der Kraft. Die Frauenkirche wurde von Jörg Ganghofer in den Jahren 1468 bis 1488 erbaut, an Stelle einer zu klein gewordenen zweiten Pfarrkirche. Das Datum legt nahe, in der sauberen Scheidung der Teile und dem eindringlichen Gegensatz von waagrechten und senkrechten Elementen der Türme ein frühes Beispiel jenes neuen Verhältnisses zur Form zu sehen, das man gewöhnlich als Renaissance bezeichnet. Der Name ist verwirrend, weil jeder gleich an Italien denkt, an italienische Bauten von eindringlicher Klarheit des Ganzen und der Teile und harmonischen Proportionen, und schließlich, daß diese italienische Kunst sich als die Wiedergeburt der römisch-antiken empfand. Mit all dem haben die Bestrebungen im Norden nichts zu tun. Der Drang nach einer intensiveren Erfassung des Kubischen, nach stärkerer Tektonisierung durch eine vertikale Gliederung, war zweifellos da; er trat aber nicht mit dem Anspruch auf Allgemeingültigkeit auf, und im Kirchenbau scheint er sich nur auf die Türme beschränkt zu haben. Dort allerdings hat man es mit einer echten Wiedergeburt zu tun; nicht des antiken, sondern des romanischen Formapparates. Für das System der Frauentürme, und im Anschluß daran für eine Reihe von Kirchtürmen, die über Altbayern und Schwaben zerstreut sind, griff man auf einheimische romanische Lösungen zurück, weil man dort eine verwandte Absicht zu spüren glaubte; selbst die Bekrönung des hohen, quadratischen, vertikal geteilten Unterbaus mit einem achteckigen Oberbau ist daher genommen, nicht zu reden von der äußerst zurückhaltenden Ornamentierung. Ganghofer hatte die Lisenen in Stabwerk aufgelöst und die Unterseite der Gesimse mit einem gotischen Spitzenmuster versehen; andere verwendeten an diesen Stellen ganz unbedenklich den romanischen Rundbogenfries.

Der Abschluß der Türme muß einiges Kopfzerbrechen verursacht haben; sie standen an die dreißig Jahre unvollendet da, und erst 1512 erhielten sie die „welschen Hauben" aus Kupfer.

Von der Retardierung des Höhendranges, die so charakteristisch für die Türme ist, war im Innern nichts zu merken. Das Langhaus war eine typisch spätgotische Hallenkirche, das heißt eine, in der die Gewölbekämpfer von Haupt- und Nebenschiffen auf gleicher Höhe liegen. Das Hauptschiff hatte keinen normalen Abschluß; für den Chor war lediglich das letzte Paar der achteckigen Säulen etwas enger gestellt. Zwischen den Strebepfeilern waren Kapellen eingerichtet, die sich um die ganze Kirche herumzogen.

Im Innern wurde es einem sofort klar, daß Jörg Ganghofer kein genialer Meister vom Schlag des Hans Stetheimer aus Burghausen war; er war ein braver Handwerker, der sein Bestes in den Türmen gegeben hatte. Pfeiler und Sterngewölbe waren von einer fast dürftigen Einfachheit, und nur die gewaltigen Dimensionen des Ganzen wogen die Armut im einzelnen auf. Zu allem Überfluß hatte eine puristische Restauration um die Mitte des 19. Jahrhunderts fast das ganze Inventar entfernt, das sich im Laufe der Zeit angesammelt hatte. Spätgotische Kirchen rechnen von Haus aus mit der zerstreuenden und ablenkenden Wirkung der Altäre, Chorgestühle, Kanzeln, Beichtstühle, der Statuen und Bilder. Jacob Burckhardt war empört, als er 1877 das Resultat dieser Säuberungsaktion sah (Brief an Max Alioth vom 7. August). Um das Maß vollzumachen, hat man die Kirche dann mit „stilgerechten" Werken ausgestattet, wie der Kanzel, die Max II., und den zwölf Aposteln in rotem Marmor, die Ludwig II. stiftete. Der unangenehme gelbgraue Anstrich der letzten Restaurierung tat ein übriges, um die Kirche kalt und nüchtern erscheinen zu lassen. Dagegen kamen auch die ziemlich reich ausgestatteten Kapellen, die alten Glasfenster und das Chorgestühl mit den Halbfiguren (von 1502) nicht auf. Das einzige Monument, das sich behauptete, war das Grabmal Ludwigs des Bayern. In seiner jetzigen Form geht es auf einen Entwurf Peter Candids vom Jahre 1622 zurück, der die Deckplatte der Tumba, wahrscheinlich ein Werk des Erasmus Grasser (um 1490), mit den überlebensgroßen Standfiguren Albrechts V., Wilhelms IV. und den knienden Fahnenträgern an den Ecken von Hubert Gerhard zu einem eindrucksvollen Ganzen vereinte.

Die Frauenkirche ist nicht die älteste Kirche Münchens; die Stadtsilhouette zeigt neben ihr die Peterskirche mit ihrem leichten Helm auf einem schweren Turm. St. Peter war kurz nach 1170 als die erste Stadtpfarrkirche gegründet worden. Der jetzige Bau stammt aus den Jahren 1327—1365 und steht auf der alten romanischen Grundlage (1287 bis 1294); der Turm wurde 1379—1386 aufgeführt; er erhielt seine Bekrönung erst im Jahre 1607. Um 1630 dann wurde das basilikale Langhaus durch eine Choranlage von drei Konchen erweitert. Die Baugeschichte der Peterskirche ist typisch für die meisten romanischen und gotischen Kirchen Bayerns und Schwabens. Die bedeutendsten wurden zwischen 1620 und 1650 umgebaut und viele ein zweitesmal im 18. Jahrhundert. Wenn sie damals einem stärkeren baulichen Eingriff entgingen, so wurde ihnen wenigstens ein glitzerndes Rokokogewand übergeworfen, wie das auch der Peterskirche geschah. Ganz ähnlich erging es St. Jakob am Anger, welche den Chor der romanischen Basilika aus der Mitte des 13. Jahrhunderts beibehalten hatte; das Langhaus von 1378 und das Netzgewölbe von 1404 stammen aus der Zeit, in der die Gotik nach Bayern kam. 1737 wurde dann das Innere mit Fresken und Stukkaturen von Johann Baptist Zimmermann ausgeschmückt.

Von der Griechischen oder Salvatorkirche, einem simplen einschiffigen Bau aus dem Jahre 1494, braucht nicht mehr gesagt zu werden, als daß ihr spitzer Turm zum alten Stadtbild gehörte.

*

An Profanbauten des 14. und 15. Jahrhunderts hatte sich kaum etwas erhalten, und was da war, drängte sich auf dem engen Platz zwischen der Peterskirche und dem Alten Hof zusammen. Der war 1254 von Ludwig dem Strengen als Burg angelegt und von seinen Nachfolgern ausgebaut worden. Die Situation ist bezeichnend: eine Festung in der Festung und am Rande der Stadt, so daß im Falle eines Aufstandes der Weg ins Freie offenstand. Daran hat sich übrigens bei der Anlage der späteren Residenzen nichts geändert.

Die enge Burgstraße führte in ein paar Minuten zur Ostseite des Marienplatzes, und dort stand das alte Rathaus. Von dem ursprünglichen Bau aus dem Jahre 1315 hatte sich das sogenannte Kleine Rathaus auf dem Petersbergl erhalten, in dem sich bis vor einigen Jahren das Standesamt befand. Großen künstlerischen Wert besaß wohl keine dieser Bauten; wer aber nachts, wenn die Gegenwart ruhte, etwa durch den Alten Hof ging und das Mondlicht auf den alten Häusern liegen sah, der mochte sich unversehens in eine ferne Vergangenheit entrückt fühlen.

Viel bedeutender war der Alte-Rathaus-Saal, mit dem Jörg Ganghofer, der Erbauer der Frauenkirche, 1470 den zu klein gewordenen Komplex erweiterte. Durch sein weites Tonnengewölbe aus Holz machte er einen mächtigen Eindruck. Ursprünglich zierten ihn die berühmten Maruskatänzer des Erasmus Grasser, 16 Holzfiguren in halber Lebensgröße vom Jahre 1480, wovon sich zehn erhalten haben.

Diese Statuen sind vielleicht die erstaunlichste Leistung der spätgotischen Plastik in Deutschland. Man weiß nicht, was man mehr bewundern soll: die Kühnheit des Vorwurfs, die geistreiche Interpretation oder die Sicherheit, mit der die übertreibende Bewegung der Tänzer erfaßt ist. Jeder ist gerade in dem Augenblick festgehalten, in dem eine Bewegung ausklingt und eine neue zu erwarten ist; das setzt eine unheimliche Schärfe des Auges und ein profundes Verständnis für den Mechanismus des Körpers voraus. Nicht weniger erstaunlich sind die Einfühlung in das Wesen des Grotesk-Tänzerischen, die Feinheit und verwegene Eleganz der Form, die Freiheit und der Schwung der Darstellung. Dazu kommt noch, daß jeder der Mitwirkenden sich als individueller Charakter behauptet, obgleich doch alle von der Musik sich mitreißen lassen. Das sind wirklich Meisterwerke ersten Ranges, und mit Recht ist darauf hingewiesen worden (Pinder), wie himmelhoch damals in Deutschland die anschaulichen Künste über der des Wortes standen: das gleichzeitige Fastnachtsspiel „Moriskentanz" strotzt von unflätigen Zoten.

*

Mit Ausnahme des Alten Hofs waren alle Bauten, die bisher besprochen wurden, Unternehmungen der Bürgerschaft. Sie entstanden in Zeiten, die wenig Sinn hatten für monumentale Wirkung. Mächtig, wie die Frauenkirche ist, war sie in einer Seitengasse errichtet worden; die Peterskirche stand hinter der Häuserzeile des Marienplatzes, und das Rathaus war dort in eine Ecke gedrückt, die alles andere als beherrschend war. Der Mangel an Wirkungsabsicht zeigt sich auch in dem geringen Aufwand, den man den Fassaden zugestand: der Haupteingang der Frauenkirche ist äußerst bescheiden, und das gilt auch für die Platzfront des Alten Rathauses; die Peterskirche vollends hat überhaupt kein Gesicht, und als man im 17. Jahrhundert, wo man anders über diese Dinge dachte, ihr eine größere Wirkung sichern wollte, blieb nichts übrig als ihre wohlgerundete Rückseite zu präsentieren.

Erschwerend kommt hinzu, daß München seit dem 13. Jahrhundert eine Residenzstadt war, deren Bürgerschaft nicht von dem Geist des Selbstbewußtseins erfüllt war wie die einer freien Reichsstadt. Aber selbst die herzogliche Burg, der Alte Hof, hielt sich in ganz bescheidenen Grenzen, und trat nicht mit dem Anspruch auf Repräsentanz auf.

Das ändert sich radikal im 16. Jahrhundert. Man hat neue Ideen von der Würde des Menschen, und verlangt von der Kunst, daß sie das zum Ausdruck bringt. Der erste Bau, der dieser Forderung nachkam, war die Michelskirche, die von entscheidendem Einfluß auf die gesamte kirchliche Architektur Süddeutschlands werden sollte.

Die Michelskirche und die anschließende Alte Akademie, das frühere Jesuitenkollegium, wurden 1583—1597 von Wilhelm V. aus privaten Mitteln errichtet. Durch ihre Lage schon zeigen sie die neue Baugesinnung an: nicht irgendwo in winkligen Gassen versteckt, sondern an der breitesten Straße der Stadt, die noch platzähnlich erweitert wurde. Die Absicht ging auf imposante Wirkung: das Kollegium sollte die Macht der alten Religion, die Kirche den Ruhm des Landesherrn und seines Geschlechts verkünden. Wilhelm V. war der Auftraggeber; die Ausführenden gehörten zu einer internationalen Gruppe von Künstlern, in der Niederländer das erste Wort hatten, Italiener als Berater dienten und die Einheimischen eine bescheidene Rolle spielten.

Man macht es sich zu leicht, wenn man sagt, daß mit der Michelskirche die italienische Renaissancekunst nach München verpflanzt worden sei und auf Il Gesù (Vignola, 1570) als das unmittelbare Vorbild hinweist. Richtig ist, daß die breitgelagerte Akademie mit ihrer sauberen Teilung in Stockwerke und ihre Fensterbehandlung ebensogut irgendwo südlich der Alpen stehen könnte. Das gilt aber schon nicht mehr für den Flügel mit dem steilen Giebel, der im rechten Winkel zur Straße stand. Und die Fassade der Michelskirche wird niemand mit irgend etwas Italienischem zusammenbringen wollen. Zugegeben, daß auch hier die einzelnen Elemente italienischer Herkunft sind: aber die Art, wie sie vereint wurden, ist so unitalienisch wie möglich. Für diese drei Geschosse von gleicher Breite und verschiedener Höhe, mit der übermäßig akzentuierten Horizontalgliederung und dem Steilgiebel, der seine gotische Herkunft nicht verleugnen kann, gibt es im Süden nichts Vergleichbares. Die späteren Veränderungen im oberen Stockwerk — großes, rundes Fenster statt des schmalen, achteckigen, die Figuren in den Nischen zu Dreiergruppen zusammengenommen — haben dann den Eindruck des Eigenwilligen noch verstärkt.

Die Fassade war das Werk des Friedrich Sustris (1524—1599), eines Malerarchitekten, der dem Kreis der niederländischen Romanisten angehört. Diese Niederländer hatten sich ganz den Idealen der italienischen Renaissance verschrieben, oft bis zur völligen Preisgabe ihrer Eigenart. Die Künstler gingen nach Italien zur Ausbildung; Sustris z. B. lernte in Florenz und Venedig. Manche blieben im Lande, und einige wurden sogar die Lehrer italienischer Maler, wie Denis Calvaert; andere fanden nach ihrer Rückkehr willkommene Aufnahme in ihrer Heimat und in Deutschland. Sie waren die idealen Vermittler zwischen dem Norden und Süden; sie sprachen die italienische Formensprache fließend, aber mit einem Akzent, der sie nicht so fremd klingen ließ, und mit einer Syntax, die einem vertraut war.

Eine „reine" Lösung also ist die Fassade der Michelskirche nicht; aber eine ungemein charakteristische ist sie, weil hier gleichsam ein gewalttätiger Versuch gemacht worden ist, dem gotischen Hochdrang entgegenzuarbeiten. Der Versuch ist nicht gelungen, und zwar einfach darum, weil die alten Formvorstellungen noch zu lebendig waren.

Im Innern ist es nicht anders. Man wollte einen Raum von majestätischer Weite und hatte dafür ein Tonnengewölbe von mehr als 20 Meter Breite vorgesehen und ausgeführt. Wolfgang Miller, der einheimische Baumeister, löste die Aufgabe so, daß der Schub von quergestellten Tonnen getragen wurde. Das war auch ganz unitalienisch, denn im Süden errichtet man ein solches Gewölbe mit Stichkappen. Es ist aber sehr fraglich, ob man die angewendete Konstruktion, die sich schon um 1500 herum in Bayern findet, als technische Rückständigkeit auslegen darf; denn schon 1569 hatte Eckl das Tonnengewölbe des Antiquariums in der Residenz mit Stichkappen erbaut. Viel näher liegt die Annahme, daß man die Schönheit der Wölbung unversehrt, ohne störende Einschnitte von den Seiten, bewahrt wissen wollte.

Die schweren Pfeiler sind mit der Außenwand verwachsen und durch eine Empore verbunden; zwischen ihnen befanden sich die Seitenkapellen;

ST. MICHAEL · FASSADE

ST. MICHAEL · INNERES

RESIDENZ MÜNCHEN · GROTTENHOF

RESIDENZ MÜNCHEN · STEINZIMMER

RESIDENZ MÜNCHEN · NORDBAU

RESIDENZ MÜNCHEN · PÄPSTLICHE ZIMMER, SCHLAFZIMMER

THEATINERKIRCHE

ASAMKIRCHE·LINKS ASAMHAUS

ASAMKIRCHE · GNADENSTUHL

AMALIENBURG · AUSSENANSICHT

SPIEGELSAAL DER AMALIENBURG

das Licht, ein wichtiger Faktor für die Gesamtwirkung, fiel durch Fenster über den Emporen ein, die der Besucher unter normalen Umständen nicht zu sehen bekam.

Die ersten drei Joche, also das Langhaus bis zur Vierung, gehörten zum ursprünglichen Bau Millers; sie waren bezeichnenderweise nach dem gotischen Proportionsgesetz des Triangels konstruiert worden, d. h. der Scheitel des Gewölbes bildete die Spitze eines gleichseitigen Dreiecks über der Breite des Mittelschiffs. Vierung und Chor des Millerschen Baues wurden durch den Turmeinsturz im Jahre 1590 zerstört. Dies Unglück wurde von Wilhelm V. als ein Zeichen des Mißfallens von seiten des Erzengels Michael mit den geringen Ausmaßen der Kirche angesehen; statt Miller als ein Werkzeug des Himmels zu ehren, ließ er ihn ins Gefängnis werfen und übertrug den Erweiterungsbau Sustris, dem der Jesuitenarchitekt Valeriani als Berater zur Seite stand. Interessant, daß im langen Chor die Triangulation aufgegeben wurde, obgleich natürlich das System des Langhauses bewahrt werden mußte. Am auffallendsten daran war das Verhältnis von Pfeiler und Wölbung; diese saß nicht auf dem Gesims, sondern auf einem Zwischenglied darüber: eine gestelzte Tonne also, die dem Raum einen Auftrieb gab, für den wiederum der Süden keine Analogien aufweist. Die Tonnen der Vierung dagegen ließ man aufs Gesims aufstoßen; das konnte ohne Beeinträchtigung der Gesamtwirkung geschehen, und man kann sicher sein, daß da eine italienische Hand im Spiel war.

Dieses Kreuzen und Mischen von Altem und Neuem, von Fremdem und Bodenständigem machte die Michelskirche zu einem der interessantesten Bauten Deutschlands. Über all dem darf aber die Hauptsache nicht vergessen werden, daß nämlich die Absicht des Erbauers erreicht wurde: ein mächtiger Raum, klar begrenzt, völlig überschaubar und bestimmt in seinen Teilen. Zum erstenmal erstand hier auf deutschem Boden ein Raum, in dem der Mensch sich groß und bedeutend fühlte. Das ist nicht alles. Mit der Michelskirche wurde auf den ersten Anhieb ein völlig neuer Typus geschaffen, die Wandpfeilerkirche. Dies ist eine ausgesprochen deutsche Form, die den Kirchenbau der nächsten 200 Jahre beherrschte. Es war eine Leistung, die gar nicht hoch genug angeschlagen werden kann.

Die schweren, ernsten Formen der Alten Akademie wiederholten sich in der sogenannten Maxburg, die sich Wilhelm V. am Rande der Stadt als Residenz aufrichten ließ. Wie aber die einheimischen Architekten sich mit dem Neuen auseinandersetzten, zeigt am besten der Münzhof, der um 1563 von Eckl erbaut worden war: diese Säulen und Bogen haben nichts mit italienischen Arkaden gemein, aber alles mit gotischen Lauben.

Bedeutender als künstlerische Leistung, und moderner im Sinne der

Zeit waren die Bauten, die in der Residenz aufgeführt wurden. Die fürstliche Repräsentanz verlangte eine Wohnstätte von prächtiger und mächtiger Wirkung. Alles, was sich davon bis vor einigen Jahren erhalten hatte, waren einige Baureste im Grottenhof, einer Schöpfung Friedrich Sustris um 1580. Mit dem Perseusbrunnen Hubert Gerharts, eines Landsmannes des Sustris, in seiner Mitte, gehörte er zu den vollendeten Werken jener niederländisch-florentinischen Spätrenaissance, die in München einen so fruchtbaren Boden fand. In der Tat gab sie, am Hofe wenigstens, zwei Generationen lang den Ton an. Wie sie sich zur Aufgabe des fürstlichen Prunkraumes stellte, davon konnte man in den Steinzimmern der Residenz eine Anschauung gewinnen. Die Räume wurden zwischen 1612—1617 errichtet und waren damals schon etwas altmodisch durch die saubere Teilung der Wände in Sockel, Fläche und Fries, durch die Art, wie die Decke auf dem Fries aufliegt und selbst aufgeteilt ist: lauter bestimmte geometrische Flächen, die in ihrem Eigenwert noch gestärkt wurden durch den Dekor. Trotz der kräftigen Stukkaturen machten diese Säle keinen prunkvollen Eindruck; reich, ja, aber dabei doch einfach, würdig und fast kühl.

Was Prunk ist, das lernte man einige vierzig Jahre später kennen, als der italienische Barock in München einzog. Der Sieg war ihm besonders leicht gemacht, weil der Kurfürst Ferdinand Maria (1651—1677) mit der savoyischen Prinzessin Henriette Adelaide verheiratet war, die eine Schar italienischer Künstler ins Land zog.

Die erste Sorge galt natürlich Wohnräumen, die dem welschen Geschmack entsprachen. Sie wurden von den Bolognesen Barelli (geb. 1627) und Pistorini in den sogenannten Päpstlichen Zimmern eingerichtet. Das Schlafzimmer dieser Flucht zeigte das neue Stilideal am reinsten. Am eindruckvollsten war die Teilung des Raumes durch einen Einbau, der das Bett zum festlich gerahmten Leitmotiv des Ganzen machte. Dabei ergaben sich Überschneidungen, Durchblicke, Licht- und Schatteneffekte, die etwas geheimnisvoll Lockendes hatten: lauter Wirkungen, die stark mit Illusionen rechneten und nach dem Theater schmeckten, wie denn das Ganze nichts anderes war als ein Bühnenbild von unerhörter Pracht.

Auf denselben Barelli gehen auch die Pläne für die Theatinerkirche zurück, die von entscheidendem Einfluß auf den Kirchenbau ganz Süddeutschlands wurde. Sie sollte ein ausgesprochen italienischer Bau sein; als Vorbild war S. Andrea della Valle in Rom bestimmt, die Mutterkirche der Theatiner.

Im Innern ist die Theatinerkirche eine basilikale Anlage mit Tonnengewölbe, das durch die Stichkappen wenig gestört wird. Das Querschiff stößt ganz leicht über die Fluchtlinien des Langhauses vor; der gestreckte Chor mit halbkreisförmigem Abschluß hält sich an diese verringerte Breite. Vom Vorbild unterscheidet sich das Langhaus durch die drei weiten Arkaden der Seitenwände, die von schmäleren, doppelgeschossigen Traveen flankiert sind. Die Verwendung von Dreiviertelsäulen an der Stirnwand der tiefen Kapellen war ein besonders glücklicher Gedanke, denn so konnte das Gebälk in günstigen Maßen gehalten werden. Über dem Gesims eine Attika, darüber dann ein hohes Fenstergeschoß; über der Vierung eine steile Kuppel auf hohem Tambour, der das Licht einläßt. Der kräftigen tektonischen Gliederung entsprechen die kräftigen Stukkaturen auf der Attika, den Friesen und Bogenzwickeln. Dieser schwellende plastische Dekor wird durch die gleichmäßig weiße Behandlung in den rechten Grenzen gehalten und ist ein Muster kalter römischer Pracht. Der Hauptaltar mit seinen gedrehten, girlandenbedeckten Säulen ist ein barockes Prunkstück. An ihm zeigt sich die innige Einheit von Architektur und Ausstattung: die Figuren und Draperien, die auf dem gebrochenen Giebel sich einfinden, rahmen zugleich das Oberlicht. Dies Schema geht auf Bernini zurück, und wiederholt sich an den Altären der Querschiffe.

Wenn das Innere so italienisch wie möglich ist, so ist die äußere Erscheinung süddeutsch. Weder Andrea della Valle, noch Il Gesù, das Vorbild für S. Andrea, haben eine Turmfassade. Die einzige Kirche dieser Gruppe mit Doppeltürmen ist S. Agnese; aber ein Blick auf diese leichten, durchbrochenen Gebilde zeigt, daß sie vor allem als Rahmen und *repoussoir* für die Kuppel dienen. Für den Norden lag die Sache anders: eine Kirche ohne Türme ist eine halbe Sache, und Barelli schon mußte die Zeichnungen dafür anfertigen. Der Graubündner Enrico Zuccali (1642 bis 1724), der seit 1673 im Innern mitgeholfen hatte, führte sie 1690 auf. Da italienische Vorbilder von der verlangten Größe fehlten, hielt Barelli sich an das, was er in München vor Augen hatte: rechteckige Untergeschosse, die sich ins Achteck verjüngen, und Bekrönung durch eine Haube. Das ist das Schema der Frauentürme, das hier auf italienisch ins Zeitgemäße umgemodelt worden war. Ganz italienisch dagegen ist die weite Stellung der Türme, neben, und nicht vor den Seitenschiffen. Die schweren Schnecken, die den Übergang zu den Hauben verschleifen sollen, und dabei das Oktogonal maskieren, sind eine Erfindung Zuccalis. Die endgültige Ausgestaltung der Fassade erfolgte erst 1768 durch Cuvilliés. Er hielt sich an das Fassadenschema, das Italien schon in der Spätrenaissance ausgebildet hatte: zweigeschossig, mit drei Feldern im oberen und fünf im unteren Stock, verbunden durch mächtige Kurven. Durch die Türme, die schon standen, war er gezwungen, die Seitenfelder des Erdgeschosses ganz schmal anzusetzen; wodurch die Bogen darüber steil ansteigen mußten, statt weit auszuschwingen. Das Ganze wurde dadurch schlank und gestreckt, statt breit gelagert, und geht ausgezeichnet mit den Türmen zusammen. Die drei Mittelfelder sind als Risalit mit Giebel vorgezogen; das zentrale Feld, das etwas zurückgenommen ist, bricht in den Giebel ein. Die feinen, eleganten Proportionen, der freie, spielerische Dekor, die außerordentliche Zurückhaltung in der plastischen Durchbildung der architektonischen Elemente lassen die Fassade sogleich als ein Werk des 18. Jahrhunderts erkennen. Man muß bedenken, daß ihre Vertikalen viel stärker sprachen, als die Kirche noch in einer engen Gasse stand.

Was Barelli mit der Theatinerkirche getan hatte, nämlich ein Musterbeispiel des italienischen Langhauses hinzustellen, das vollbrachte Viscardi (1647—1713) mit der Dreifaltigkeitskirche (1711—1715) für den italienischen Zentralbau. Der quadratische Hauptraum mit glatten abgeschrägten Ecken, hoher Kuppel und einem langen Chor, der sich in einem flachen Bogen schließt, erwies sich ebenso anregend und einflußreich wie die Fassade mit den zurückweichenden Seiten, den vorspringenden, abgeschrägten Ecken mit vollrunden Säulen vor Pilasterbündeln (im oberen Stock stehen die Säulen sogar frei) und der kräftigen plastischen Durchformung ihrer Teile.

Was immer die Gründe für die Errichtung gewesen sein mögen, von der Kunstgeschichte her gesehen lag die Bedeutung dieser Italienerbauten auf Münchener Boden einfach in ihrem Dasein. Hier hatte man die Lehrstücke leibhaftig und greifbar vor Augen, die im ganzen wie im einzelnen zeigten, wie etwas in dem Lande gemacht wurde, das in der kirchlichen Baukunst Europas unbestritten führte. Für die, die im Süden studiert hatten, war das eine willkommene Auffrischung der Anschauung, für die anderen eine Offenbarung; für alle aber war da eine Quelle von Anregung und ein Ansporn.

Was die Gegenwart rein italienischer Lösungen der Hauptthemen Langhaus und Zentralbau für die Weiterentwicklung der Kirchenarchitektur in Bayern bedeutete, muß hier außer Betracht bleiben. Aber so viel muß gesagt werden, daß Viscardi selbst, obgleich Bologneser von Geburt wie Barelli, seine künstlerische Ausbildung in Bayern erhalten hatte und daß in seinen Bauten auf dem Lande eine Reihe von Elementen sich finden, die nur aus der einheimischen Tradition heraus zu verstehen sind. (Aufs Land war er durch den Neid und die Intrigen Zuccalis abgedrängt worden.) Er leitete dadurch die Umwandlung des italienischen in den deutschen Barock ein. Der Prozeß wurde vollendet durch die beiden Brüder

Cosmas Damian (1686—1739) und Egid Quirin Asam (1692—1750). Beide waren Maler und Architekten, Egid dazu noch Bildhauer und Stukkateur.

Über die Stellung und Bedeutung der Brüder Asam in der abendländischen, nicht nur der deutschen, Kunst braucht hier nichts gesagt werden. Sie sind die Vollender des Barocks; in ihren Werken bilden Baukörper, Skulptur, Malerei, Raum und Licht eine unlösliche Einheit.

In München haben die beiden sich ein Denkmal gesetzt, in dem sie, ungehindert durch Einspruch, Wunsch oder Forderung von außen her, ihre Ideen Form werden ließen: die Johann-Nepomuk-Kirche, die sie 1733 als Privatkirche neben ihrem Wohnhaus in der Sendlinger Straße errichteten.

Die Fassade wächst aus natürlichem Felsen heraus; sie ist eingespannt zwischen zwei Pilaster in Kolossalordnung, die einen mehrfach geschwungenen Giebel tragen. Dazwischen liegt das Portal mit freistehenden Säulen auf schrägen Sockeln und einem flach gebogenen Giebel, aus dem die Figur des betenden Nepomuk herauswächst; darüber dann das Hauptfenster, abgeschlossen mit starken welligen Profilen und wie von ungefähr bevölkert von Engeln, Putten, Drachen und Herzen; es ist fast unmöglich, die einzelnen Motive auszumachen, man soll auch nur das bewegte Spiel aufnehmen, in dem das Auge von Form zu Form gelockt wird. Ein Vergleich mit der Dreifaltigkeitsfassade, also einer italienischen Barockfassade, macht einem klar, wie viel weiter hier die Verschmelzung von architektonischen, plastischen und dekorativen Elementen getrieben und wie sie einer großen Idee dienstbar gemacht wurde, nämlich ein ekstatisches „Hinauf" zur Anschauung zu bringen.

Im Innern kommt die Malerei dazu. Der Grundriß ist typisch bayerisch: ein zentralisiertes Langhaus mit abgerundeten Ecken, einer ovalen Vorhalle und ovalem Chor. Das kommt einem aber nicht zum Bewußtsein, denn alle Teile fließen ineinander und im Baukörper ist alles getan, das Einzelne in einer Gesamtbewegung untergehen zu lassen, die auf den Altar, als den kultischen Mittelpunkt, und von da zur Decke leitet. Die wiederum schließt nicht ab, sondern läßt den Gläubigen an einem visionären Jenseits teilnehmen. Beide Stellen sind herausgehoben durch ein immaterielles Element, das Licht. Mit großem Raffinement ist die Wirkung ins Irreale und Zauberhafte dadurch gesteigert, daß die Lichtquellen verborgen bleiben: die Seitenfenster, die den Altar erhellen, werden durch Pilaster verstellt, die Fenster für die Decke bleiben unsichtbar hinter der mächtig vorspringenden Hohlkehle. Auf der Grenze zwischen Diesseits und Jenseits, zwischen dem realen Raum der Kirche und dem irrealen der Decke, schwebt in einem überirdisch wirkenden Licht die plastische Gruppe der Dreifaltigkeit. Mit einer Blitzlichtaufnahme ist dem besonderen Eindruck dieses Raumes nicht beizukommen, weil sie gerade das Wesentliche, die Lichtführung, aufhebt.

Vorher schon, im Jahre 1724, hatten die Asam der Hl.-Geist-Kirche jene bezaubernde Form gegeben, an die sich wohl noch viele erinnern werden. Durch Erhöhung der Mauern und neue Gewölbe wandelten sie den gotischen Hallenbau des 15. Jahrhunderts in eine moderne Freipfeilerkirche um, die 1731 ihren Turm erhielt. Die Kirche wurde dann 1885 bis 1888 verlängert und mit einer Fassade versehen, die auf die Pläne der Asam zurückging. Die zahlreichen Umbauten dieser Zeit zeigen, daß man die spätgotischen Raumschöpfungen durchaus nicht als andersartig empfand, und die Resultate beweisen, daß man damit recht hatte. Das gleiche gilt für die Plastik: in vielen Fällen ist das alte Gnadenbild als Hauptfigur in eine barocke Gruppe übernommen worden, ohne daß sich ein Mißton ergab. So war es zum Beispiel in Thalkirchen, einem südlichen Vorort Münchens.

Der heitere Eindruck der Hl.-Geist-Kirche beruhte nicht allein auf der Leichtigkeit und Eleganz der Formen, sondern vor allem auf ihrer Helle und Farbwirkung. Hier traf der Besucher zum erstenmal auf die spezifisch bayerische Farbkombination von Weiß, Gold, Hellblau, Nilgrün, Himbeerrot und Ocker, die ihm in hundert Kirchen auf dem Lande wieder begegnen sollte. Sie trägt ganz wesentlich zu der beglückend heiteren Wirkung dieser Bauten bei.

Ich überspringe hier eine Reihe von Kirchen, um zu dem einzigen Werk Johann Michael Fischers (1691—1766) in München zu kommen, St. Anna im Lehel. Die Kirche wurde 1727—1730 erbaut, ist also ein Frühwerk des Meisters. Über das Äußere ist nichts zu sagen; bei der Erweiterung nach Osten im Jahre 1852 wurde es durch eine neugotische Zweiturmfassade völlig verschandelt. Das Innere dagegen gab den alten Zustand wieder; es stellte sich als eine Verschmelzung von Lang- und Zentralbau dar. Der Hauptraum war ein langes, in der Mitte eingezogenes Oval mit bemalter Flachkuppel, das sich seitlich in je drei Nischen von verschiedener Tiefe und in einen Chor öffnete, dessen Kreisrund jedoch gar nicht als solches empfunden wurde. Obgleich Fischer derselben Generation wie die Asam angehört und zweifellos von ihnen beeinflußt war, ist er doch moderner: dem Ideal des bayerischen Rokoko, dem lichten, rhythmisch bewegten Einheitsraum kommt er in dieser frühen Arbeit schon ganz nahe.

*

Die Profanbauten dieser Zeit ergeben ein ganz anderes Bild: sie entstanden unter dem Eindruck der französischen Kunst. Das hat seine allgemeinen und speziellen Gründe: allgemein, weil mit der wachsenden politischen Macht Frankreichs auch seine Kunst immer größeren Einfluß gewann; speziell, weil Max Emanuel von 1692—1701 in Brüssel als Statthalter residiert und von 1706—1714 in Frankreich im Exil gelebt hatte; dazu kam, daß seine Schwester mit dem Dauphin verheiratet war. Kein Wunder, daß französische Kunst für den Hof und den Adel tonangebend war.

Schon 1684 hatte Max Emanuel Zuccali auf eine Studienreise nach Paris geschickt; 1706 folgte ihm der Gärtnerssohn Joseph Effner (1687 bis 1747) aus Dachau, um die Gartenkunst zu erlernen; Effner sattelte dann zur Architektur um, wie ein anderer Zögling Max Emanuels, François Cuvilliés (1695—1768), der seine Laufbahn als Hofzwerg begonnen hatte.

Effner hat sich zuerst in Nymphenburg betätigt; er hat den Mittelbau Barellis, einen mächtigen Würfel von fünf Stockwerken und monumentalen Freitreppen, mit kolossalen Pilastern und Fensterumrahmungen versehen und ihm damit erst ein bedeutendes Aussehen gegeben (1716); die beiden Seitenflügel und die Arkaden, die sie mit dem Hauptbau verbinden, hatte Viscardi schon 1702 hinzugefügt. Die übrigen Bauten, die sich links und rechts anschließen, darunter die hufeisenförmige Anlage gegen die Stadt zu mit den sogenannten Kavaliershäusern, sind unter Effners Leitung entstanden.

Von den Innenräumen hatte sich fast nichts in der ursprünglichen Fassung erhalten, weil der große Hauptsaal 1756—1757 von Johann Baptist Zimmermann modernisiert worden war. Das architektonische Gerüst jedoch war unberührt geblieben, und wer von den Repräsentationsräumen der vorhergehenden Epoche herkam und in diesem Saal stand, merkte gleich, wie stark Geschmack und Gesinnung sich verändert hatten: man fühlte sich freier und leichter in solchen Räumen, die den Menschen festlich stimmten.

Der Ruhm Nymphenburgs liegt aber nicht im Schloß selbst, sondern in seinen drei „Burgen", d. h. Lust- und Jagdpavillons, die im Park verstreut liegen. Zwei davon wurden von Effner erbaut: die Pagodenburg (1716) und die Badenburg (1718). Mit der Pagodenburg wollte man ein weltläufiges Interesse an asiatischer Kunst bekunden; das Fremdartige sollte wohl durch den seltsamen Grundriß zum Ausdruck kommen, einem Achteck, dessen zweite Seite jeweils vorgezogen ist. Im übrigen ist die Pagodenburg ein zweistöckiger Bau von großer Zurückhaltung, ja Strenge im Äußeren; man spürt hier vernehmlich den klassizistischen Grundton des französischen Rokoko.

Die Badenburg ist ein Gebäude von größeren Ausmaßen und Ansprüchen, das sich mit einer Freitreppe und einem quergelegten Saal dem Wasser zuwendet. Bei der Außenseite, mit ihren Rustikalisenen, den rundbogigen Glastüren und den Ochsenaugen, ist Effner noch nicht von seinen gehaltenen französischen Modellen losgekommen; der Saal mit seinen abgeschrägten Ecken leidet unter den schwerfälligen Stukkaturen des Franzosen Dubut, den sich Effner aus Berlin hat kommen lassen, wo er unter den Einfluß Schlüters geraten war. Die Büsten in den Ochsenaugen und auf den Wandkonsolen geben dem Raum obendrein eine unangebrachte Würde.

Vor der Amalienburg (1734—1739) dagegen ist längst jede Kritik verstummt. Dehio hat dieses Werk Cuvilliés' „die vollendetste Lösung, die der Rokokostil für den Typus des fürstlichen Lusthauses gefunden hat", genannt. Sie ist ein eingeschossiger Bau von entschiedener Horizontalerstreckung; dadurch schon geht eine beruhigende Wirkung von ihm aus; die niedrige Treppe, der flache Giebel, das starke Gesims, das Balustradendach und die feine Rustika der Wände helfen weiter in diesem Sinne. Dabei sind die Proportionen des Ganzen wie der Teile von unübertrefflicher Eleganz, und Einzelheiten, wie die Kapitelle der Pilaster, von einer leichten und heiteren Schönheit: was besonders beim Vergleich mit Effnerschen Formen klar wird.

Das Innere wird bestimmt durch den runden Hauptsaal mit seiner flachen Kuppel, der in der Fassade als Risalit vorschwingt. Jede Beschreibung dieses Raumes muß notwendigerweise hinter seiner Wirkung zurückbleiben. Der erste Eindruck ist der eines zarten Silberfiligrans auf mattblauem Grund, denn Wände und Decke sind blau gehalten und mit einem Netz von silbernen Stukkaturen übersponnen. Das alles flimmert in der Fülle des Lichts, das durch die Türen und Fenster hereinströmt und von den Spiegeln zurückgeworfen wird. Die Spiegel selbst weiten den Raum ins Unermeßliche und ergeben immer neue, reizvolle Bilder. Die Wände scheinen nur aus den graziös geschwungenen Rahmen für die Fenster, Türen und Spiegel zu bestehen. Der Mauer darüber ist schließlich durch die überströmende Ornamentik jedes Gewicht genommen: das Auge tanzt von Form zu Form, weil keine getrennt erscheint, sondern auf tausenderlei Weise mit der nächsten verschlungen ist. Durch den unerschöpflichen Reichtum an Erfindung, die Vermischung von darstellenden und dekorativen Elementen und ihre Verschmelzung zu einem wogenden Ganzen erzeugt die Ornamentik, zusammen mit Licht und Farbe, ein Gefühl unbeschwertester Heiterkeit.

Aus all dem geht hervor, daß bei der Gestaltung solcher Innenräume dem Stukkator und seiner Arbeit eine Bedeutung zukam, die über alles Frühere hinausging. Der Architekt ließ diesen gottbegnadeten Handwerkern, wie Feulner sie treffend genannt hat, erstaunlich viel Freiheit. Jeder hatte seinen persönlichen Stil. Der genialste war zweifellos J. B. Zimmermann; er war auch ein gesuchter Maler und Innenarchitekt und hat als solcher hauptsächlich ältere Bauwerke „modernisiert".

Diese Zeit hatte sich neue Ideen von Sinn und Aufgabe der Architektur gebildet: sie sollte Räume schaffen für ein festlich erhöhtes Dasein. Mit der Errichtung eines entsprechenden Rahmens war aber erst die halbe Arbeit getan: die Baukunst sollte vor allem jenes Gefühl wachrufen und festhalten. Daß noch andere Absichten mitspielten, versteht sich von selbst: von einem repräsentativen Bau in der Residenz verlangte man eine andere Wirkung als von der intimen Amalienburg. Als Cuvilliés dort die Grüne Galerie (1730) erbaute, schuf er etwas, was Eleganz und Würde in der schönsten Weise vereinte. Im Innern ging die Absicht mehr aufs Prächtig-Reiche und ließ daher der Phantasie nicht so viel Freiheit wie in der Amalienburg. Näher kommen jener Leistung schon die sogenannten Reichen Zimmer, die sich unmittelbar an die Grüne Galerie anschlossen. Sie waren zuerst von Effner eingerichtet worden, nach dem Brande von 1729 erhielt dann Cuvilliés den Auftrag, sie wieder herzurichten. Ich will hier nicht auf den Unterschied zwischen der Arbeit Effners und Cuvilliés' eingehen, Feulner hat das in vorbildlicher Weise getan. Wenn hier aus der Flucht nur das Spiegelkabinett (1732) gezeigt wird, so geschieht das, weil es ein Musterbeispiel war für die fruchtbare Zusammenarbeit von Architekt und Dekorateur; weil es zeigte, was man im 18. Jahrhundert an ostasiatischer Keramik sammelte und was man damit anfing; und weil es das entzückendste der Zimmer war, über die Jacob Burckhardt an Max Alioth schrieb, sie seien „geradezu das herrlichste Rokoko, das auf Erden vorhanden ist, und an Erfindung und elastischer Eleganz sogar den Prachtzimmern von Versailles überlegen" (Brief vom 11. August 1877).

Dies Urteil Burckhardts gibt Anlaß, wenigstens mit ein paar Worten auf den Unterschied zwischen französischem und bayerischem Rokoko hinzuweisen. Im breiten Publikum herrscht immer noch die Meinung, daß die beiden im Abhängigkeitsverhältnis von Lehrer und Schüler stünden, wobei es sich versteht, daß der Schüler den Lehrer nie ganz erreicht habe. Kein Zweifel, daß die entscheidenden Anregungen von Frankreich ausgegangen sind; die Höchstleistungen da und dort sind aber so verschieden, daß man jeweils eine grundsätzlich andere Einstellung annehmen muß.

Das wird sofort verständlich, wenn man etwa das Zimmer Ludwigs XV. in Versailles mit einem der Reichen Zimmer in München vergleicht. Was dort als erstes auffällt, ist das feste System rechteckiger Panneaux, die sauber getrennt nebeneinander stehen. Der äußerst sparsame Dekor hält sich strikt an diese Grenzen; auch das ist höchst bezeichnend, daß er ein Feld in zwei oder drei gleiche Teile teilt. Der Gesamteindruck ist der einer großen Klarheit und Übersichtlichkeit. In Bayern werden gerade diese Dinge vermieden: die Grenzen werden so weit wie möglich verschliffen, die Formen trennen sich nicht, sondern suchen sich; hier findet man statt eines additiven ein vereinheitlichendes Vorgehen am Werk. Das gilt natürlich nicht nur für die Dekoration von Wohnräumen, sondern hat seine Gültigkeit auch für so völlig anders geartete Themen wie den Kirchenbau. In einer französischen Rokokokirche, wie St. Madelaine in Besançon (1746), behaupten sich Säulen, Pilaster und Wölbung als bestimmt gefaßte Körper, während der Raum sich sogleich als die Summe so und so vieler Teilräume von bestimmter Erstreckung darstellt. Vergleicht man damit irgendeine bayerische Rokokokirche, etwa Dießen (J. M. Fischer, 1732), so müssen selbst stumpfe Augen sehen, daß da eine grundsätzlich andere Auffassung dahinter steht. Hier regt sich die Masse und der Raum atmet. Trotz der Absicht auf Vereinheitlichung, die auch im französischen Rokoko nicht fehlt, bleibt es dort bei einer Vorstellung in Teilen, während im bayerischen das Ziel erreicht ist; und da die Tendenz zur Vereinheitlichung von Anfang an im Barock steckte, wird man das Urteil der Kunstgeschichte verstehen, daß in Bayern Barock und Rokoko ihre Erfüllung gefunden haben.

Nach diesem Exkurs wird man auch begreifen, weshalb Dehio das Residenztheater, das Cuvilliés 1751—1753 erbaute, „ein vollendetes Muster seiner Gattung im Stil des Rokoko" nannte. Hier vereinen sich Reichtum an Form, Glanz und Pracht der Farben Weiß, Purpur und Gold mit dem Licht, um eine unwirkliche, erwartungsvolle und festlich gehobene Stimmung zu erzeugen. Dieses intime Theater war der ideale Rahmen für eine Mozart-Oper, und wer dort etwa eine Aufführung von Shakespeares „Sturm" erlebt hat, wird sie zu seinen unvergeßlichen Eindrücken rechnen.

München war besonders reich an Werken des 18. Jahrhunderts, vor allem an Bauten der beiden Meister Effner und Cuvilliés. Von Effner stammt das Preysing-Palais (1723—1728), von Cuvilliés das Palais Holnstein, heute das Erzbischöfliche Palais (1734—1737) und das Palais für den Grafen Preysing (1740); dazu kam dann noch das Palais Törring, das später als Hauptpost diente, von Ignaz Gunezrainer (1698—1763). Es ist unnötig, alle diese Bauten zu beschreiben, die unter sich so verschieden waren wie die Persönlichkeiten ihrer Architekten, des vollblütigen Effner, des feinen Cuvilliés und des handfesten Gunezrainer. Alle aber waren so unfranzösisch wie möglich durch das starke Zurückdrängen der tektonischen und die Betonung der schmückenden Elemente, vor allem durch den Schwung und die Freiheit der Ornamentik. Kein Franzose wäre so weit gegangen, und gerade dadurch stellt sich ein Cuvilliés mit den Altbayern Effner, Asam und Gunezrainer in eine Reihe. Hier lagen auch die Vorbilder für die zahlreichen Bürgerhäuser, die über die Stadt verstreut waren und die das repräsentativere Adelspalais auf ein bescheideneres Maß reduziert hatten.

*

Mit Ausnahme Nymphenburgs waren alle diese Bauten in dem alten Festungsgürtel eingeschlossen, der sich seit dem 14. Jahrhundert nicht geändert hatte. Der Durchbruch ins Freie geschah genau ein halbes Jahrtausend später, am Beginn des 19. Jahrhunderts. Das neugewonnene Terrain umfaßte ein Vielfaches des alten Stadtgebietes; daß ihm Ordnung und ein ganz bestimmtes künstlerisches Gepräge gegeben wurde, ist allein der Weitsicht Ludwigs I. zuzuschreiben. Ihm verdankte München das Aussehen, das dem Besucher zuerst auffiel und das nachdrücklich in seinem Gedächtnis haftete.

Um sich ein Bild zu machen von der Größe der Aufgabe, genügt ein Blick auf die Situation vor dem Schwabinger Tor um das Jahr 1815; was außerhalb lag, war das Land, mit ungepflasterten Wegen, Weiden und Schrebergärten. Nach Plänen von wahrhaft bedeutendem Wurf entstanden an den Landstraßen Gebäude von monumentalen Prätensionen: 1816 das Leuchtenberg-Palais und die Glyptothek; das Odeon, das Karl-Theodor-Palais und das Kriegsministerium folgten in den Jahren 1826—1830. Zur gleichen Zeit entstanden die Alte Pinakothek, der Königsbau am Max-Joseph-Platz und der Festsaalbau gegen die Hofgarten zu. Der Architekt war Klenze, den Ludwig I. als Kronprinz in Paris 1814 kennengelernt hatte und der sein getreuester Helfer wurde. Die nördliche Hälfte der Ludwigstraße fiel Gärtner zum Ausbau zu; in den dreißiger und vierziger Jahren entstanden die Staatsbibliothek, die Ludwigskirche, die Universität und die Feldherrnhalle.

Die große Gesinnung, die dahintersteckte, darf nicht bezweifelt werden. Sie äußerte sich schon in der Bestimmung; an der Ludwigstraße waren alle Bauten, mit Ausnahme der beiden Palais, solche des öffentlichen Wohles. Sie zeigte sich auch in der gesamten Anlage und ihrer eindrucksvollen Wirkung. Der monumentale Charakter wurde noch gehoben, wo die Bauten in Massen auftraten, wie in der Ludwigstraße, der Barerstraße und am Königsplatz.

Alle diese Gebäude wurden im klassizistischen Stil aufgeführt, oder besser, in den Varianten dieses Stils, wie sie der wechselnde Geschmack der Zeit und die jeweilige Aufgabe forderten.

Der Klassizismus französischer Prägung hatte schon im 18. Jahrhundert seinen Einzug in München gehalten und im sogenannten Landschaftlichen Neubau am Oberanger, einem Werk des jüngeren Cuvilliés (1774), ein ausgezeichnetes Beispiel hinterlassen. Der erste repräsentative Bau, dem Zweck und Lage seine Wirkung sicherten und der radikal mit der Vergangenheit brach, war das Hof- und Nationaltheater, das Karl v. Fischer 1811—1818 errichtete. Den Eindruck bestimmte der mächtige Tempelportikus von acht Säulen und flachem Giebel, der sich im Dachgeschoß des Bühnenbaues wiederholte.

Was das Hoftheater, das sich in der Fassade wenigstens auf die Antike berief, mit den anderen klassizistischen Bauten gemein hatte, war die Betonung der kubischen Erscheinung, der Akzent auf den tektonischen Gliedern, die saubere Trennung der Teile und der Sinn für den Wert der Fläche. Das alles stand im schärfsten Gegensatz zu den Idealen der letzten zweihundert Jahre. Die Zeit hatte ein starkes Gefühl dafür, daß eine neue Epoche in der Geschichte Europas angebrochen war; die Kunst sollte das anschaulich machen.

Uns bedeutet es wenig, ob man sich Griechisches, Römisches, Romanisches oder die Früh- und Hochrenaissance zum Vorbild nahm; wir sehen nur, daß man sich aus der Geschichte das herholte, was den eigenen Absichten entsprach. Damals aber empfand man den Unterschied zwischen einem Architekten, der sich dem Antiken, und einem, der sich dem Romanischen verschrieb, als sehr bedeutend und bezeichnend für die alte und neue Generation: ein Mann wie Gärtner sah sich als Vorkämpfer eines „neuen Stils", der aus dem Material, dem Klima, der modernen Technik und reiner Zweckbedingtheit geboren war. Das waren die Punkte, die H. Hübsch schon 1828 aufgestellt hatte. Die antike Baukunst bewunderte man als eine der höchsten Leistungen des Menschengeistes; der gotischen gestand man den gleichen Rang zu. Die eine war nicht zu gebrauchen, weil ihre horizontale Tragkonstruktion den modernen Ansprüchen nicht genügte; das gotische System aber war zu einheitlich, zu wenig anpassungsfähig und daher nur als Ganzes im Kirchenbau verwendbar; weshalb Maria Hilf in der Au 1831 in diesem Stil errichtet und durchaus nicht als Widerspruch empfunden wurde. Für Profanbauten aber brauche man ein Wölbungssystem, und da sei das romanische dem altrömischen weit überlegen.

In der Praxis freilich wurde die stilgerechte Scheidung wenig streng durchgeführt: Klenze verwendete im Innern der Glyptothek die Wölbung ausgiebig und hatte damit Räume geschaffen, die sich zur Aufstellung antiker Bildwerke unvergleichlich besser eigneten als die Säulenhallen in Schinkels Altem Museum, das im selben Jahre fertig wurde. Auch nahm er, der Exponent der älteren Generation, die Forderung der Zweckmäßigkeit genau so ernst wie die Jüngeren: seine Alte Pinakothek wurde dadurch vorbildlich für den Typ der Gemäldegalerie, wie Gärtners Bau an der Ludwigstraße für den der großen Bibliothek.

Die künstlerische Qualität all dieser Bauten lag nicht im Reichtum der Erfindung, sondern in den Proportionen; und darin waren Klenzes Werke allen anderen überlegen. Man hat Klenze von jeher einen außergewöhnlich feinen Geschmack zugestanden und geglaubt, ihn dann mit der Bezeichnung Eklektiker beiseite schieben zu können. Den Vorwurf des Eklektizismus kann man keinem der klassizistischen Architekten ersparen. Wenn Klenze im Königsbau nur eine leichte Paraphrase des Palazzo Pitti (in der Form des 17. Jahrhunderts) gab, so war das nicht seine Schuld, sondern die Ludwigs I.; und das gleiche trifft für die Feldherrnhalle Gärtners zu, die eine Kopie der Loggia dei Lanzi (1376) in Florenz ist. Was sich da abspielte, war das architektonische Gegenstück zu dem Entlehnungs- und Anregungstrieb der Nazarener in der Malerei. Wo aber Klenze mehr Freiheit hatte, zeigte er eine entschiedene Neigung für die Renaissance; schon 1816 schloß er sich für das Leuchtenberg-Palais an den Typ des römischen Stadtpalastes an; in der gewaltigen Loggia des Festsaalbaues, die dem Ganzen seinen Charakter wahrhaft königlicher Würde und Größe gibt, hatte er Motive aufgenommen (Kuppelung von Pilastern mit freistehenden Säulen, die sich einzeln im mächtigen Gesims verkröpfen), die schon nahe an den Barock heranführen.

Diese Hinwendung zur Renaissance war aber etwas, was sich durchaus nicht von selbst verstand. Im Gegenteil, sie lief dem Zeitgeschmack stracks zuwider. Damals galt der Renaissancestil als „unorganisch" und wurde deshalb strikte abgelehnt. Jacob Burckhardt urteilte noch 1855 so, obgleich er es war, der unserer so ganz anderen Wertung jener Epoche den Weg bereitet hat.

Die Hauptwirkung der klassizistischen Bauten Münchens aber lag, wie gesagt, darin, daß sie sich zu Gruppen vereinten, entweder an Straßenzügen, wie in der Ludwigstraße, oder an Plätzen, wie dem Königsplatz, dem Wittelsbacherplatz, dem Odeonsplatz und dem Max-Joseph-Platz; dort hatte man, eines stilgerechten Eindrucks wegen, 1836 die Nordseite des Palais Törring durch Klenze in eine italienische Arkadenhalle verwandeln lassen. Alle diese Gruppen sind in sich geschlossen und sollten durch die konzentrierte Macht der Architektur Eindruck machen. Das galt besonders vom Königsplatz, und seine Pflasterung, die den grünen Rasen ersetzte, entsprach ganz den Absichten Klenzes. Am reinsten aber war die Absicht in der Ludwigstraße verwirklicht, wo auch der Ausdrucksgehalt klassizistischer Bauten vernehmlich zu Wort kam; denn jeder, der sie entlangging, wird beim Anblick dieser geordneten Massen und festen Verhältnisse neben einem Gefühl von Kraft so etwas wie einen Ansporn zu solider Arbeit verspürt haben. Es war ein glücklicher Gedanke, ans Ende dieser Straße die Universität zu legen.

Obgleich diese reinlichen Werke allein schon durch ihre Zahl das Stadtbild ganz wesentlich bestimmten, ist es doch fraglich, ob der Klassizismus in München je volkstümlich werden konnte. Dieses steinerne Bildungsprogramm mit der ständigen Mahnung zu sachlicher Nüchternheit, simpler Größe und edler Enthaltsamkeit lag dem altbayerischen Wesen ganz und gar nicht.

Die Herrschaft des Klassizismus dauerte gerade so lange wie die Ludwigs I., der damit aufgewachsen war. In den fünfziger Jahren setzte die Reaktion darauf ein; 1851 wurde das Preisausschreiben für die Maximilianstraße veröffentlicht, in dem ausdrücklich verlangt wird, daß kein Gebäude oder sein Stil ein bereits vorhandenes Vorbild nachahmen dürfe. Die Hauptforderung aber ging nach Formen, die den wissenschaftlichen und technischen Errungenschaften der Zeit entsprächen; man wollte also einen völlig neuen Stil, der den Geist der Zeit zum Ausdruck bringen sollte, die sich nicht weniger für eine Zeit der Erfindungen und Entdeckungen hielt als die unsere.

Der Versuch, bewußt einen neuen Stil zu schaffen, mißlang natürlich aufs kläglichste. Die zwei breit gelagerten Bauten, die sich in der Maximilianstraße gegenüberlagen, waren ein Gemisch aller möglichen Formen; im Maximilianeum selbst entschloß man sich in letzter Stunde, auf den Rat Gottfried Sempers, für die Renaissance als Vorbild.

Was alle Gebäude gemeinsam haben, ist die enorm breite Front mit erhöhtem, dreigeteiltem Mitteltrakt und Eckbauten, die im Regierungsgebäude und im Maximilianeum galerieartig mit dem Hauptbau verbunden sind. Da die Wände durch eng gereihte Fenster und Arkaden durchbrochen werden, ergibt sich für alle drei Bauten eine merkwürdig leichte und luftige Wirkung. Am Maximilianeum mit seinen offenen Loggien tritt das besonders stark in Erscheinung. In der Tat geht sie dort so weit, daß sich der Eindruck des Theatralischen einstellt.

Das ist es aber, was beabsichtigt war. Die Maximilianstraße sollte mit einem Stück beginnen, das von feinen Geschäften und Gaststätten eingesäumt war, sich dann, in doppelter Breite, zu einem Korso mit Bäumen, Rasen, Standbildern und Gebäuden steigern und im Maximilianeum einen effektvollen Abschluß finden. Der Bau ist wirklich nichts anderes als eine mächtige architektonische Kulisse. Kein Mensch denkt daran, ihn auf Einzelheiten zu prüfen; er soll nur als Ganzes erfaßt werden, und das nur im Zusammenhang mit der Straße, die auf ihn zuführt, dem Gelände und den gärtnerischen Anlagen, aus denen er herauswächst. Das war die Absicht, und sie ist erfolgreich verwirklicht worden; niemand, der am Abend darauf zuging, wenn die Sonne in den Fenstern sich spiegelte, das Gold im Giebel aufleuchten ließ, der Himmel durch die Loggien schien und das rötliche Filigran des Baues sich vom dunklen Grün der Bäume abhob, wird diesen Anblick vergessen und die gehobene Stimmung, in die er einen versetzte. Mir ist es immer vorgekommen, als habe hier der *genius loci* seine Sprache wiedergefunden.

Die gleiche festlich-heitere Stimmung fand Wölfflin am Lenbachplatz mit dem Wittelsbacherbrunnen. Er hatte recht, wenn er die ganze Anlage den Festeingang Münchens nannte. Das „Natürlich-Prächtige des Platzes" ergibt sich hier aus der gleichen Situation und ihrer künstlerischen Gestaltung wie beim Maximilianeum, nämlich durch die glückliche Vereinigung von Gelände, Vegetation und Kunstwerk, wenngleich die Leistung Hildebrands weit über der des Architekten Bürklein steht.

*

Damit habe ich die zeitliche Grenze erreicht, die ich mir gesetzt hatte. Vieles mußte übergangen werden, um den Vortrag nicht übermäßig in die Länge zu ziehen; und aus demselben Grunde konnte manches, was als bedeutend und bezeichnend herangezogen wurde, nicht so ausführlich behandelt werden, wie es seinem Wert entsprach. Es bestand weder die Absicht, eine historisch geordnete Aufzählung zu geben, noch einen raschen Überblick über die Entwicklung der abendländischen Architektur, illustriert mit Beispielen aus München. Ich habe vielmehr versucht, durch Auswahl und Beschreibung jene Werke herauszuheben, die der Stadt ihr besonderes Aussehen gegeben hatten.

Es ist eine andere Frage, ob damit auch schon das hervorgehoben wurde, was den besonderen Charakter der Stadt ausmacht. Das heißt aber nach dem Eigentümlichen und Eigenartigen der bayerischen Kunst fragen, denn München ist vom Lande nicht zu trennen.

Es ist offenkundig, daß das nur teilweise der Fall war. Für eine befriedigende Antwort wird man sich dort umsehen müssen, wo eminente Leistungen hervorgebracht wurden, die sich als etwas Einzigartiges darstellen. Das geschah im Spätbarock und im Rokoko. Das ist nichts Neues; die Kunstgeschichte hat schon längst gewußt, daß Bayern das Land der Spätstile ist; was nichts anderes heißt, als daß es sein Bestes und Eigenstes in jenen Stilperioden zutage brachte. Warum das so war, kann hier nicht erörtert werden; ein Grund, neben vielen anderen, liegt darin, daß das zeitgebundene Ideal der Epoche zusammenfiel mit dem zeitlosen Ideal der volksmäßigen Veranlagung. So viel ist sicher, daß in Geist und Form jener Zeiten etwas lag, was der Bayer verstand, was ihn anrief und ermutigte, sich frei und unbeschwert auszusprechen. Wenn der Barock das Gewaltige, die heftige Bewegung, den starken Affekt und die pathetische Geste liebte, auf das Üppige und Effektvolle ausging und das Theatralische nicht ablehnte, so konnte er bei niemandem auf besseres Verständnis stoßen als beim Bayern, dem die Neigung zu dekorativer Pracht und saftiger Fülle, zum Drastisch-Ausdrucksvollen und Gefühlsbetonten im Blut liegt.

Nur auf diesem Boden konnte die wahrhaft grandiose Himmelfahrt Mariä in Rohr (1719), mit ihren überlebensgroßen Figuren, geschaffen werden. Und es ist durchaus erlaubt, dieses Werk des Müncheners Egid Asam mit dem seines Mitbürgers, einem Maruskatänzer des Erasmus Grasser (1480), zusammenzubringen; es ist derselbe Geist, der sich da, über die Jahrhunderte hinweg, Form und Ausdruck geschaffen hat. Er findet sich wieder in der Wieskirche des Dominikus Zimmermann, in den Stuckdekorationen seines Bruders Johann Baptist und in unseren Tagen in den Randzeichnungen Slevogts zur Zauberflöte. Es ist schließlich derselbe Geist, der sich im Don Juan, im Heldenleben und im Rosenkavalier Richard Strauß' Gehör verschafft hat.

ÜBER DAS RELIGIÖSE IN WOLFRAMS PARZIVAL

Otto Georg von Simson

I

DAS MITTELALTER war von Gott erfüllt. Die Werke der Kunst und Dichtung, der philosophischen Spekulation und der mystischen Schau, welche vor unsern Augen stehen, sooft wir an jene Epoche denken, sind durchleuchtet von dem religiösen Erlebnis. Dieses Erlebnis verbindet die Werke des Mittelalters untereinander, es erscheint uns als das Erkennungszeichen ihres geistigen und künstlerischen Wesens, und es ist zugleich das Element, welches jene Vergangenheit auch für uns verständlich und wesentlich macht. Was das zwölfte und dreizehnte Jahrhundert über die Welt und über das Leben des Menschen in der Welt gedacht, ist für die meisten von uns nur noch merkwürdig; aber über Gott möchten wir uns noch von jenem Zeitalter belehren lassen.

Merkwürdig: so viel Richtiges dieser Ansicht zugrunde liegt, so hat sie doch zu einer Verengung und Verzerrung der Deutung geführt, welche verhindert haben, daß die Botschaft des Mittelalters uns in ihrem eigentlichen Anliegen erreicht. Es zeigt sich das besonders in der landläufigen Auffassung von der höfischen Kultur und Dichtung jener Zeit. Scheint in diesen nicht ein sehr anderer Geist zu atmen als in den gotischen Münstern? Und überwiegt nicht selbst in dem höchsten Werk unserer mittelalterlichen Dichtung, in dem *Parzival* Wolframs von Eschenbach, das Zeitgebundene? Die ritterlichen Übungen, die sinnbildlichen Formen der höfischen Kultur mit ihrer unersättlichen Freude an der rechten Gebärde, dem geziemenden Wort — das alles ist für uns recht blaß und schattenhaft geworden. Der *Parzival* scheint sich weder zu der lichten Höhe der alten Dome zu erheben noch auch sich in die zeitlosen Gründe des Schicksalsmächtigen so tief hinabzusenken wie etwa das Nibelungenlied. Und man könnte etwas Sinnbildliches in der Tatsache sehen, daß die gotischen Münster noch immer der Gegenwart unserer Kultur lebendig angehören, während die ritterlichen Burgen, die Wolfram so gern beschrieben hat, schon längst Ruinen sind.

Nun ist ohne weiteres zuzugeben, daß der *Parzival*, als höfisches

Epos, schon in der Absicht seines Dichters einen begrenzteren Anspruch und einen engeren Wirkungskreis besessen hat als andere Kunstwerke der Zeit. Nicht nur die religiöse Dichtung und Kunst, sondern auch die weltliche Lyrik, ja selbst das Heldenepos des Mittelalters wendeten sich an einen jeden. Das ergab sich aus dem Wesen dieser Werke; und die Forschung hat die wichtige Tatsache erwiesen, daß selbst das Heldenepos lebendiger Besitz auch des Bürgertums gewesen ist, während die Wirkung des höfischen Epos auf den verhältnismäßig kleinen Kreis ritterlicher Männer und Frauen beschränkt blieb, deren Welt es schildert.[1])

Aus diesen Grenzen hat der Dichter des *Parzival* nicht heraustreten wollen, und man findet bei Wolfram weder den erhabenen Anspruch noch die gemessene Würde eines Vergil oder Dante. Er hat gesungen wie der Vogel singt, unbekümmert und heiter, trotz dem Ernst seines Anliegens; ein ritterlicher Sänger, kein Schreiber, der noch im Ruhm (den er noch erlebt hat), noch in der Ahnung Unsterbliches vollbracht zu haben, die Demut kennt und den Scherz, zu allermeist über sich selbst und über die eigene Armut, die ihn von dem Glanz jener höfischen Welt ausschloß, der sein Herz begeistert zugehört hat.

Man darf den *Parzival* in gewissem Sinne sogar als Gelegenheitsdichtung bezeichnen. Das erweisen auch in dem überlieferten Text noch die direkte Form der Anrede an seine Zuhörer, das Ungezwungene und Unbekümmerte seines Reimes, die Längen und Wiederholungen, die mißverstandenen oder nur ungefähr nach der Vorlage wiedergegebenen Fremdworte und Namen seiner Helden; das beweisen schließlich auch die Anspielungen auf Zeitereignisse und Zeitgenossen.[2]) Es wäre gewiß übertrieben zu sagen, nur die haben den *Parzival* recht verstanden, welche ihn noch vom Dichter selbst vernommen haben; aber wir müssen uns doch beim Lesen den ritterlichen Sänger selbst vergegenwärtigen. Unter den hohen Werken der Weltliteratur sind nur die homerischen Epen so aus der lebendigen Gegenwart des Augenblicks in die Ewigkeit hinausgewachsen. Wolfram hat als Ritter und für Ritter gesungen. Eintretend in das einsame und nach unseren Begriffen karge Leben der romanischen Burg, hat er erzählt, um den Burgherrn und die Seinen zu unterhalten, zur heiteren Kurzweil einiger Tage, für den süßen Dank einer edlen Frau, wie er selbst am Schluß des *Parzival* sagt. Darum beschränkt er sich auf jene Welt, die er und seine Zuhörer am besten kannten, die ihm und ihnen allein würdig und besitzenswert erschienen ist: die Welt der Burg, des ritterlichen Kampfes, der höfischen Minne; daher auch das für uns zuweilen Einförmige und Einfältige der Erzählung mit ihrer ermüdenden Reihe von Kämpfen, worin stets der beste Mann die Hand der schönsten Dame erringt, die kindliche Freude, mit der Wolfram die prächtigen und reichen Dinge seiner Welt beschreibt: die schimmernden Geräte, die glänzenden Rüstungen, die prunkvollen Stoffe, die seltenen Edelsteine.

Und doch ist das alles nicht um seiner selbst willen ausgemalt. In jener Zeit war selbst der Besitz des Menschen von seiner Seele durchdrungen und geformt. Und man findet, daß in den Schilderungen Wolframs die Schönheit eines Dings stets in einer eigentümlichen Entsprechung steht zu dem Adel der Person, die es besitzt, daß es ihr Spiegel ist und ihr Sinnbild. In dem Glanz der Welt und des irdischen Gutes leuchtet die Schönheit Gottes, und Reichtum — das ist noch ganz mit den Anschauungen des Lehnswesens gesehen — muß im Einklang mit der Tugend stehen. Die Gralsburg selbst ist zugleich die herrlichste aller Burgen und Stätte göttlichen Heiltums.

Diese Auffassung der dinglichen Welt führt uns aber schon zu dem eigentlichen Anliegen des *Parzival*. Und über den Ernst dieses Anliegens kann und soll das Heitere, Höfische, Gesellige im Ton und in den Bildern dieses Gedichtes nicht hinwegtäuschen. Wolfram möchte mit seiner Dichtung gefallen und unterhalten. Aber das ist ihm nur Mittel zum Zweck. Vor allem will er erziehen und bilden. Das erfährt der Zuhörer gleich im Anfang in der tiefernsten, für uns überraschend strengen Vorrede mit ihrem Tadel der Toren, welche den Sinn des Gleichnisses nicht begreifen, die Lehre des Gedichtes sich nicht innerlich zu eigen machen wollen.[3] *Parzival* soll also als Gleichnis verstanden und ernst überdacht werden, die heiteren und glänzenden Bilder und Episoden führen zu einem tieferen Sinn. Hier schon verrät sich eine Spannung, welche das ganze Gedicht durchzieht. Bedenken wir aber, daß ein Zeitalter, welches auch im Glanz der Welt den Abglanz des Ewigen erblickte, auch in dem Gefälligen das Bildende zu erkennen vermocht hat, daß es sich auch von dem fahrenden Sänger zu den Letzten Dingen hat hinführen lassen. Daher die erzieherische Funktion der höfischen Epen, die uns von mittelalterlichen Zeugen immer wieder bestätigt wird. Selbst der ernste Thomasin mahnt in seiner Sittenlehre zum Studium dieser Gedichte,[4] und wir werden am Ende sehen, daß die ritterlichen Zuhörer Wolframs die sittliche Bedeutung des *Parzival* sehr wohl begriffen haben.

Welches ist nun diese Bedeutung? Der Dichter hat es selbst am Ende des Werkes ausgesprochen:

swes leben sich sô verendet,
daz got niht wird gepfendet
der sêle durch 'es lîbes schulde,
und er doch der werlde hulde
behalten kan mit werdekeit,
daz ist ein nütziu arbeit.

Es ist jenes Ideal des harmonischen Ausgleichs, der Versöhnung von Gott und Welt, von ritterlicher Standesehre und Weltlust mit der ewigen Bestimmung des christlichen Menschen, welches man geradezu als die sittliche Formel des Rittertums bezeichnet hat, das Ideal: „Gott und der Welt gefallen."[5]) Wir sehen schon, wie sehr die Verbindung des gefällig Heiteren mit dem mahnend Ernsten in Form und Inhalt des *Parzival* gerade dieses Ideal uns vorstellt.

Wir müssen aber, um Wolframs Anliegen zu verstehen, uns vergegenwärtigen, daß jene beiden Pole dem Mittelalter als unendlich weit getrennt, ja als fast unvereinbar erschienen sind. Die religiöse Weltansicht der Wolfram vorausgehenden Epoche, die in dem cluniacensischen Gedanken ihren gewaltigen Ausdruck gefunden, hat diese Möglichkeit des harmonischen Ausgleichs zwischen Gott und Welt geradezu geleugnet. Und selbst der tiefsinnigste der Minnesinger, Wolframs Zeitgenosse Walther von der Vogelweide, klagt (8:20—22), es sei unmöglich, „daz guot und weltlich êre und gottes hulde mêre zusammen in ein herze kommen". Es bedeutet keine Leugnung dieses Gegensatzes, sondern bezeugt vielmehr sein Bestehen, daß andere höfische Dichter ihn zuweilen dadurch auszugleichen streben, daß sie Gott sozusagen in die höfische Welt hinabziehen und ihn alle ritterlichen Werte gutheißen lassen. Man denke an den „höfischen Gott" Gottfrieds von Straßburg, den Tristan und Isolde beim belauschten Stelldichein um Hilfe anrufen können, als sei, was die ritterliche Konvention duldet, auch gleichbedeutend mit dem christlichen Ethos.[6])

Eine Art Mittelstellung zwischen dem älteren Ideal und dem des höfischen Rittertums nimmt das Werk ein, welches dem *Parzival* zum Vorbild gedient hat: der *Perceval* des Chrestien von Troyes. Ein Vergleich der beiden Dichtungen ist außerordentlich lehrreich. Der französische Perceval ist ein glänzender Ritter, der gleich im Anfang des Gedichts schuldig wird, dafür mit der Ausstoßung aus dem Gral büßt, aber schließlich, durch Reue, religiöse Belehrung und die Gnadenmittel der Kirche geläutert, doch — das geht aus dem Fragment eindeutig hervor — des höchsten Glücks teilhaftig werden sollte. Hier ist die Religion, von der Kirche verwaltet und vom Rittertum geübt, Ausgleichsmittel zwischen dem höfischen Ideal und der mittelalterlichen Lehre vom *summum bonum;* und die im Grunde als durchaus antithetisch erlebten Begriffe von Gott und Welt werden versöhnt durch die Theologie von Schuld, Sühne und Vergebung.

Ganz anders bei Wolfram. Auch er hat das Rittertum verherrlicht. Aber er hat es zugleich einer unerbittlichen Prüfung unterzogen. Die glanzvolle, stolze Welt der höfischen Kultur hat auch er leidenschaftlich bejaht als die einzige, in welcher sich das Leben verlohne. Aber in die Mitte dieser Welt hat er eine Frage geworfen, die sie zu sprengen drohte. Parzival ist der tapferste, der schönste und wenn man will auch der erfolgreichste Ritter: am Ende seines Weges erringt er das Gralskönigtum. Zuvor aber hat Wolfram ihn allen Glanzes schonungslos entkleidet, der Schimmer seiner Rüstung ist stumpf geworden, sein Antlitz ernst, und selbst die ritterliche Tugend hat sich beugen müssen vor einem Ideal, über dessen Andersartigkeit der Dichter uns nicht im Zweifel läßt. Der Parzival, der schließlich in die Gralsburg einzieht, ist eine tiefernste Gestalt, das christliche Bild des Herakles, der, an den Grenzen der Welt, die Last des Atlas auf den Schultern trägt. Wie Herakles ist auch Parzival ein Held der *Arbeit,* der steten, unerschütterlichen Bewährung.[7])

Wir sprechen oft von dem mittelalterlichen Universalismus und meinen damit den Ausgleich des gegensätzlich Getrennten, die Synthese, welche jene Epoche auf ihrem Höhepunkte vollzogen. Aber die Kultur des hohen Mittelalters ist vor allem Ausdruck der Spannung, und seine größten Geister haben um das tragisch unlösbare dieser Spannung gewußt und schmerzlich lernen müssen, sich darin zu bescheiden. Wie dem Zeitalter des Perikles und Phidias, so hat auch dem Jahrhundert, in welchem Friedrich von Hohenstaufen und Franz von Assisi, Wolfram von Eschenbach und die Meister von Bamberg und Naumburg gelebt, das Tragische seinen Glanz verliehen.

II

Von dem Religiösen in Wolframs *Parzival* ist das Tragische ein untrennbarer und wesentlicher Bestandteil. Der Dichter will uns lehren, wie der christliche Ritter zugleich Gott und der Welt gefallen kann. Aber bei der kirchlichen Lehre von Sünde und Vergebung bescheidet er sich nicht. Für ihn ist das Erlebnis Gottes vor allem das Erlebnis der göttlichen Gnade. Vor dieser Macht aber schwindet alles menschliche Streben, auch Ethos und Verdienst des Rittertums, in nichts. Das hat Wolfram zu-

tiefst erlebt, und das verkündet er als Dichter und Erzieher. Für ihn, wie
für die großen Scholastiker und Mystiker unter seinen Zeitgenossen, ist
Gott, wie er einmal sagt (466, 3) „ein durchliuhtec licht", und von diesem Licht erfährt alles Irdische Leben und Wert (wie die Gestalten goti-
scher Fenster von der sie durchleuchtenden Sonne).[8]) Auf dieses Licht
weisen die Schönheit der Welt, der Glanz der höfischen Kultur, aber vor
ihm sinken sie auch in nichts. Von dieser letzten Einsicht, die Wolfram
sich abgerungen, hat er als Dichter und Erzieher zeugen wollen. Aber
freilich erscheint die Begrenztheit des ritterlichen Ethos erst im Vergleich
mit dem Anspruch des Ewigen, an jener Begrenztheit ermessen wir die
Unbegrenztheit der göttlichen Allmacht, und damit wird die Schranke,
welche der Dichter dem menschlich-sittlichen Streben zieht, recht eigentlich zur Brücke, welche zur Erlösung hinführt. Hier reichen tragisches
und religiöses Erlebnis einander die Hand. Die endliche Versöhnung
wölbt sich über beiden Begriffen, dem tragischen Begriff der Schuld und
dem Mysterium der Erlösung (mit den konventionelleren Anschauungen
Chrestiens von Troyes haben beide wenig zu tun); ihnen wenden wir
uns jetzt nacheinander zu.

Die Belehrung, welche der junge Parzival von Gurnemanz empfängt (170—173), ist oft gedeutet worden. Sie ist wirklich ein mittel-
alterlicher Fürstenspiegel und entwirft das Ideal höfischer Zucht. Ja,
Gurnemanz ist eine der edelsten Gestalten unserer älteren Dichtung,
und es ist von tiefer Bedeutung, daß seine Weisheit bestrebt ist, das ritterliche mit dem christlichen Ethos zu vereinen. Es ist das Ideal der Kreuzzüge, wie es sich in den Gestalten heiliger Ritter am Südportal von
Chartres spiegelt.

Und dennoch hat Wolfram diese hohe Bildungslehre nicht ausgesprochen, ohne sie gleich darauf in Frage zu stellen. Es ist doch von größter
Bedeutung, daß gerade die Lehre des Gurnemanz Parzivals Verhängnis
heraufbeschwört, daß sie den Eingang bildet, der von der sorglosen und
lichten Jugend des Helden in die Tragik seines Mannestums führt. In der
Gralsburg angelangt, unterläßt Parzival, der Mahnung des Lehrers eingedenk, die Frage nach dem Grund von Amfortas' Leiden und lädt damit
eine schwere Schuld auf sich.

Wir sind damit bei der ersten entscheidenden Wendung des Gedichts
angelangt. In welchem Sinne ist die Unterlassung der Frage für Wolfram
eine Schuld? Indem Parzival schweigt, folgt er der Weisung des Gurnemanz, des besten Mannes, dem er bis dahin begegnet ist, der Weisung
„ir ensult niht vil gevrâgen" (171:17). Ja, Parzival folgt letztlich auch
dem Rat der geliebten Mutter, die ihm Ehrfurcht vor der Weisheit

gereiften Mannestums ans Herz gelegt hat (127:21f.). Man hat oft gesagt, Wolfram habe die Lehre des Gurnemanz als oberflächlich oder doch unzulänglich aufgefaßt wissen und damit das Begrenzte der ritterlichen Ethik gegenüber der christlichen, des *honestum* gegenüber dem *summum bonum* zeigen wollen. Aber es muß nachdenklich stimmen, daß auch der fromme Einsiedler Trevrizent, der dem Rittertum entsagt hat, und von dem Parzival in das Wesen des Christlichen eingeweiht wird — daß auch Trevrizent den Rat des Gurnemanz wiederholt: „sît rede und werke niht sô frî" (465:14).

Erinnern wir uns hier ferner, daß in der scholastischen Ethik die Neugier als Begleiterin des Stolzes eingeführt und verdammt wird, daß Bernhard von Clairvaux sowohl wie der Aquinate diese Eigenschaft, verkörpert in Eva, geradezu als Grund des menschlichen Abfalls von Gott hinstellen[9]) und daß schon der Apostel Paulus (2. Tim. 2:23) unnütze Fragen als Ursachen des Zanks untersagt. Tritt damit nicht Parzivals Schweigen auf der Gralsburg in ein verändertes Licht? Man löst im allgemeinen diese Schwierigkeit damit auf, daß man die unterlassene Frage nach Amfortas' Leiden als Erweis fehlenden Mitleids deutet. Bei Chrestien von Troyes ist sie das auch zweifellos. Indem Perceval sie unterläßt, zeigt sich darin die Verhärtung seines Gemütes. Er hat bereits lieblos den Tod seiner Mutter verschuldet; die gleiche Hartherzigkeit erweist — und rächt — sich in der Begegnung mit dem Gralskönig. Und damit ist Percevals Ausschließung aus dem Gral die Sühne selbstverschuldeten Vergehens.[10])

Läßt sich die gleiche Deutung auf Wolframs Gedicht anwenden? Sein Parzival ist tumb, ein unreifer Tor, aber gerade das Mitleid ist ihm eingeboren. Es erweist sich schon in dem Mitgefühl des kindlichen Parzival mit den Waldvöglein (119:10), ein Mitgefühl, welches uns daran erinnert, daß Wolfram von Eschenbach und Franz von Assisi Zeitgenossen waren. Und später in dem Gedicht, angesichts des ergreifenden Bildes der trauernden Sigune, die den erschlagenen Geliebten im Arme hält, erntet Parzival mit dem Ausdruck echter, tiefster Teilnahme den Dank der Unglücklichen:

> du bist geborn von triuwen
> daz er dich sus kan riuwen. (140:1f.)

Muß dieser Parzival Mitleid erst vom Leben lernen? Ja, ist sein Schweigen angesichts des Schauspiels auf der Gralsburg, in welcher das Leiden von dem wundersamen Gepränge gleichsam verhüllt zu sein scheint, nicht gerade als Ausdruck der Ehrfurcht, der Bescheidenheit überzeugender als jede Frage es sein könnte?[11])

Und dennoch ist die unterlassene Frage nicht nur die Ursache von Parzivals Verhängnis, sondern in Wolframs Meinung auch seine Schuld. Sigune, die des Helden Mitleid doch an sich selbst erfahren hat, verflucht ihn, weil er kein Erbarmen gezeigt (255:2 ff.), und auch Trevrizent nennt die Unterlassung eine Schuld, obgleich er ihr keineswegs entscheidende Bedeutung beimißt (501:5). (Diese Tatsache ist wichtig, wir werden sie alsbald verstehen lernen.) Wolframs Schuldbegriff erscheint geheimnisvoll und — rein ethisch gesehen — unlösbar. Hans Naumanns Erklärung der Mitleidsfrage als ritterliche Form, als Symbol höfischen Anstandes ist doch gewiß unannehmbar.[12]) Als ein konventioneller faux-pas könnte die Unterlassung der Frage allenfalls genügen, um Parzival aus der ritterlichen Welt auszustoßen — und selbst das ist eigentlich unmöglich angesichts eines ständischen Ideals, welches so sehr als Ausdruck nicht des Vorrechts, sondern der inneren Gesittung aufgefaßt wird wie Wolframs Rittertum. Tatsächlich aber führt Parzivals Verschuldung ja nicht nur zu seiner Entfernung aus dem ritterlichen Kreise, sondern zu der furchtbaren Ausstoßung in die Nacht der Gottesferne, in welcher der Held nun mehr als fünf Jahre lang — bis zur Erlösung am Karfreitag — umherirren muß. Überlassen wir uns ruhig dem Geheimnisvollen dieses Schuldbegriffs anstatt vorschnell nach seiner Lösung zu fragen. Wolfram selbst hat uns mit Absicht zu diesem Geheimnis hingeführt. Es ist das tiefste Erlebnis seiner religiösen Erfahrung.

Ich sprach oben von dem eigentümlichen Verhältnis, in welchem das Religiöse im *Parzival* zu dem Tragischen steht. Das wird mit überwältigender Wucht deutlich in der Cundri-Szene. Parzivals Sünde ist im Sinne christlicher Ethik zweifellos gering; auch Trevrizent führt sie auf tumbheit, auf jugendlichen Übereifer, zurück (489:5 ff.). Parzival weiß weder um den Tod der Mutter noch auch um das Verbrechen des Verwandtenmords, das er mit der Tötung Ithers begangen.[13]) Und er erscheint den edelsten Männern und Frauen durchaus mit Recht als Inbegriff des christlich-höfischen Ideals. Dennoch trifft ihn das Verhängnis. Und es ist von tiefer Sinnbildlichkeit, daß der Schlag gerade in dem Augenblick fällt, in welchem Parzival, durch seine Aufnahme in die Tafelrunde des Artus, die feierlichste Bestätigung seiner Rittertugend zuteil geworden ist. Inmitten des heiteren Prunkes der Tafel, in dem Augenblick, da der Jüngling die Schönheit der höfischen Kultur froh genießt — er wird sich ihrer nie wieder so unschuldig erfreuen können —, in diesem Augenblick ereilt ihn das Schicksal. Vor die entsetzt verstummenden Ritter und Damen tritt die Furiengestalt der Cundri, und unerbittlich wie die griechischen Eumeniden verkündet sie Parzival seine

Schuld und sein Verhängnis. Die scheußliche Erscheinung der Rächerin ist von tiefster Sinnbildlichkeit: wir bleiben nicht im Zweifel darüber, daß hier eine fremde, urtümlich entrückte Macht in die höfische Welt einbricht, vor der alle Anwesenden erschauern, ja, von der alle gerichtet sind. Wie haben wir sie zu deuten?

Das Drama der Griechen hat immer wieder getrachtet, das Wesen des Schicksals zu versinnlichen. Aber es hat dessen Herrschaft über den Menschen niemals deutlicher vergegenwärtigt, als Wolfram es im Parzival getan. Selbst der Absturz des sophokleischen Ödipus aus Macht, Glanz und Glück in die Nacht der Verzweiflung ist immerhin dadurch gemildert, daß er seinen Frevel erst allmählich erfährt. Aber unter dem Fluch der Cundri stürzt die Welt des Parzival ebenso jäh zusammen wie die des Hiob. Ödipus vermag ferner seine Schuld zu begreifen und unter der Last seines Unglücks fügt er sich auch fromm in die ewige Ordnung zurück, gegen die er, wenn auch unwissend, gefrevelt. Für Parzival ist das unmöglich. Er ist sich keiner Schuld bewußt, und dennoch stößt ihn die Anklage der Cundri, im Übermaß des Schmerzes in schrillen Hohn sich überschlagend, nicht nur aus der Tafelrunde, sondern aus der Huld Gottes aus. Sie weiß nicht nur, daß seine Schönheit, seine ritterliche Tugend nichts sind als eitler Trug — sie will auch wissen, daß Parzival in Gottes Ratschluß bereits zur ewigen Verdammnis vorbestimmt ist.[14])

In dieser Begegnung von Cundri und Parzival, in dem Gericht, welches hier das häßliche Weib über den Ritter hält, trifft uns etwas von der krassen Gewalt des Totentanzes.[15]) Auch heute noch hat diese Szene nichts von ihrer Wucht verloren. Wie furchtbar aber hat sie die Zeitgenossen Wolframs berühren müssen! In dem Verhängnis des Parzival scheint nicht nur die Ritterwelt, das Bildungsideal des Gurnemanz miteinzustürzen; da die Schuld des Helden rätselhaft und geheimnisvoll bleibt, das Schicksal ohne greifbare Rechtfertigung zuschlägt, so muß auch die Güte und Gerechtigkeit Gottes fragwürdig werden. Seiner Mutter war Parzival einst mit der kindlichen Frage begegnet: „waz ist got?" (119:17). Jetzt, am Wendepunkt des ganzen Gedichts, kehrt die Frage wieder, von dem unschuldigen Dur in ein ergreifendes Moll transponiert: „wê waz ist got?" (332:1). Es ist die Urfrage alles menschlichen Ringens um Gott, ein Echo der Frage, welche in der Not des Kalvarienberges erklungen ist. Hier im Parzival bricht sie durch das ritterliche Epos, durch die Welt der höfischen Kultur mit unerwarteter und erschreckender Gewalt. Auch diese Szene hat die Forschung historisch, das heißt aus nur dem Mittelalter eigentümlichen Anschauungen erklären wollen. Auch ein so ausgezeichneter Forscher wie Ehrismann empfindet angesichts von Parzivals Ringen mit Gott „wie naiv die Denkart des mittelalterlichen Rittertums noch war".[16]) Wolfram und seine Zeitgenossen, so führt er aus, hätten das Verhältnis von Gott und Mensch lediglich wie das Verhältnis des Lehnsmannes zu seinem Feudalherrn aufgefaßt. So sei es folgerichtig, daß Parzival Gott die Treue aufkündigte, nachdem ihm Gott scheinbar untreu geworden sei.

Diese Deutung scheint mir schon deshalb nicht stichhaltig zu sein, weil Wolfram selbst im *Parzival* eine solche Auflehnung gegen den Lehnsherren ausdrücklich und unter allen Umständen als unritterlich verworfen hat.[17]) Aus solchen Anschauungen würde sich die Auflehnung Parzivals gegen Gott viel eher verbieten als rechtfertigen. Vor allem: Wolfram zeigt uns den Gottesbegriff des jugendlichen Parzival, gerade um ihn als unzulänglich zu erweisen. Es ist von tiefer Bedeutung, daß die entscheidenden Wahrheiten von Gestalten verkündet werden, welche jenseits der höfischen Ordnung stehen. Die Wirklichkeit von Sünde und Schuld wird für Parzival durch Cundri vergegenwärtigt, die aus den Gründen des Todes aufsteigend einen tiefen Schatten über den Glanz des Rittertums wirft. Die Macht der göttlichen Gnade erscheint dem Helden in der Einsiedelei des Trevrizent, auch er schon jenseits der Welt, aber vom Licht der Erlösung verklärt. Wolfram hat im *Parzival* die Unergründlichkeit Gottes bezeugt. Das ist sein zeitloses religiöses Anliegen. Aber er bringt es seinen Zeitgenossen nahe, indem er die göttliche Welt an der höfischen mißt. Jene offenbart sich in ihrer Transzendenz, indem diese sich als unzulänglich erweist. Ja, Parzivals Schuld — im tragischen, nicht im ethischen Sinne — besteht darin, daß sich in seinem unreifen religiösen Erlebnis höfische und ewige Ordnung noch decken sollen. Mit seinem Zweifel und Abfall brechen beide für immer auseinander. Es ist das konventionelle Rittertum, welches in der österlichen Sühne abstirbt; ein verklärtes, christliches Menschenbild ist erstanden.

III

Vergegenwärtigen wir uns, daß Wolfram auf dem lichten Höhepunkt der höfischen Kultur mit dieser herben Auffassung vor seine Zeitgenossen hingetreten ist. In dem Mut seines Bekenntnisses, der freien Klarheit seiner Einsicht liegt etwas Gewaltiges. Parzival wird schuldig, weil er die Lehre des Gurnemanz befolgt; er wird gerichtet gerade in dem Augenblick, in welchem er als die edelste Verkörperung des höfischen Ideals erscheint. Diesem Ideal an sich hat Wolfram damit keineswegs das Urteil gesprochen. Für den Dichter wie für seine Zuhörer war das Rittertum nicht nur Privileg und stolzer Anspruch, sondern eingeborene und treu erfüllte Verpflichtung. Ja, bei allem Glanz seiner Erscheinung war der christliche Ritter — der *miles christianus* — nicht ein höfisches, sondern vor allem ein christliches Ideal. Als solches begleitet es Parzival von Kindheit an bis fast zu den Pforten des Grals, und noch in seinem Gespräch mit Trevrizent begründet er sein Vertrauen auf Gottes Barmherzigkeit mit dem Anspruch seiner ritterlichen Tugend.

Man darf diesen Glauben Parzivals in Beziehung setzen zu einem früheren Irrtum. Als Kind vermeinte er, in einem vorbeisprengenden glänzenden Ritter Gott selbst zu erblicken (122:21 ff.). Die heitere Episode enthält ein sehr ernstes Element. Wir sahen ja, daß Wolframs Zeitgenossen, selbst ein Gottfried von Straßburg, Gott tatsächlich in die ritterliche Welt hinabgezogen, ihn gleichsam als Ritter gesehen haben. Wolfram beschreibt die Verwechslung der höfischen mit der christlichen Wirklichkeit nicht nur, um die kindliche Einfalt seines Helden zu schildern, sondern auch um zu warnen, daß das höfische Rittertum über sich hinauswachsen muß, um das Ideal des *miles christianus* zu erfüllen. Damit enthält die Szene schon die dunkle Ankündigung von Parzivals Verhängnis und das eigentliche Anliegen des Gedichtes.

Aber Wolfram hat nicht spotten wollen. Die kindliche Verwechslung war ihm nicht bloß ein Irrwahn. Es ist gewiß ein tiefer Gedanke — Nikolaus von Cues spricht ihn gelegentlich aus[18] —, daß Gott uns stets das Antlitz zeige, das wir selbst ihm zuwenden, daß wir ihn nur in unserm irdischen Stande begreifen können, das Ewige nur in den Grenzen unserer Zeitlichkeit. Indem diese Anschauung das religiöse Erlebnis in der Sittlichkeit verankert, stellt sie dem Menschen auch eine Aufgabe, die fast unerfüllbar erscheinen mag: die Aufgabe, in dem Stande, worin er geboren, als ein Bild Gottes zu leben. Es ist das alte christliche Gebot des Paulus, daß des Menschen Zeitlichkeit das Ewige anziehen soll. Mit diesem Gebot tritt Wolfgang im *Parzival* vor das Rittertum seiner Zeit, es scheint mir die Karfreitagsszene zu erklären, der wir uns jetzt, als dem dritten Wendepunkt des Gedichts — nach der Grals- und Cundri-Szene — zuwenden.

Beachten wir zunächst die Tatsache, daß es zwei ritterliche Büßer sind, die Parzival den Weg zum Heil weisen, also zwei Genossen seines Standes, die gleichwohl, ganz im Sinne jenes Pauluswortes, die Ritterkleidung mit dem Gewand des Büßers vertauscht haben als sinnlich-symbolisches Zeichen der Nachfolge Christi. Fürst Kahenîs erscheint alljährlich am Karfreitag als Pilger, Trevrizent hat dem Rittertum für immer entsagt, um, aus Mitleid mit seinem kranken Bruder Amfortas, als Eremit zu leben. Auch er aber ist keineswegs ein Gegner des Rittertums geworden. Er fordert Parzival nicht auf, Einsiedler zu werden, sondern im Gegenteil, sich ritterlich, als *miles christianus* zu bewähren. Wolfram sagt ausdrücklich, Trevrizent habe den Helden von der Sünde geschieden und ihm ritterlich geraten.[19]) Die Bekehrung und schließliche Erlösung Parzivals erweist sich nicht in der Verwerfung des ritterlichen Ideals, sondern im Gegenteil in seiner Bewährung. Das zeigt sich vor allem an der Gestalt des Helden selbst.

Mit den Augen des Kahenîs und seiner Töchter erblicken wir Parzival gleichsam nach Jahren zum erstenmal wieder. Der dunkle Wald, in dem er sich an jenem Karfreitag findet, erinnert an die Szene, mit der Dantes Göttliche Komödie, auch an einem Karfreitag, beginnt. Aber die deutsche Waldeinsamkeit ist nicht, wie die Dantes, eine traumhafte, allegorische. Schnee ist gefallen und schlägt erkältend die Glieder, wie Wolfram sagt. Man sieht den einsamen Reiter in der noch winterlich düsteren, eisigen Stille. Wie in den Landschaften Altdorfers oder C. D. Friedrichs wird hier die Natur zum Bild der Seele. Denn auch Parzival selbst ist verwandelt, nicht mehr der strahlende Jüngling vom Beginn des Gedichts, sondern ein ernster Mann. Und mit dieser Wandlung scheint die Idee des Rittertums selbst eine andere geworden.

Wie oft hat Wolfram zuvor den Glanz, den stolzen Prunk der Rüstung geschildert; jetzt aber erscheint sie als etwas ganz anderes. Die Tochter des Kahenîs empfindet es sogleich: der Panzer, ruft sie aus, durchkältet den Fremdling bis aufs Mark (449:2 ff.). Trotz solcher Teilnahme lehnt Parzival es ab, mit den Pilgern zu ziehen. Aus der Gesellschaft der Frommen weiß er sich seit Jahren ebenso ausgeschlossen wie aus der der Unbekümmerten.

Von allen Erscheinungen Parzivals in Wolframs Gedicht ist diese die unvergeßlichste. Einsam im düsteren Walde, hoch zu Roß, noch im Stolz, im Trotz, im Zweifel, aber dennoch ein Bild ernster, unerschütterlicher Wacht, noch begleitet von Tod und Teufel, und gerade deswegen ein Bild des christlichen Streiters wie der Ritter auf Dürers Kupferstich.

Es ist gewiß bezeichnend, daß Parzival gerade in diesem Augenblick als Verkörperung der Treue, der *staete*, erscheint. Schon zu Beginn des Gedichts rühmt Wolfram die Treue, und es ist diese Tugend, die der Held in allen Irrungen bewährt, die ihn schließlich auch in die Nähe des Heiles führt. In die Nähe des Heils, aber nicht bis zu ihm hin! Die Versöhnung mit Gott ist für Wolfram nicht nur ein sittliches Problem, denn sie hängt nicht vom Menschen ab, sondern von Gott. Das christliche Mittelalter spürte in allem die Wirkung Gottes. So erschien ihm die Erlösung des Menschen von der Sünde vor allem als Geheimnis der Gnade.

Wolfram löst dieses Geheimnis nicht auf, in der Versöhnungsszene so wenig wie in den Augenblicken der Schuld und des Gerichts. Hier ist wiederum der Vergleich mit der Dichtung Chrestiens von Troyes lehrreich. Bei diesem erfolgt die Bekehrung Percevals eigentlich schon durch die fromme Belehrung, die er durch den Pilger im Walde empfängt. Ganz folgerichtig ist dann die spätere Aussprache mit Trevrizent eine christliche Beicht und Absolution, welche mit der liturgischen Andacht zum heiligen Kreuz endet. Die Versöhnung des Menschen mit Gott ist hier, ganz im Sinne der hochmittelalterlichen Scholastik gesehen, ebenso großartig im Vertrauen auf die religiöse Funktion des menschlichen Verstehens wie im Glauben an die Heilswirkung der kirchlichen Gnadenmittel. Wolfram hat diese Anschauungen geteilt, aber er führt uns über sie hinaus.

Es ist zunächst auffallend, daß es nicht menschliche Einsicht ist, welche Parzival zu Trevrizent führt. Er verharrt in seinem Trotz und pocht auf sein Rittertum als auf ein Anrecht vor Gott, selbst nachdem der Pilger ihn über das feierliche Gedächtnis belehrt hat, das am Karfreitag begangen wird. Obgleich Parzival den Weg zur Einsiedlerklause erfahren hat, muß sein Roß ihn finden; wie die Tiere an der Krippe zu Bethlehem, wie Bileams Esel, ahnt hier die Kreatur die Gegenwart des Heils eher als der verblendete Mensch.[20]) Gewiß, auch Wolframs Parzival wird hernach bekehrt, indem er die christliche Erlösungslehre kennenlernt und versteht. Aber sein Verstand vermag sich der Wahrheit erst zu öffnen, nachdem das Wunder der Versöhnung bereits erfolgt ist, als Wirkung der Gnade, nicht als ihre Vorbereitung.

Als Wunder hat Wolfram diese Wirkung durchaus gesehen. Als ein Wunder, an dem Parzival erst tätig teilnehmen kann, nachdem es ihn gleichsam überwältigt hat. Und als ein Wunder, das menschliches Ermessen nicht nur, sondern auch theologische Einsicht, ja selbst die Gnadenmittel der Kirche überragt, von dessen Gegenwart gleichwohl die stille Natur, die vertraute einfache Welt der Dinge hundertfältiges Zeugnis geben. Da ist das Feuer in der Klause des Einsiedlers, dessen Wärme Parzivals erstarrte Glieder belebt, bevor sich auch seine Seele in dem Gespräch mit Trevrizent löst. Da ist der Wald, gleichsam noch im Todesschlaf des Winters, als harre auch er der Auferstehung, welche dem Karfreitag folgen soll.

Man hat in dem religiösen Erlebnis Wolframs — wie in dem des Franz von Assisi — einen romantischen Gegensatz zu dem kirchlichen Leben

seiner Zeit erkennen wollen. Ich glaube zu Unrecht. Die Teilnahme der
Natur am Karfreitagsgeheimnis hat nur ein Mensch empfinden können,
für den die Wirklichkeit der Erlösung am Gedächtnistage von Christi
Opfertod und die Einheit des natürlichen und des liturgischen Jahres
geheimnisvolle Gegenwart waren.

Diese Erfahrung entspringt dem Mysterienerlebnis des kirchlichen
Gottesdienstes. Warum erfolgt die Bekehrung Parzivals gerade am Karfreitag? Weil sie als unmittelbare Wirkung des Erlösungstodes Christi
gesehen ist, als Wirkung, die geschieht, ohne daß Parzival davon weiß.
Die geheimnisvolle Gültigkeit dieser Heilswirkung wird gerade dadurch
greifbar, daß Parzival zu ihr hingezogen wird, ohne sie noch deutlich zu
wollen und ohne noch um sie zu wissen. Er hat ja sogar die Zeit vergessen, und erst Trevrizent erinnert ihn an Hand des Psalteriums daran,
daß er jahrelang an dem liturgischen Leben der Kirche nicht mehr teil-
genommen (460:25ff.). Aber ebenso wie in der noch winterlichen Natur,
vollzieht sich auch in seiner Seele die Wirklichkeit des heiligen Fest-
tages. Daß er den Tod seiner Mutter verschuldet und durch die Tötung
Ithers den Frevel des Verwandtenmordes auf sich geladen, erfährt Parzival in der Dunkelheit des Karfreitags. Wie Dante, wie die mittelalterliche
Christenheit überhaupt, begreift auch Parzival den Seelentod der Sünde
in der Stunde des Kreuzestodes, in dem Christus mit uns und für uns
starb. In dieser Stunde aber schickt sich die göttliche Gnade schon an, in
der Auferstehung Christi auch die des Menschen mit zu vollziehen. Auch
dieses Verschlungensein von Tod und Auferstehung, Sünde und Erlösung
entspringt dem liturgischen Erlebnis.

So mündet Wolframs religiöses Anliegen, das tiefste und letzte seines
Gedichts, in dem Erlebnis der Gnade. Indem Parzival schuldlos, oder
doch unwissentlich fehlt, erweist er den Irrweg, die Eitelkeit alles
menschlichen Strebens, das nicht von der Gnade erleuchtet ist. Aber für
den größten Dichter des deutschen Mittelalters, wie für Augustinus, ist
das Unzulängliche, das Tragische der menschlichen Existenz zugleich
Vorbereitung, ja Vorahnung der Gnade. Zwischen dieser Einsicht und
dem sittlichen Ideal der höfischen Kultur hat Wolfram keinen Gegensatz
schaffen wollen. Er hat gezeigt, daß auch das edelste Menschentum ohn-
mächtig ist, daß es zu seiner Erfüllung — und der christliche Humanismus des hohen Mittelalters hat Erfüllung stets als Erlösung gesehen —
Gottes bedarf. Aber da Gott für den Dichter ein alles durchleuchtendes
Licht war, so wußte er auch, daß das ständische Ideal seiner Zeit an dieser
Verklärung teilnehmen müsse und könne.

In der Demütigung des Karfreitags entsagt Parzival diesem Ideal nicht, er empfängt eigentlich erst in dieser Stunde die ritterliche Weihe. Vorher war er ein Spielball jener Macht, die Augustinus den elenden Zwang zur Sünde nennt, und damit zugleich unfähig, den Gral zu finden, der, als mystischer Berührungspunkt des himmlischen mit dem irdischen Bereich, bezeichnenderweise auch das höchste Ziel des Rittertums ist. Erst indem Parzival sich demütig unter die Allmacht der Gnade beugt, erlangt er auch die Freiheit sittlichen Vermögens.[21]) Nur so erklärt sich das scheinbare Paradox, daß Trevrizent ihm den Versuch, den Gral zu finden, als hoffnungslos hinstellt und ihm trotzdem hernach ans Herz legt, unermüdlich nach dem Gral zu streben.

Wir sind damit bei dem Gralsmotiv angelangt, das den *Parzival* beschließt und an dem jede Deutung des Gedichts sich wird rechtfertigen müssen. Wir verdanken der neueren Forschung wichtige Aufschlüsse über die Bedeutung dieses Sinnbildes.[22]) Der Gral ist eines jener ewigen Symbole des Abendlandes, die, wie Gebirgswasser aus tausend unterirdischen Quellen gespeist, fast unbegreiflich in das Licht der Geschichte treten. In keinem andern Bilde kommt das Universale des mittelalterlichen Kulturbegriffs so sehr zur Anschauung. Die Forschung (vor allem die glänzenden Arbeiten Konrad Burdachs) hat in dem Gralszyklus Bestandteile aufgedeckt, welche uns in alle Gegenden der christlichen Welt führen und sie alle miteinander verbinden. Die Vorstellung von dem heiligen Kelch, worin Nikodemus das Blut Christi auffing, führt aus dem frühchristlichen Syrien zu der schon dem Mittelalter wunderbaren Vergangenheit der Abtei Glastonbury in England. Die blutende Lanze, welche dem Amfortas Linderung schafft, wurzelt in der Longinuslegende und in der liturgischen Mystik der Ostkirche. Und durch die Verbindung mit der Artussage ist das wunderbare Gebilde der christlichen Phantasie schließlich in den reichen Nährboden keltischer Sage und in die klare Luft der höfischen Kultur verpflanzt worden.

Bei Wolfram tritt bezeichnenderweise noch ein anderes Element hinzu. Bei ihm ist der Gral nicht ein monstranzähnliches Gerät (wie bei Chrestien), sondern ein Stein. Das ist ein uraltes christliches Symbol, das an Christus, den Eckstein, erinnert und an die Vision der Offenbarung, in welcher Johannes die Majestät Gottes erblickt, anzusehen „wie der Stein Jaspis und Sarder" (Apok. 4:3). Wahrscheinlich hat aber Wolfram dieses Bild nicht direkt aus dem Neuen Testament übernommen, sondern es ist aus arabischen Quellen zu ihm gelangt. Das ist bezeichnend für den Geist der Versöhnung, der ritterlichen Duldung, den sein Werk überhaupt atmet.

Von der Geschichte des Gralsbildes führt mich das zu seiner Bedeutung. In der Gralssage ist die christliche Erlösungslehre — und zwar sowohl ihr sakramentaler Vollzug in dem eucharistischen Ritus wie ihr sittlicher Anspruch an den Menschen — sozusagen Märe und Traum geworden. Das gilt weniger für Chrestien — der die liturgischen und theologischen Anschauungen seiner Zeit seinem Werke einfügt, ohne sie doch dem dichterischen Erlebnis gänzlich anzueignen — als für Wolfram, und es ist, wie ich glaube, des deutschen Dichters größter Anspruch an die Nachwelt.

Was uns die Gralserzählung verständlich und vertraut macht über alle Mythenkenntnis hinweg, ist ihre Traumwirklichkeit. Der Gral ist die Stätte der Selde, der Ruhe in Gottes Huld, die wunderbare Vergegenwärtigung der christlichen Lehre vom höchsten Gute. Seien wir uns aber bewußt, wie vollkommen hier poetisches Bild und theologische Wahrheit einander die Waage halten. In dem Gralsbilde lebt auch das Dogma von Vorherbestimmung und Gnade, man denke an die geheimnisvolle Verborgenheit der Gralsburg, die selbst für Gawan unauffindbar bleibt — den Wolfram doch an Rittertugend dem Parzival ausdrücklich an die Seite gestellt hat (381:1 ff.) —, an Trevrizents Worte, daß nur die den Gral erjagen können, die schon im Himmel dazu prädestiniert sind (468:12 ff.). Aber noch bezeichnender ist eine Tatsache, die Gilson für *La Queste del saint Graal* nachgewiesen hat, und die für Wolframs Dichtung ebenso gilt wie für den französischen Roman des dreizehnten Jahrhunderts: daß nämlich das scheinbar rein märchenhafte Bild des Grals, an dem ein jeder die Speise findet, nach der er verlangt (238:3 ff.), zurückgeht auf Bernhard von Clairvaux' Beschreibung der Wirkungen göttlicher Gnade. Ein sehr wichtiger Beweis für die innige Beziehung zwischen der höfischen Dichtung und den theologischen Anschauungen zisterziensischer Mystik.[23]

Man spricht häufig von dem Intellektualismus auch in dem religiösen Erlebnis, den künstlerischen Hervorbringungen des hohen Mittelalters. Darin liegt viel Richtiges. Aber die Geistesgeschichte kennt wohl kein Beispiel einer vollkommeneren Aneignung metaphysischer Gedanken im poetischen Bilde, als sie in der Gralssage Wolframs stattgefunden.

Diese Aneignung ist dem Dichter ermöglicht worden durch die innige und unauflösliche Verwobenheit höfischen Lebens und christlicher Glaubenslehre. Aber nur er hat das märchenhafte Motiv des Grals zum unvergeßlichen Bild christlicher Bestimmung umgeschaffen und damit dieser ihren Ort auch innerhalb der ritterlichen Welt zugewiesen. Dieses Bild aber hat nur von einem Manne geprägt werden können, der selbst noch sehnsüchtigen und ehrfürchtigen Auges die ragenden

Pilgerziele des Mittelalters, die Klosterburgen der cluniazensischen und zisterziensischen Zeit erblickt hatte.

Denn Munsalvaesche und seine Bewohner sind mehr als die ideale Burg, mehr als das vollkommene Rittertum höfischer Anschauung. Von jener scheidet die Gralsburg der heilige Hort, welchen sie birgt, von diesem das Gebot, man darf sagen: die Regel der Reinheit und Demut, welche den Gralsrittern auferlegt ist; und für beides, Askese und Schutz eines Heiltums, bieten höchstens die Ritterorden der Kreuzzüge eine historische Verwirklichung. Inbegriff höfischer Sitte ist dagegen für Wolfram die Artusburg, Verkörperung ritterlicher Vollkommenheit ist ihm Gawan. Beide hat er gefeiert, beiden aber bleibt die Welt des Grals geheimnisvoll entrückt. Man kann m. E. den *Parzival* nicht ganz verstehen, ohne das fast Quälende empfunden zu haben, das in dem Verhältnis der beiden Welten zueinander liegt; sie ähneln sich wohl, aber trotz manchen verwandten Zügen bleiben sie einander letztlich doch inkommensurabel. Was sie voneinander scheidet ist die Tatsache, daß nur im Bereich des Grals, nicht in dem der Tafelrunde, das Heilige gegenwärtig ist, und diese Gegenwart nun das höfische gleichsam versengt.

So tritt im Bereich des Grals die Spannung, wenn man will der Widerspruch, den wir durch das ganze Epos verfolgt haben, in eigentümlicher Stärke hervor. Die Gegenwart Gottes scheint das ritterliche Ideal zugleich zu verklären und zu vernichten. Die Welt der Tafelrunde genügt sich selbst. Hier wird den ritterlichen Tugenden ein scheinbar glänzender Lohn zuteil; erst wenn wir von Munsalvaesche auf die Artusburg blicken, werden wir gewahr, daß in dieser Streben, Tugend und Erfüllung beschränkt sind. Was die Bewohner der Gralsburg von jenen unterscheidet, ist nicht so sehr sittliche Vollkommenheit, sondern die Ehrfurcht, die Selbstentäußerung vor der Gegenwart des Heiligen. Selbst König Amfortas hat gesündigt; sein Leiden aber, eine nach allen höfischen Begriffen übermäßige und unbegreifliche Buße, ist entzündet, zeugt von dieser Gegenwart. Etwas sehr Ähnliches gilt für die Entsagung Trevrizents, ja für Parzivals Verhältnis zum Gral.

Seine Unterlassung der Mitleidsfrage, keine Schuld im sittlichen Sinne, erweist die Unzulänglichkeit der menschlichen Natur dem Heiligen gegenüber. Nicht an Mitleid hat es dem Helden gefehlt, wohl aber an jener Reinheit, welche der Gral erheischt. Darum bleibt er trotz allem sittlichen Streben außerstande, den Gral wiederzufinden, bevor die übernatürliche Kraft der Gnade ihn verwandelt hat.

Betrachten wir nun das Verhältnis des zeitgebundenen, erzieherischen Anliegens des *Parzival* zu dem, welchem das Gedicht seinen unvergänglichen Anspruch verdankt. Beide sind untrennbar voneinander. Wolfram hat das Rittertum seiner Zeit gebildet, indem er dessen Blick auf ein Ziel richtete, das, unerreichbar, doch der höfischen Kultur von seinem Glanze mitgeteilt hat. Wolframs Beitrag zur Synthese des hohen Mittelalters besteht durchaus nicht in der „Wiederherstellung der eigentümlich germanischen seelischen Grundhaltung" unter Beibehaltung der christlichen", wie man schon gemeint hat,[24]) sondern vielmehr darin, daß in seiner Schau das Christliche, die Frömmigkeit als seelische Grundhaltung hier auch zur Triebkraft des ritterlichen Lebens geworden ist.[25]) Nur dadurch hat der Dichter den Ausgleich des höfisch-weltlichen Ideals mit der inneren Wirklichkeit der Erlösung vollziehen können. Wenn uns heute in der Gralssage das mittelalterliche Gotteserlebnis in einer ewigen Bedeutung erscheint, wenn wir in dem christlichen Ritter das lebendige Sinnbild eines zeitlosen sittlichen Ideals erblicken, so verdanken wir das der Gestalt des deutschen Parzival. Vergessen wir umgekehrt nicht, wie tief die Ideen Wolframs in dem geschichtlichen Leben des hohen Mittelalters wurzeln. Ähnlich hat ja die Geistesgeschichte zu zeigen vermocht, daß wesentliche Erkenntnisse der mittelalterlichen Metaphysik dem politisch-sozialen Gefüge von Lehnswesen und Burg entwachsen sind, der so viele der großen Scholastiker entstammen.[26])

Das transzendente Element der höfischen Kultur hat Wolfram den Seinen zum Bewußtsein gebracht. Daher die tiefe Wirkung dieses Dichters, in dem schon seine Zeitgenossen einen Erzieher gesehen. Ein schöner Beweis dafür scheint mir die Häufigkeit, mit welcher die edlen Geschlechter Bayerns, Schwabens und Österreichs ihre Söhne und Töchter nach den Helden aus Wolframs Dichtung, vor allem aber nach Parzival selbst benannt haben.[27]) Mit diesem Namen sollte gewiß eine Hoffnung und eine Verpflichtung ausgesprochen sein und ein Bekenntnis zu Wolfram selbst, über den Wirnt von Gravenberg ausgesprochen hat, was die Besten seiner Zeit empfanden:

> Sein Herz ist ganzen Sinnes Dach
> Laienmund nie besser sprach.[28])

ANMERKUNGEN

[1]) Vgl. hierzu W. Fechter, *Das Publikum in der mittelhochdeutschen Dichtung* (Frankfurt 1935), bes. SS. 72 und 101.

[2]) Über Wolframs Bildung vgl. die Bemerkungen K. Bartschs in seiner Ausgabe des *Parzival* in *Deutsche Classiker des Mittelalters*, Band IX (Leipzig 1875) SS. IX ff. und neuerdings F. Panzer, „Gahmuret, Quellenstudium zu Wolframs Parzival", *Heidelberger Akademie der Wissenschaften, philos.-hist. Klasse Sitzungsberichte*, Jahrg. 1939/40, 1. Abh. In der bekannten Stelle im *Willehalm* (237:3) herbergen ist loschiern genant: / sô vil hân ich der sprâche erkant. / ein ungefueger Tschampaneys / kunde vil baz franzeys / dan ich, swie'ch franzeys spreche / sieht Panzer nur den für Wolfgang bezeichnenden, scherzenden Ausdruck der Bescheidenheit. Gewiß verstand der Dichter Französisch, aber doch wohl nur dem Gehör nach. Zu seiner eigentümlichen Verwendung und Verdrehung französischer Namen siehe Schwieterings Bemerkung (in dem unten Anm. 16 zitierten Aufsatz S. 11) über die fremden Namen, deren „Klang ihn reizte, mit den Lauten ein unverbindliches kaleidoskopartiges Spiel zu treiben".

[3]) dîz fliegende bîspel / ist tumben liuten gar ze snel, / sine mugens niht erdenken (1:15 ff.).

[4]) Die Mahnung findet sich in Thomasins *Welschem Gast (773 ff.); vgl. dazu H. Teske, *Thomasin von Zerclaere* (Heidelberg 1933) SS. 63 ff., und Fechter a. a. O. S. 74.

[5]) Über diesen Begriff der Synthese von Gott und Welt in der m. a. Ethik vgl. G. Ehrismann, „Über Wolframs Ethik", *Zeitschrift für deutsches Altertum* (weiterhin zitiert als *ZdA*), Band XXXXIX (1908), S. 456; ders. *Geschichte der deutschen Literatur bis zum Ausgang des Mittelalters* (weiterhin zitiert als *Gsch.*), Band II, 2. Teil 1 (München 1927), S. 175, und die unten Anm. 24 und 25 angeführten Arbeiten.

[6]) Vgl. H. Naumann, *Höfische Kultur* (Halle 1929), SS. 47 ff. Freilich übersieht Naumann, daß auch der höfische Liebesbegriff von der christlichen Mystik entscheidend geformt worden ist. Das hat jüngst J. Schwietering überzeugend nachgewiesen in „Der Tristan Gottfrieds von Straßburg und die Bernhardische Mystik", *Preußische Akademie der Wissenschaften, philos.-hist. Klasse, Abhandlungen*, 1943, Nr. 5. Gilson (s. unten Anm. 9) betont, 193 ff., das Unvereinbare der höfischen und mystischen Liebe. Das schließt die Möglichkeit des Einflusses nicht aus.

[7]) Zum Begriff der Arbeit in der ritterlichen Ethik, s. G. Ehrismann „Die Grundlagen des ritterlichen Tugendsystems", *ZdA*, Band LVI (1919), SS. 184 und 198. Bei Benutzung dieser und der oben angeführten Arbeiten Ehrismanns ist freilich die Kritik von E. R. Curtius (*Europäische Literatur und latein. Mittelalter*, Bern, 1948, 510 ff.) unerläßlich.

[8]) Ich habe über die Einwirkung dieser Lichtmetaphysik auf die mittelalterliche Ästhetik und Kunst kürzlich in einem Vortrag (Bild und Gedanke in der mittelalterlichen Kirchenbaukunst) vor dem Literarischen Verein, Chicago, gehandelt; vgl. inzwischen „The Birth of the Gothic", *Measure I* (1950). Außer der grundlegenden Arbeit Cl. Bäumkers, „Witelo", *Beiträge z. Gesch. d. Philosophie des Mittelalters*, Band III, 2 (Münster 1908), vgl. neuerdings E. de Bruyne, *Études d'Esthétique médiévale* (Brügge 1946), Band II, S. 83 f. und III, Kapitel I, „L'esthétique de la lumière". Eine zum Verständnis von Wolframs dichterischem Anliegen wichtige Parallele zu seinen Ideen bietet die mittelalterl. Anschauung vom Beruf des Dichters sowie der Funktion des Kunstwerkes. Vgl. dazu H. H. Glunz, *Die Literarästhetik des europ. Mittelalters* (Bochum 1937), SS. 212 ff.

[9]) Siehe die Zitate bei Ehrismann, *ZdA*, Band XXXXIX, S. 410 f. und den Exkurs „Curiositas" in E. Gilson, *La Théologie mystique de S. Bernard*, Paris, 1947, 183 ff.

[10]) Vgl. bei Chrestien vv. 6409 ff.

¹¹) Sehr klar ist der Unterschied in den Schuldbegriffen Wolframs und Chrestiens herausgearbeitet bei W. Kellermann, *Aufbaustil und Weltbild Chrestiens von Troyes im Percevalroman* (Halle 1936), SS. 101 ff., auch Ehresmann *Gsch.*, SS. 237 ff. und vor allem in Teil II von B. Mergells *Wolfram von Eschenbach und seine französischen Quellen* (Münster 1943), bes. die wichtigen Hinweise SS. 96 ff., 106, 153.

¹²) Naumann a. a. O., S. 41 f.

¹³) Auch hier vgl. man wieder die Erzählung Chrestiens, der seinen Helden wissentlich schuldig werden läßt. S. Ehrismann, *Gsch.*, S. 239.

¹⁴) gein der helle ir sît benant / ze himele von der hôhsten hant (316:7).

¹⁵) Es scheint mir in der Tat nicht unmöglich, daß Wolfram seine unheilbringende Reiterin den Zügen des apokalyptischen Reiters Tod nachgebildet hat, wie J. C. Daniels in der unten Anm. 21 zitierten Arbeit meint. Für diese Bedeutung könnte Cundris Beziehung zum Zauberschloß Schahtel marveil sprechen, das bekanntlich in dem keltischen Mythos vom Totenreich seinen Ursprung hat (vgl. Ehrismann *Gsch.*, S. 255).

¹⁶) *ZdA*, Band XXXXIX, S. 429. Siehe die glänzende Kritik dieser älteren Auffassung in J. Schwietering, „Parzivals Schuld", *ZdA*, LXXXI (1944), mir nur in dem Sonderdruck Frankfurt a. M., 1946, zugänglich (weiterhin zitiert als Schwietering, *Schuld*). Ferner Mergel, SS. 106 ff.

¹⁷) Ich denke an die Lyppautepisode: van swenn ich gein dem hêrren mîn / schildes ambet zeige, / mîn bestiu zuht ist veige. / ez hulfe mich und stüende baz / sîn hulde dan sîn grôzer haz. / wie stêt ein tjost durh mînen schilt, / mit sîner hende dar gezilt, / odr abe versnîden sol mîn swert / sînen schilt, mîns hêrren wert! (355:30 ff.)

¹⁸) *De Visione Dei* cap. 6.

¹⁹) wand' on der wirt von sünden schiet / unt im doch rîterlîchen riet. (501:17 f.)

²⁰) Fr. Ranke, *Zur Symbolik des Grals bei Wolfram von Eschenbach* (Nachdruck eines am 23. 9. 1945 auf der 4. Jahrestagung der akad. Gesellsch. schweiz. Germanisten in Luzern gehaltenen Vortrages), S. 29, hebt in dieser Szene mit Recht Parzivals Worte „nu genc in der gotes kür!" (452:9) hervor. Aber in den unmittelbar vorausgehenden Worten des Helden liegt doch durchaus nicht nur reine Demut, sondern auch Trotz und Gott erproben wollender Zweifel.

²¹) E. Gilson, „La Grâce et le saint Graal", in *Les Idées et les Lettres*, Paris, 1932, S. 64 f. Dieser Aufsatz ist im ganzen von größtem Interesse. Über Einflüsse der mönchischen Tradition auf Wolframs ritterliches Ideal s. auch Schwietering, *Schuld*, S. 29 f.

²²) Vgl. vor allem K. Burdach, *Der Gral*, Stuttgart, 1938; zur ethischen Bedeutung jetzt auch Ranke a. a. O. Übereinstimmungen zwischen der Apokalypse und dem, was man die Gralsliturgie nennen könnte, erklären sich aus dem Einfluß des mittelalterlichen Gottesdienstes auf Wolframs Phantasie; in diesem treten Bilder der Offenbarung ja immer wieder hervor. Selbst hier braucht man also nicht an direkte Übernahmen aus dieser Quelle zu denken, geschweige denn an eine ausdrückliche Allegorisierung wie J. C. Daniels meint („Wolframs Parzival, S. Johannes der Evangelist und Abraham Bar Chija", *Disquisitiones Carolinae*, Band IX, Nijmwegen, 1937).

²³) S. oben Anm. 21.

²⁴) So faßt G. Weber seine im übrigen lehrreichen Untersuchungen zusammen: *Wolfram von Eschenbach*, Band I (Frankfurt a. M., 1928), S. 306.

²⁵) Vgl. hierzu Schwietering, *Schuld*. In dieser meisterhaften Deutung finde ich dankbar eine vielfache Bestätigung der hier versuchten Erklärung, vor allem in der wesentlichen Funktion, welche wir beide, im Gegensatz zu früheren Forschern, dem religiösen Element im Parzival beimessen. (B. Mockenhaupts „Die Frömmigkeit im Parzival Wolframs von Eschenbach, *Grenzfragen zwischen Theologie und Philosophie*, Band XX [1941], ist mir bisher unerreichbar geblieben); Schwieterings Deutung des Schuldmotivs weicht von der meinen ab.

²⁶) Vgl. M. de Wulf, *Philosophy and civilization in the Middle Ages* (Princeton 1922), SS. 55 ff., über die „harmony of the feudal sense of personal worth with the philosophy of the reality of the individual": de Wulf führt aus: „The scholastic solution of the famous problem of the relation between the universal and the particular ... runs parallel with that of the feudal sentiment. Even while it is being clearly expressed in the various philosophical works, the feudal feeling of chivalry appears in all its purity and strength in the *Chansons de Geste*. The most ardent defenders of the philosophical solution are the sons of chevaliers — the impetuous Abaelard, heir of the seigneurs of Pallet, Gilbert de la Porrée, bishop of Poitiers, the aristocratic John of Salisbury ..." Die Übereinstimmungen zwischen scholastischer und höfischer Ethik haben Ehrismann u. a. nachgewiesen. Gottfried Webers *Parzival. Ringen und Vollendung* (Oberursel, 1948), hebt den Einfluß des Thomismus auf Wolframs ethische Anschauungen hervor. Ich kenne dieses nach Abschluß der vorliegenden Arbeit erschienene Buch bisher nur aus einer Besprechung Julius Schwieterings. Zum Einfluß ritterlicher Anschauungen auf die ma. Theologie vgl. schon die Bemerkung Diltheys, *Ges. Werke*, Band II (Leipzig, 1914), S. 90.

²⁷) Fechter, a. a. O., SS. 30 und 78 ff.

²⁸) daz lop gît ir her Wolfram / ein wîse man von Eschenbach; / sîn herze ist ganzes sinnes dach; / leien munt nie baz gesprach. / *Wigalois*, hrsg. J. M. N. Kapteyn (Bonn, 1926), vv. 6343 ff. (Pfeiffer, 163:39 ff.)

GAWAN BEIM GRÜNEN RITTER

Heinrich Zimmer

IN EINER Silvesternacht, als sich das alte Jahr zum Sterben schickte, während der Losnächte, wo der Kreislauf der Natur durch den Tod hindurchgeht und Geister und Tote los sind, kam der Grüne Ritter zu Artus' Tafelrunde gezogen: eine schreckerregende Riesengestalt, wohl um Kopfgröße über menschliches Maß, Mann und Roß, Waffen und Antlitz in fahles Grün getaucht. Statt des Schwertes führte er ein gewaltiges Beil und forderte die erlauchte Tafelrunde, deren unerschrockener Sinn weitberühmt sei, zu einer Mutprobe auf: wer unter den Helden sich's unterwände, solle antreten und ihm mit einem Schlage seines Beils das Haupt vom Rumpfe trennen. Dafür solle der Held übers Jahr sich in der Grünen Kapelle des Ritters einfinden und seinen eigenen Nacken dem Streich des Beiles bieten.

Die Tafelrunde saß starr und stumm, keinen schien das Abenteuer anzumuten; schon erhob sich König Artus selber, die Ehre aller zu retten — da sprang sein Neffe Gawan vor und beschwor den Oheim, ihm das Wagstück zu überlassen. Er schwor dem unheimlichen Gaste zu, was ausbedungen war; der stieg vom Roß und beugte den entblößten Nacken, Gawan packte das Beil mit beiden Händen und hieb ihm mit einem mächtigen Schlage das Haupt vom Rumpfe. Aber der andere raffte, als wäre nichts geschehen, seinen bluttriefenden Kopf gelassen vom Boden auf, indes das Blut in breitem Strahl ihm aus dem Halsstumpf schoß, und sprach, wobei sein Haupt, das er an den Haaren hielt, die Augen aufschlug und die Lippen bewegte, und forderte Gawan, sich übers Jahr in der Grünen Kapelle zu stellen. Und stieg gelassen auf sein Pferd und ritt davon.

Als Allerheiligen vorüber war und das Jahr sich wiederum zum Sterben legte, brach Gawan auf, die Grüne Kapelle zu suchen. Die Ritter der Runde beklagten ihn, wie er in den sicheren Tod ritt, aber er sprach: „Wovor soll ich zittern? was kann einem Manne mehr begegnen, als daß er sein Schicksal erfahre?" — Einsam ritt er durch Wildnis und Winter gen Norden, niemand unterwegs wußte von der Grünen Kapelle und mochte ihm den Weg weisen; durch Öde und Entbehrungen ritt er, wohin die Ahnung ihn zog. Zur Weihnachtsnacht im dunklen Tann verloren, betete er zum Herrn und zur Jungfrau, ihm eine Unterkunft zu weisen, wo er ihr Fest feiern könne, da fand er sich unversehens vor einer mächtigen Burg in tiefer Einsamkeit. Er sah sich gastlich aufgenommen; der Burgherr, ein Mann von riesenhafter Gestalt, bemühte sich um sein Behagen, seine zauberhafte Frau und ihre gebietende Mutter schienen entzückt, den berühmten Ritter bei sich zu sehen. Auch aller Sorge um den Weg zur Grünen Kapelle war er mit eins ledig, sein Gastfreund sagte ihm, sie sei nahebei in einem abgelegenen Tal, und er käme zurecht, wenn er am Morgen des neuen Jahres aufbräche. Solange aber müsse er sein Gast bleiben.

Gawan blieb. Er bezauberte und ließ sich verwöhnen. Gern schenkte er die letzten Tage des scheidenden Jahres — wohl auch die letzten seines Lebens — dem galanten Umgang mit der schönen Schloßfrau und der herzlichen Gastlichkeit des Burgherrn. Am drittletzten Tage ritt dieser auf die Jagd und befahl Gawan den Frauen. Als man den Abend vorher am Kamin beim Wein saß, schloß er einen scherzhaften Pakt mit Gawan: was er draußen erjage, solle dem Gast gehören, aber die Beute, die Gawan derweilen zu Hause gewinne, solle er dem heimkehrenden Jäger bieten. So machten sie es lachend aus; und in der Frühe, als Gawan noch schlafend lag, brach der Hausherr mit großem Gefolge auf.

Gawan lag noch im Bett, als sich die reizende Burgfrau im stillgewordenen Schloß zu ihm ins stille Gemach stahl und in die Vorhänge seines Bettes setzte. Es bedurfte nicht Gawans Sinn für schöne Frauen, noch was in ihrem Herzen für ihn sprach, um zu gewahren, daß hinter den galanten Formen liebevoller Rede eine Leidenschaft schlug, die ihn ganz wollte. Aber er blieb sich seiner Ritterpflicht gegen den Gastfreund bewußt; so selten günstig und unverfänglich die Gelegenheit war, so deutlich die Bereitwilligkeit in Grenzen damenhafter Form — er widerstand, und der einzige Gewinn, den die Dame von ihrem morgendlichen Stelldichein an Gawans Bettrand davontrug, war ein Kuß, den sie ihm gab. Ein Kuß als Beute daheim, indes der Burgherr mit einer reichen Strecke Wild heimkehrte, die er lachend vor seinem Gaste zum Geschenk ausbreitete. Gawan gab ihm dafür den Kuß seiner Frau zurück, und beide lachten herzlich, wie wenig der Gast zu Haus erjagt habe, wie viel sein Wirt aber draußen.

Anderntags kam die schöne Dame abermals zu Gawans Bett, als das Schloß verödet lag, und setzte ihm herzlich zu mit ihrer kaum verhohlenen Leidenschaft und allen Künsten der Rede. Es war nicht leicht, sich ihr zu entziehen, ohne den Stolz ihrer Schönheit zu kränken, aber Gawan gelang es; schließlich gab sie ihm zwei Küsse und ließ ihn allein.

Spät abends kam der Burgherr heim und bot Gawan seine Beute: einen mächtigen Eber. Gawan gab ihm die beiden Küsse seiner Frau zurück — weniger eine Beute als aufgedrungenen Gewinn — und beide scherzten abermals über die bescheidene Beute des Jägers in den vier Wänden.

Am Morgen des letzten Tages kam die Dame wieder, als ihr Gemahl mit den Leuten auf Jagd gegangen war; sie schien verzweifelt, daß Gawan so kühl blieb. „Sagt wenigstens", bat sie, „Ihr liebet eine andere Dame und habt ihr Treue geschworen, daß Ihr darum so kalt zu mir seid?" — Gawan bekennt, eine solche Dame gäbe es nicht. Da zieht sie einen Ring vom Finger und drängt ihm den auf, aber Gawan weist ihn zurück.

Es sind Proben der Wahrhaftigkeit, die Gawan in dem gastfreien Schloß auf dem Ritt zur Kapelle des Todes auferlegt werden. Statt der verschmähten Hingabe bietet die Verführerin schließlich ihren Ring, den könnte Gawan als Andenken und Trophäe seines Liebessiegs verschweigen, wenn abends die Beute getauscht wird, um die liebende Frau nicht zu verraten, aber er nimmt ihn nicht: den Ring als Sinnbild der Person und der Siegelgewalt, den Stellvertreter des Ichs am Finger des anderen, der aus beiden eins macht, beider Wesen einander vermählt, den Ring auch als zärtliches Symbol des Geschlechts, das sich dem anderen ergab.

Gawans Standhaftigkeit wird mit der Lockung zur Gelegenheit, zu episodischer Lust geprüft. Er soll sich selbst aufgeben, es ist ja ohnehin alles einerlei: der Grüne Ritter, dieses Gespenst aus einer anderen Welt, das sich als seinesgleichen verlarvt und mit dem Kopf in der Hand so sicher daherredet und reitet wie andere, wenn sie ihn auf den Schultern tragen, wird ihm ja doch unfehlbar den Kopf abhauen und seinem zauberhaften jungen Leben den Garaus machen — aber hier, am jähen Abend seines Tags, drängt noch einmal die Fülle des Lebens rauschhaft seiner blühenden Mannheit entgegen mit unverhüllter Forderung und Hingabe, dieselbe Glut des Lebens, die er angesichts des Todes in sich fühlt, und will genommen sein. Darüber soll er sich selbst als vorgelebtes Ideal ritterlicher Vollkommenheit vergessen, soll dem einigen hohen Sinn einer Lebensganzheit abdanken, an der es keine minderen Gebärden, keinen Zufall, keine Verspieltheit gibt, die man verstecken oder verzeihen müßte — abdanken zugunsten eines toll-schönen trunkenen Augenblicks, der den schäumenden Pokal des Lebens als fliehend erhaschte Lust reicht. Er soll sein Leben des Erkorenen und Geweihten, seinen Sinn als Ritter der Runden Tafel um einer funkelnd sinnlosen Episode willen zunichte machen — eine Erstgeburt für ein Linsengericht —, weil es ohnehin dem Untergang geweiht ist, wofern nicht

Glaube an ein rettendes Wunder den Reinen gegen alle dunkle Ahnung trägt.

Er soll sein Leben so zum Torso köpfen, zu einer Episode verstümmeln, wie diese Liebesszene eine sein würde, beschwiegen und ausgelöscht, statt daß dieses Leben sich zum Ring der Vollendung schlösse, an dem jedes Stück das andere hält und alle dasselbe meinen. Er soll, indem er seinem Gastfreund untreu wird, sich selber untreu werden und, wie er dessen Ehre verrät und sein Vertrauen belügen muß, sich selber verraten und verfälschen an dem, was sein höheres Teil, seine Idee ist, er soll sich um eines Augenblicks willen wegwerfen in Verzweiflung vor dem Tode und in klammernder Lust zum Leben. Dann hätte er sich selber schon das Urteil gesprochen und erwiesen, daß er nur eine Episodenfigur ist, nicht Wesen und Gestalt, zu Unrecht berufen und zu höherem Amte erlesen, zu Recht beiläufig ausgelöscht.

Wer aber ist es, der berufen wäre, ihn herauszufordern, zu entlarven und zu richten? Die Toten tragen die Köpfe unterm Arm, werfen sie in die Luft und schieben Kegel mit Schädeln; in der volksliedhaften symbolischen Schlußszene von Wedekinds „Frühlings Erwachen" ist der tote Freund, der sich selbst entleibt hat, daran als Toter kenntlich, daß er mit dem Kopf unterm Arm über die Gräber daherstapft. Grün ist die fahle Leichenfarbe. Was zum Totenreich gehört, wird in der Farbensymbolik tibetisch-lamaistischer Malerei grün behandelt. Der Genius des Todes erwartet Gawan in der Grünen Kapelle als sein Opfer. Hätte er nicht das Recht, ihm das Haupt abzuschlagen und ihm das Leben zu rauben, wenn Gawan sich selbst zuvor weggeworfen hätte? Ist dieser riesige Burgherr, der seinen Gast den Versuchungen preisgibt und den zweifelhaften Scherz mit dem Tausch der Beute treibt, der Grüne Ritter in anderer Larve? Ein Schloß der Lebenslust und besinnungslosen Lokkung — und sein Herr ist der Tod? und die Verführerin mit dem glühenden Pokal des Lebens in schimmernder Hand — ist das Weib des Todes?

Geradeso versucht in der Buddhalegende Mara, das ist „der sterben macht", den Berufenen. Mara trägt die Gestalt des Liebesgottes voll bezauberndem Liebreiz und hält eine Laute in der Hand. Er versucht den werdenden Buddha mit der Schönheit seiner drei Töchter, wie jener Burgherr seinen Gast mit den Versuchungen der drei unbelauschten Schäferstunden. Es ist die große Prüfung der Standhaftigkeit in der einsamen Nacht unterm Baum der Erleuchtung wie auf dem einsamen Schloß des Todes, beidemal die gewisse Aussicht auf den Tod: in der Buddhalegende verkörpert im Ansturm des Dämonenheers, das Felsblöcke und brennende Bäume gegen den Berufenen schleudert, ihn aus

der Ruhe seiner Versenkung zu scheuchen, und das ihn mit allen Tier-
und Teufelsfratzen anbleckt. Der werdende Buddha erbebt sowenig vor
dieser Drohung wie anscheinend Gawan vor dem sicheren Ende, dem
er, seinem Wort getreu, entgegenreitet — in all das verflochten die Probe
der Standhaftigkeit gegen die Lockung des blinden Lebens. Daß der
Buddha auch diese besteht, unberührbar für die schönen Verführerinnen,
ist der Preis, um den sich die morgendliche Erleuchtung nach der Nacht
der Versuchungen auf ihn herabsenkt: das Erwachen zur wahren Wirklichkeit, die jenseits von Furcht und Verlangen sich auftut, die Verwandlung zum „Erloschenen", Entrückten, der kein Ich mehr ist, das bangt
und verlangt. Diese Versuchungen sind die Stufen zum Löwenthron des
„Lehrers der Götter und Menschen".

Die tiefere Gleichheit im Sinn der Prüfungen ist durch das verschiedene Gewand bei Buddhalegende und Gawansage zu greifen; aber bei
Gawan nimmt's eine andere Wendung: Zwei Stufen der Versuchung hat
der Held bestanden, dazu die Probe mit dem Ring, die Verlockung des
blinden Lebens vermag nichts über ihn, aber die Versuchung, dem
drohenden Tode auszubiegen, könnte ihm — so nahe der Grünen
Kapelle — noch einmal greifbar begegnen.

Verzweifelt blickt die schöne Frau, da Gawan den Ring verschmäht,
an sich nieder; was könnte sie ihm aufdrängen als ein winziges Stück
von sich — weniger als ein Geschenk —, damit der Ritter sie doch in
irgendeiner Form „genommen" hätte — da gewahrt sie ihren grünen
Gürtel und löst ihn von der Hüfte, ein unscheinbares Ding. „Nehmt
ihn, er hat eine wunderbare Kraft; wer ihn trägt, ist unverwundbar."
Und Gawan nimmt den grünen Gürtel und verschweigt's.

Da ist sie auf einmal, die große Versuchung, und Gawan versieht sich
ihrer nicht. Statt Schmeichelei und Lockung kam gekränkter Stolz, um
Mitleid bettelnd, kam fürsorgende Liebe, die das Beste meint, ganz leis
und schnell hat sie ihm in die Hand gezwungen, was nicht gegen den
Pakt scheint, aber doch eine Beute ist: ein Talisman, in letzter Stunde
hochwillkommen. Gawan wird scheinbar sicherer, aber unfroh und
seiner Herrlichkeit nicht inne, dem Grünen Ritter entgegenreiten,
nachdem er am Abend zuvor das Geschenk des Gürtels seinem Wirt
verhehlt hat. Aber der brachte von der Hatz nur einen stinkenden
Fuchs — seine Strecke ward immer magerer, indes Gawans Beute
wuchs: er hatte drei Küsse heimzuzahlen.

Anderntags weist ein Knappe Gawan den Weg, aber seine Warnung,
umzukehren, noch keiner sei von jener Kapelle heimgekehrt, trifft
einen, der sich gesichert weiß durch den grünen Gürtel (auch Gawans

Vorgänger in altirischer Sage, Cuchulin, hatte solch einen Gürtel, der unverwundbar machte; Gawan hat ihn über Wandlungen des Mythos hin geerbt, trägt ihn hier freilich mit zweifelhaftem Recht).

Er fand ein Gewölbe im Grunde des Tals, grün überwachsen, unheimlich still — nur über sich am Hange hörte er das Schleifen eines Beils. Er rief seinen Namen, meldete seine Ankunft, eine Stimme gebot ihm, zu warten — wieder vernahm er das unheimliche Schleifen des Beils, und auf einmal war der Grüne Ritter vom Hange her zur Stelle.

Bald stand Gawan, den Streich zu empfangen, aber als er ihn niedersausen fühlte, zuckten seine Schultern, unwillkürlich bog er den Nacken beiseite. Tat er das nicht schon, als er den Talisman nahm? Weil er ihn trägt, kann er dem Streich nicht standhalten. Der Grüne Ritter schalt ihn feig, Gawan verwahrte sich: *er* könne sein Haupt nicht aufraffen, wenn es ihm vom Rumpfe spränge — versprach aber, besser standzuhalten. Wieder holte der andere aus, aber als er sah, daß Gawan nicht zuckte, hielt er befriedigt inne und sprach: „So gefällst du mir, jetzt will ich dich schlagen, aber nimm erst die Kappe ab, die Artus dir gab, und beuge den Nacken gehörig, daß ich dich gut treffen kann!" — „Schlag zu!" schrie Gawan ungeduldig, „ich glaube, du hast keinen Mut!" — „Fürwahr", sagte der Grüne Ritter, „deine Fahrt soll ihren Lohn finden", schwang das Beil und traf Gawan, aber er streifte ihn nur seitwärts mit der Schneide: sie zog einen feinen blutigen Strich durch die Haut.

Da sprang Gawan beiseit, griff schnell zu den Waffen und stand kampfbereit: „Ich hab' dir standgehalten — ein Schlag war ausbedungen und nicht mehr!" Der andere aber, auf sein Beil gelehnt: „Nur nicht so hitzig! Du hast den Schlag, der dir gebührt, und mehr geschieht dir nicht. Zwei Schläge gab ich dir, und nur zum Schein, denn zweimal hieltest du Wort und gabst die Küsse zurück, die meine Frau dir schenkte, das drittemal hast du gefehlt, dafür hab' ich dich gezeichnet. Denn mein Gürtel ist es, den du trägst, mein Weib hat ihn für mich gefertigt; ich sandte sie dir mit allen Küssen und Versuchungen. Ich weiß um alles, was zwischen euch war. Wie eine Perle unter weißen Erbsen ist Gawan unter Rittern und Helden, das wollt' ich erproben. Aber du fehltest ein wenig, nicht aus Lust und Bosheit, nur weil du dein Leben liebtest."

Da stand Gawan blutrot vor Scham, „Fluch über euch beide: Furcht und Verlangen!" brach es über seine Lippen, „ihr beide macht alles Heldentum zunichte." Damit wollte er den grünen Gürtel seinem Herrn zurückgeben, aber der nahm ihn nicht. So trug ihn Gawan mit einem Knoten unterm Arm, als Mahnung daran, wie er gefehlt hatte, und kehrte heil an Artus' Hof zurück.

Der Tod als Mystagoge: als Zeichen der Weihe und Lohn der Prüfung schenkt er dem Neugeweihten den Gürtel der Todlosigkeit — wer anders vermöchte ihn zu verleihen als der Herr des Todes? — Aber wie anders wäre Einweihung und Belehnung vor sich gegangen, hätte Gawan den Gürtel am dritten Abend seinem Wirt zurückgereicht!

Der Tod als Meister der Einweihung zur Unvergänglichkeit — damit rücken Gawan und seine Fahrt zur Kapelle neben die mythischen Helden Gilgamesch und Herakles, Theseus und Orpheus, die ins Totenreich niederstiegen, um die Todlosigkeit heraufzuholen. Die lockende Frau ist die Gemahlin des Todes im Schloß der Lust; geradeso begleitet im indischen Mythos die Göttin „Lust" unzertrennlich als Gattin den Liebesgott, den lustvoll bitteren Herrn der Vergänglichkeit, der „sterben macht", mit seinem Gefolge von Todesdämonen.

Gawan ist im Totenreich zu Gast — das wird freilich von der Überlieferung nicht mehr voll begriffen. Zwar lüftet der Grüne Ritter, ehe er Gawan entläßt, die Maske — aber gibt er sich zu erkennen? Er nennt sich „Bernlac de Hautdésert" — ist das nur ein neuer Scherz des Mystagogen, den er mit dem Helden der Geschichte, aber auch mit deren Lesern treibt? Die hohe ältere Frau in seinem Schloß ist „Morgane la Fée", die lange Merlins Geliebte war und „davon Göttin heißt". Sie sandte den Grünen Ritter an Artus' Tafel, um Guinover zu schrecken, wenn er mit dem Haupte in der Hand spräche, überdies ist sie Artus' ältere Halbschwester, ein Kind Igernes mit dem Herzog von Cornwallis, ihrem ersten Gemahl vor Uther Pendragon, also eine Tante Gawans und augenscheinlich die Mutter der Schloßherrin.

Hier ist ins Gesellschaftlich-Genealogische abgesunken, was einmal mythisch bedeutungsvoll war: zauberische Frauen auf fernen Schlössern, übers Wasser entrückt und nur unter Prüfungen zu gewinnen, beherrschen die Gawansage. Erst in der breiten Spätform der Minneromane wird Gawans Beziehung zu ihnen Galanterie, ursprünglich ist sie von mythischer, mystischer Tiefe.

Das „Chastel merveil", das „Wunderschloß" schlechthin, ist ein Ort der Schrecken und Bewährungen, wie Merlins „Tal ohne Wiederkehr". Hier sind drei Königinnen und Mädchen ohne Zahl gefangen, es ist eine „Insel der Frauen", über die eine Herrin von überirdischer Schönheit gebietet. Ein Fährmann bringt hinüber, aber er warnt: wer hingelange, müsse immer dort bleiben; oder Gawan gelangt auf einer schwimmenden Insel ans fremde Ufer. Die Wasser sind schwer zu überqueren; wie bei der seligen Toteninsel der Phäaken gelangt man nur wie durch ein Wunder an diese Küste. Wer aber die Prüfungen besteht, die den Helden dort erwarten, erlöst die Frauen aus ihrem Bann und wird der Gemahl der Herrin, wird der Gatte und Liebhaber aller Weiblichkeit auf dieser geisterhaften Insel.

Die drei Königinnen, die Gawan dort findet, geben sich schließlich als seine Großmutter, seine Mutter und Schwester zu erkennen: es ist das Reich der Mütter, das er betreten hat — Stätte der Zeitlosigkeit.

Das „Reich der Mütter" stammt aus dem mythischen Bilderschatz der altertümlichen mutterrechtlichen Ordnung, wie sie der vorkeltischen Kultur der britischen Inseln eigen war; im Reich der Mütter findet das schweifende Mannkind heim zum Mutterstamm von der Urmutter her. Wer zu diesem Reich der Frauen hingelangt ist und zur Herrschaft daselbst berufen, kann nie wieder zurück in die Welt. Daher beklagen Artus und die Tafelrunde Gawans Tod und werden einmal seiner geisterhaften Erscheinung im Kreise seiner Frauen ansichtig. Es ist ein Reich ereignisloser Seligkeit, aber doch eine Welt der Abgeschiedenen, ein „ellent", ein Exil. Die Frauen der Insel und wer dort weilt, sehnen sich nach der Menschenerde, können aber nicht wieder dorthin zurück. Der Fährmann, der den Helden übersetzt, trägt Charons Züge.

Im Reich der Mütter, das zugleich der Hades ist, aus dem Faust Helenas Schatten heraufbeschwört, ist nicht Tag noch Nacht; es ist das „reume dont nus étrange ne retorne", „das Reich, aus dem kein Fremder wiederkehrt" (wie, lange vor Hamlet, zuerst die Todesschwermut der sumerisch-babylonischen Dichtung das Schattenreich geheißen hat) — und ist doch das Ziel aller Fahrten, alles Suchens, aller „quest" von Gilgamesch bis Faust, weil hier die Schlüssel zum Geheimnis des Lebens liegen und zur Überwindung der Vergänglichkeit.

Gawan ist der ritterliche Wallfahrer zur Einweihung durch den Tod und die Mütter — die heroische Schwermut aller Hadesfahrer und an die Mutter Gebundenen ist über ihm, wie über Gilgamesch und Aeneas. Vermag ihn aber die Welt der Abgeschiedenen nicht zu halten, so bringt er, wie den grünen Gürtel der Todlosigkeit vom Aufgang des neuen Jahres, von der Insel der Königinnen den Balsam des Lebens zur Menschenwelt heim, da er verschmähte, Gemahl der Schattenkönigin zu werden (wie er der Verführung auf dem Schlosse des Todes widerstand). Die Königin in Besitz nehmen, heißt ja das Weib „erkennen", wie die Sprache der Heiligen Schrift es benennt; wer nicht die Frucht vom Baume der Erkenntnis bricht, bringt aus dem Reich

des Todes die Gabe ewigen Lebens, die Kraft der Unsterblichkeit heim —
indes Persephone den Granatapfel aß mit den tausend Kernen zahl-
loser Nachkommenschaft in Kindern und Enkeln, den der König Hades
der Entführten reichte —, und nun war sie sein Weib und mußte bei
ihm bleiben. Wer sich aber nicht in den zeugenden Ring des Lebens verlor,
der alle Schöpfung mit Vernichtung auswägen muß im schwingenden Spiel
seines Gleichgewichts und als Buße für die Zeugung den Tod des Erzeu-
gers setzt — die Kinder wachsen ja in seinen Raum hinein und gelten an
seiner Statt —, der ist dem Gesetz des Sterbens nicht untertan. So entrinnt
Gawan dem Beil des Grünen Ritters, indes Persephone im Schattenreich
thronen muß, fern dem süßen Licht der Sonne.

Immer geht es in diesen Mythen um Tod und Wiedergeburt, aber
deswegen sind sie, wie sie mit ihrem Kern durch das mittelalterliche
Rokoko galanter Minne- und Ritterromane durchscheinen, zugleich
Mythen von zeitloser Unmittelbarkeit und treffen das Gemüt mit
ahnungsvoller Beziehung, weil Tod und Wiedergeburt das Ebben und
Fluten im Seelen- und Leibesleben eines jeden sind, sein Sommer und
Winter auf- und absteigender Lebensalter, sein Voll- und Neumond
der Leidenschaften für Menschen, Dinge und Ideen, sein sprungweises
Reifen zu Erkenntnis und Verzicht. Weil Sterbensangst und aus dem
Tode Wiederkehren die eigentlichen Gebärden alltäglich-allnächtlichen
Lebens sind, greifen ihre Sinnbilder wie alte Lieder ins Gemüt, und
schlägt sich unversehens das Auge der Erkenntnis auf.

Das Mythische ist die älteste Romantik. Die mittelalterliche Epik,
die das alte Sagengut um Artus für das ritterliche Europa zu Romanen
stilisierte, ist spät; sie steht zu den Mythen heidnischer Vorzeit keltisch-
vorkeltischen Altertums und den wiederholten Einflüssen des alten
Orients, die darein verarbeitet sind, in einer so romantischen Beziehung,
wie die Romantiker um 1790—1830 zur Gotik der Dome und Maler,
zu Volksbüchern, Märchen und Sagen eben dieses Mittelalters von
Wolfram bis Dürer standen. Das Mythische ist die älteste Romantik:
Heimweh nach der Kindheit der Seele in steinzeitlicher Frühe, als die
Helden noch keine Schwerter führten aus Bronze oder Erz wie Gawan,
sondern noch beilbewehrt daherzogen wie der Grüne Ritter Tod, der
über Wandel und Fortschritt der Bewaffnung zeitlos erhaben bleibt.
Ein Riese mit dem Beil als steinzeitlicher Todesgott: das hat sich in
Bernlac de Hautdésert, den Grünen Ritter, verlarvt.

Die ritterlichen Dichter der Stauferzeit und ihre Vorgänger mit ihren
preziösen Abenteurerromanen voll Höfischheit und Minneproblematik
waren bei dieser Zeitgemäßheit, die sie überaus anstrebten, indem sie

die Fragestellungen des Ehren- und Liebeskodex ihrer Gesellschaft in die mythischen Stoffe hineintrugen, unbewußte Romantiker im 11. und 12. Jahrhundert. Was dem Tand und Ernst gesellschaftlicher Gegenwart in ihren Werken die Schwingen lieh, sich als modische Weltliteratur über ganz Europa auszubreiten und als immer noch lebendig bis zu uns zu dringen, ist die Bezauberung durch mythische Motive aus britischem und vorkeltischem Altertum, der sie selber erlagen, aus diesem Altertum, das alt wie antiker und babylonischer Mythos durch den Nebel der Jahrhunderte glühend verdämmerte.

Ein uralter Zug an Gawan ist, daß seine Kraft von Morgen bis Mittag wächst, von Mittag bis Abend aber abnimmt; er ist ein Sonnenheros, der das Nachtreich des Todes bezwingen will und darin eingehen muß, der zur Sonne der Abgeschiedenen als König der Unterwelt wird. So herrscht der hingeschiedene Osiris über die Toten; so wird im indischen Mythos Yama, der Sohn des Sonnengottes Vivasant, des „nach allen Seiten Strahlenden" — der Sohn als sein zweites Ich —, zum König des Totenreiches; zugleich aber gilt er als der erste Mensch, der allen folgenden Geschlechtern ins Reich des Todes vorausgeschritten ist und als ihr Ältervater patriarchalisch die Herrschaft über ihre Schatten übt.

Das Roß des Sonnengottes Gawan, Gringalet, hat leuchtend rote Ohren und ist eine große Kostbarkeit; daher versucht man, Gawan sein Roß zu entwenden, wie anderwärts die Rinder des Helios und des indischen Sonnengottes — Rinder als Zug- und Wagentiere, ehe die Indogermanen das Pferd aus asiatischen Weiten mich sich bringen.

Es sind Proben der Standhaftigkeit, denen Gawan im Schloß des Grünen Ritters unterworfen wird — so auch im Chastel merveil, wo es die Frauen zu erlösen gilt. Da steht das „Lit merveil"; das Wunderbare an diesem Bett sind tückische Überraschungen: kaum hat der müde Wanderer sich vertrauensselig auf seinen Pfühl gestreckt, so fängt es an zu toben — wie Brünhild gegen Gunthers hochzeitliche Umarmung —, es galoppiert durch den Raum und rennt wider die Wände, wie im Märchen vom Jungen, der auszog, das Fürchten zu lernen. Es will sich augenscheinlich nicht beschlafen lassen; es rast, bis es von der Standhaftigkeit des Helden bezwungen stillhält, wie ein Pferd, das in seinem Reiter den Herrn erkennt. Dann aber tritt nicht etwa Ruhe ein, sondern durch die Vorhänge des Bettes poltert ein Hagel von Steinen auf den Wehrlosen, und Pfeile ohne Zahl schwirren von unsichtbaren Armbrüsten. Wohl dem, der wie Gawan, vom Fährmann gut beraten, gewappnet ins Bett gestiegen ist — er kann sich unter seinem Schilde bergen, indes die Hölle ringsum los ist.

Wer diese beiden Proben bestanden und Standhaftigkeit und Geduld bewiesen hat — wesentliche Züge, um das weibliche Element, das dieses verwunschene Schloß geheim erfüllt, zu gewinnen —, muß Mut und Heldenkraft bewähren: die Tür tut sich auf und ein fürchterlicher Löwe stürzt herein. Gawan bezwingt ihn; aus vielen Wunden blutend sinkt der Sieger auf dem erschlagenen Tier in totengleichen Schlaf.

Die Zähmung des widerspenstigen Elements ist vollbracht. Die weibliche Sphäre, die den Kömmling prüfen muß, ehe sie sich ihm ergeben kann, naht dem Berufenen, der den Gürtel der Hüften wie den Knoten des Herzens zu lösen vermag, mit Balsam. Die hohen Frauen des Schlosses treten ein, erwecken Gawan aus seiner Todesohnmacht, erquicken ihn mit zauberischen Arzneien und erkennen ihn, aus ihrer Verwunschenheit erlöst, als ihren Herrn an.

Standhaftigkeit, Geduld, Heldenmut sind die Kräfte des Berufenen, dem das Reich des Weiblichen sich willig auftut und ergibt — es sind auch die Kräfte, denen die Pforten des Totenreiches sich öffnen, um das Geheimnis unvergänglichen Lebens preiszugeben; beider Besitz, beide Weihen erscheinen in Gawans Fahrten nach dem höchsten Ziel mit erhabener Einfachheit tiefsinnig in eins geschmolzen.

WINCKELMANNS GRIECHENBILD
UND DIE NEUE DEUTSCHE LITERATUR

H. Stefan Schultz

NACH DEM Titel dieses Vortrages[1]) dürfte man eine Darstellung des Bildes erwarten, das sich Winckelmann von den Griechen und ihrer Kultur machte, danach aber etwas hören wollen von der Art, wie sich das Griechenbild in der Literatur der letzten 50 Jahre spiegelt. Carl Spittelers Prometheus-Dichtungen und sein Olympischer Frühling, Franz Werfels Troerinnen, Thassilo von Scheffers Übersetzungen, Rudolf Alexander Schröders Eindeutschungen und Gerhart Hauptmanns Griechischer Frühling wären neben manchem anderen zu erwähnen. Im Laufe der Arbeit verschob sich jedoch das Gewicht des Gegenstandes fort vom rein Literarischen; Probleme der Gegenwart traten in den Vordergrund, die auch von uns eine Entscheidung verlangen, sofern wir nicht das wohlgeregelte Leben in einem Ameisenstaat für wünschenswert halten; Probleme, welche wir wenigstens als solche sehen müssen, wenn es uns wirklich am Herzen liegt, zu geistiger Klarheit zu kommen, statt unsere neuartigen Religionskriege in der mörderischen Halbnacht wechselseitigen Nichterkennens zu führen. Der zweite Teil unserer Betrachtung wird sich daher mit dem heutigen Verhältnis zu den Griechen beschäftigen, und mit der möglichen Bedeutung der Antike für uns.[2])

I

Sprechen wir heute vom Abendland oder vom abendländischen Menschen, so erscheinen solche Worte leicht als phantastische Abstraktionen. Was wir sehen, sind viele geschiedene Nationen, feindlich einander, stolz sich abschließend und erfüllt vom Gefühl ihres Anders-Seins, und immer heißt das: ihres eigenen Besser-Seins. Nicht nur ist der Begriff des Europäers ein bloßes Echo aus dem vergangenen Jahrhundert, selbst der der abendländischen Kultur, an der die Völker Europas sowohl wie die der neuen Welt einmal tatkräftig teilhatten, lebt in unserem Bewußtsein mehr, wenn wir an den Untergang dieser Kultur denken, denn an ihr Weiterleben oder ihre Neubelebung.

Gerade in dieser Situation ist es notwendig, sich zu erinnern, daß das geistige Leben der westlichen Völker nur einen Ursprung hat, der niemals nur oder zuerst im eigenen Volke liegt, sondern immer wieder bei dem Volk zu suchen ist, das zum ersten Male praktisch gezeigt hat, was der Mensch als Mensch sein kann, bei den Griechen. Die englische Literatur ist so wenig von Beowulf genährt wie die deutsche vom Nibelungenlied. Bei den Griechen und ihren Schülern, den Römern, finden die Völker des Westens die Vorbilder für alle Werke der Kultur, sei es in der Dichtung, in der Architektur, in den bildenden Künsten oder im Philosophieren, das heißt im Nachdenken und Sich-Rechenschaft-Geben über das eigene Leben. Die Griechen haben zuerst den Menschen als frei geschaut, tatkräftig auf dieser Erde lebend, forschend und untersuchend, bewußt seiner Pflichten als Bürger einer Gemeinschaft, und wissend um das Gericht, das jeden sich maßlos Überhebenden trifft.

Daß das eben Gesagte nicht Einbildung ist, entstanden aus subjektiver Überschätzung des Griechentums, sondern lediglich eine geschichtliche Wahrheit, zeigt sich schon darin, daß jeder neue Aufschwung des abendländischen Menschen, jede kräftige Bewegung hin zur Verwirklichung seines menschlichen Wesens zusammentrifft mit einer Besinnung auf seinen griechischen Ursprung, mit einem Wiederaufnehmen des Gesprächs mit der Antike. Hier ist nicht die Rede von unfruchtbarem Kopieren: ein Gespräch, eine Diskussion ist ein sich Auseinandersetzen zwischen gleichberechtigten Partnern.

An dem, was der andere sagt, wird man sich des Eigenen bewußt. Man muß allerdings verstehen, zuzuhören; doch das Gehörte verstehen kann nur, wer aus eigenem Verstande lauscht. Als Odysseus in die Unterwelt fährt, um von dem Schatten des verstorbenen Sehers sein künftiges Geschick zu erfahren, da sprechen die Schatten nicht, ehe sie nicht vom Blut der Opfertiere tranken. Genau so gaben die abendländischen Völker in ihren verschiedenen Renaissancen, das heißt in den Epochen ihrer Wiedergeburt als Menschen, den Schatten des Altertums vom eigenen Lebenssaft zu trinken, damit sie sprächen und so fruchtbar würden für gegenwärtiges, lebendiges Tun.

Die Besinnung auf das klassische Menschenbild, seine Wiedergeburt und neue Verwirklichung in lebendigen Gestalten geschieht nicht gleichzeitig bei allen Völkern. Die romanischen Nationen bedurften dieser Mnemosyne wohl weniger als die nördlichen Völker, denn ihre Lebensadern sind natürlich durchblutet von Sprache und Überlieferung Roms. Von den germanischen Völkern aber erlebten Engländer und Holländer die Renaissance früher als die Deutschen. Nicht daß Deutschland zur Zeit des Erasmus und Thomas Morus keine Humanisten gehabt hätte. Doch konnte ihre Wirkung nicht tief gehen, noch in der folgenden Generation Wurzel schlagen, da die Glaubensspaltung bald alle Möglichkeit ruhiger Menschenbildung hinderte. So erfuhren die Deutschen erst im 18. Jahrhundert, 250 Jahre nach den anderen Völkern, ihre Renaissance, die Geburt des deutschen Menschen aus dem Geiste Griechenlands.

Es ist bezeichnend und drückt die ganze Stärke dieses deutschen Griechenerlebnisses aus, daß nun erst die Deutschen aus ihrer provinziellen Enge erlöst werden und ein Menschenbild schaffen, das über die nationalen Grenzen hinaus wirksam wird, ja den eigentlich deutschen Beitrag zu europäischem Menschentum darstellt.

Der Mann nun, der seinem Volke die Augen öffnete, damit es nach allzuvielem Lesen wieder den leibhaftigen Menschen sähe, war Johann Joachim Winckelmann, der am 9. Dezember 1717 zu Stendal in der Altmark geboren wurde und von seinem Daimon, seinem Schicksal, überwunden in Triest am 7. Juni 1768 starb.

Die archäologische Wissenschaft ehrt Winckelmann als ihren Stifter, er ist anerkanntermaßen der Begründer der systematischen geschichtlichen Kunstbetrachtung. Darüber hinaus aber ist Winckelmann der Erwecker und Bildner der Männer, die wir als die geistigen Führer und großen Erzieher der Deutschen verehren. Herder, Goethe, Schiller, Wilhelm von Humboldt und Hölderlin; auch Lessing, der kritische Bereiter des Bodens, auf dem der Geist wachsen konnte — sie alle wären nicht, die sie sind, ohne Winckelmann. Sie alle spürten seine erzieherische Wirkung, seinen pädagogischen Eros, gleichviel ob sie seinen Anschauungen folgten, sie weiterführten oder in fruchtbarer Auseinandersetzung verwandelten.

Der römisch gewordene Preuße[3]) Winckelmann traf nicht unvorbereitet und nicht als Fremder auf das Griechische. Seine Zeitgenossen schätzten ihn als den besten Kenner griechischer Literatur im damaligen Europa; von Jugend an hatte er unter dürftigsten Verhältnissen Griechisches gelesen, in den frühen Stunden des Morgens, bevor noch Lärm und Geschäft des Tages den Geist von ruhiger Betrachtung ablenkten. Griechisches war ihm aber nicht nur vertraut als erworbene Bildung, sondern in seiner natürlichen Anlage schon waren die Dinge gegeben, die als vorzüglichste und wesentliche in der griechischen Welt seinem Wunsche anworteten: ein lebhaftes Gefühl für sinnliche Schönheit und eine leidenschaftliche Liebe zu ihr, dann der unbedingte Trieb nach Freiheit und zuletzt eine antikische Auffassung der Freundschaft, wie sie in Achill und Patroklos, in Orest und Pylades Gestalt geworden war.

Das Urbild der Schönheit erfährt Winckelmann im Anschaun griechischer Kunst; nie werden seine Augen müde zu sehen, und immer von neuem bemüht sich seine Feder, das Gesehene im Wort auszudrücken. Dabei sieht das innere, geistige Auge ebenso sehr wie das physische, ja, Winckelmann ermahnt uns, zuerst mit dem Geist in das Reich unkörperlicher, das heißt nicht materieller Schönheit zu gehen und uns dort vorzubereiten zur Betrachtung des griechischen Marmors. Wir sollen Begriffe erhabener Dichter sammeln, wir sollen selber Schöpfer einer himmlischen Natur werden. Wenn wir das getan und in uns selbst ein Bild erzeugt haben, vollkommener, als unsere Augen es je sahen, dann sollen wir vor das Bild der Gottheit treten, den Apollon im Belvedere. Und was geschieht uns dann? „Mich dünkt", sagt Winckelmann, „ich sehe dich in deinen Gedanken erniedrigt, und das Bild, welches dir in denselben erschienen ist, verschwindet gegen dasjenige, welches du hier gegenwärtig erblickst, so wie der Traum weicht, wenn die Wahrheit erscheint."[4])

Es ist erstaunlich, hier einen Deutschen zu finden, dem die wirkliche Erscheinung mehr bedeutet, als sein hohes Denkbild; nur zu oft und auch bei den heutigen Deutschen ist es umgekehrt. Hier lebt in Winckelmann ein durchaus „altertümlicher" Sinn, der sich auf diese Welt und ihre Wirklichkeit richtet; es ist das, was Goethe das Heidnische in Winckelmann nennt. Es ist ein unzertrennliches Ganzes, in dem notwendig zusammengehören:[5]) ein starkes Selbstvertrauen, das Wirken in die Gegenwart und auf sie, die reine Verehrung der Götter als Ahnherrn des Menschengeschlechts, die Ergebenheit in ein übermächtiges Schicksal und die hohe Schätzung des Nachruhms, der den Helden aus seiner Zeitlichkeit erhebt in die Ewigkeit. Aber die Ewigkeit ist nicht im Jenseits, sondern wiederum hier, in der Gegenwart, im Munde aller derer, die den Preis des Helden singen.

Winckelmann sieht in den griechischen Werken mehr als bloße Objekte für eine wissenschaftlich-historische Kunstbetrachtung. In ihrer idealen Wirklichkeit erheben sie den Menschen über sich selbst und vergöttern ihn für die Gegenwart, die allein *da* ist und das Vergangene und Zukünftige in sich begreift. „Der Gott war zum Menschen geworden, um den Menschen zum Gott zu erheben."[6]) Götter und Helden schaut Winckelmann „an heiligen Orten stehend, wo die Stille wohnt".[7]) Er naht sich ihnen mit frommem und verehrendem Herzen und „geht gewisser und mit beständigern Ideen in marmornen Schönheiten".[8]) Und wenn der Traum gewichen ist und die Wahrheit erscheint, dann scheint sich seine Brust mit Verehrung zu erweitern und zu erheben, wie diejenige, die er von dem Geist der Weissagung geschwellt sieht, und er fühlt sich weggerückt nach Delos und in die lycischen Haine, Orte, welche Apollo mit seiner Gegenwart beehrte: denn sein Bild scheint Leben und Bewegung zu bekommen, wie des Pygmalion Schönheit.[9])

Man halte dies nicht für ungenaue Schwärmerei, für bloße enthusiastische Aufschwünge. Winckelmann will in seiner Kunstgeschichte den „Versuch eines Lehrgebäudes liefern“.[10]) Es genügt nicht, eine Statue „für die schönste aller alten Statuen zu halten; man soll auch seine Gründe bringen“.[11]) Der geschwinde Reisende wird nicht zur Kenntnis der Kunst in den Werken der Alten gelangen, „in welchen man nach hundertmal Wiedersehen noch Entdeckungen macht“.[12])

Platonisch ist in Winckelmanns Denkart, daß er den Ursprung der Schönheit aus dem Diesseits in das Jenseits, in Gott setzt. „Die höchste Schönheit ist in Gott! Und der Begriff der menschlichen Schönheit wird vollkommen, je gemäßer und übereinstimmender derselbe mit dem höchsten Wesen kann gedacht werden, welches uns der Begriff der Einheit und Unteilbarkeit von der Materie unterscheidet.“[13]) Sich ein Bild von der Gottheit zu machen, läuft protestantischem Denken durchaus zuwider, ist aber griechisch. Griechische Künstler waren es, die sich nach Winckelmann „über die Materie in die geistige Sphäre der Begriffe“ erhoben. „Durch ihre Hände wurden die Gegenstände heiliger Verehrung hervorgebracht, welche, um Ehrfurcht zu erwecken, Bilder von höheren Naturen genommen zu sein scheinen mußten. Zu diesen Bildern gaben die ersten Stifter der Religion, welches Dichter waren, die hohen Begriffe, und diese gaben der Einbildung Flügel, ihr Werk über sich selbst und über das Sinnliche zu erheben.“[14])

Wenn die griechischen Werke aber die Abbildungen höherer, nämlich göttlicher Naturen sind, dann ist es leicht zu verstehen, wie griechische Kunst vorbildlich werden muß. Denn in ihr erscheint die reine Natur, von allen menschlichen Bedürfnissen befreit und darum der göttlichen Schönheit am nächsten. Selbst der arg verstümmelte und mißhandelte Torso eines Herkules ohne Kopf, Arme und Beine „erscheint — in göttlicher Genügsamkeit — wie er sich von den Schlacken der Menschheit mit Feuer gereinigt und die Unsterblichkeit und den Sitz unter den Göttern erlangt hat“.[15]) Die Epiphanie des von der menschlichen Notdurft gereinigten und unter die Götter erhobenen Helden ist nicht das Resultat eines flüchtigen Eindrucks oder ein hübscher Einfall. Winckelmann versucht „sobria ebrietate“, mit nüchterner Trunkenheit, nach hundertmal wiederholtem Anschaun, denkend, einsehend zu sagen, „was der Künstler gedacht hat und wie ich denken sollte“.[16]) „Der erste Anblick wird dir vielleicht nichts als einen verunstalteten Stein entdecken... vermagst du aber in die Geheimnisse der Kunst einzudringen, so wirst du ein Wunder derselben erblicken, wenn du dieses Werk mit einem ruhigen Auge betrachtest. Alsdann wird dir Herkules wie mitten in allen seinen Unternehmungen erscheinen, und *der Held* und *der Gott* werden in diesem Stück zugleich sichtbar werden."[17]

Wie Winckelmanns Auge die Schönheit sehen muß, weil sie seinem innersten Wesen entspricht, wie sein antiker „Stil voll Hoheit und Würde... aus der Tiefe seiner eigenen Seele verwandten Geistern der Vorwelt entgegenquoll", ebenso sieht sein auf Freiheit und Freundschaft gerichteter Geist in den Griechen die „antwortenden Gegenbilder", die er zu dem, was die Natur in ihn gelegt, in der äußeren Welt suchte, um so „das Innere völlig zum Ganzen und Gewissen zu steigern".[18]

„Freiheit und Freundschaft", schreibt er im Jahre 1755, „sind beständig der große Endzweck gewesen, der mich in allen Sachen bestimmt hat."[19] Seine Schweizer Freunde sind ihm besonders lieb, da sie Bürger eines freien Landes sind.[20] Und „Antenor (der Bildhauer) ist unsterblich geworden durch die Statuen ewiger Freunde und Befreier ihres Vaterlandes, des Harmodius und Aristogiton".[21] „Durch die Freiheit erhob sich wie ein edler Zweig aus einem gesunden Stamme das Denken des ganzen Volkes. Denn wie der Geist eines zum Denken gewöhnten Menschen sich höher zu erheben pflegt im weiten Felde... als in einer niedrigen Kammer..., so muß auch die Art zu denken unter den *freien* Griechen gegen die Begriffe beherrschter Völker sehr verschieden gewesen sein."[22] Die griechische Kunst hat gleichsam von der Freiheit selbst das Leben erhalten. Freiheit, Freundschaft und antike Bildnerei bilden eine lebendige Einheit für Winckelmann. Die ästhetischen Begriffe sind zugleich menschenformende, ethische Gesetze. Der feste Glaube Winckelmanns an die natürlich-freie, glückhaft-männliche Jugend des Griechentums, an die Art, wie die Griechen göttliche Schönheit zu sichtbarer Erscheinung gebracht, den Leib vergöttlicht und den Gott verleibt haben, wird für ihn Aufforderung und Verpflichtung, ein Gleiches zu tun. Er will den Adel des Menschen in dieser Kunst verkünden, ihre Lehre predigen, als kanonisches Vorbild der Kunst nicht nur, sondern der Menschenbildung überhaupt.

Wie in dem griechischen Wort *kalokagathos*, der Bezeichnung für den vollkommenen freien Mann, das Schöne und das Gute zur Einheit gebracht sind, so verknüpft Winckelmann die äußere Erscheinung und den inneren Charakter ganz eng in seiner klassischen Formel für das Wesen griechischer Kunst: „Das allgemeine Kennzeichen der griechischen Meisterwerke ist eine edle Einfalt und stille Größe, sowohl in der Stellung als im Ausdruck. So wie die Tiefe des Meeres allezeit ruhig bleibt, die Oberfläche mag noch so wüten, ebenso zeigt der Ausdruck in den Figuren der Griechen bei aller Leidenschaft eine große und gesetzte Seele."[23]) Diese Seelenhaltung will Winckelmann in seinen Schülern und Freunden verwirklichen. Zugegeben, daß Winckelmann in seiner Wissenschaft in manchem geirrt hat, er hat seine Wissenschaft doch *erlebt,* und welches Leben wäre frei von Irrtum? Wie bei allen wirklichen Lehrern wird der Gehalt der Wissenschaft zum Lebensgehalt und bestimmt die ganze menschliche Haltung. Sokrates sagt im Phaidros, daß der Liebende den Geliebten schaffen wolle nach dem Urbild des Schönen und Guten, das er in seiner eigenen Seele trägt. Winckelmann hat seinen Freunden immer wieder ans Herz gelegt, diesen platonischen Dialog „mit großer Ruhe" zu lesen. Wenn er an den berühmten Philologen Heyne in Göttingen schreibt, er möge ihm doch einen jungen Menschen von feinem Sinne schicken, wodurch Göttingen einen neuen Vorzug über die große Saat hoher Schulen in Deutschland erhalten könne, so offenbart sich darin sein eigentliches Ziel: der Unterricht des deutschen Geistes und des deutschen Menschen.[24])

Nur weil Winckelmanns Griechenbild aus einem erfüllten Leben und aus innerer Leidenschaft entsprang, vermochte es dauernd zu wirken und das gültige Glaubensbekenntnis einer ganzen dichterischen und geistigen Gemeinschaft zu werden. Für die Deutschen der Goethezeit ist Winckelmann der Vater des klassischen Ideals gewesen, das heißt aber: er verkündet ihnen nicht nur ideales Griechentum, sondern will ein gültiges Deutschtum erwecken und vergegenwärtigen.

Dies ist oft mißverstanden worden; man spricht von der Tyrannei, die Griechenland seit den Tagen Winckelmanns auf die Deutschen ausgeübt habe, und sieht in ihr die Quelle aller deutschen Übel.[25]) Genaueres Zusehen zeigt auch an dieser deutschen Renaissance, daß eine Wiedergeburt der Antike gerade das Symptom höchster eigener Produktivität ist; sie findet nur in Zeiten statt, deren starkes Selbstbewußtsein keine Angst hat, sich in den bereits geprägten Formen zu verlieren, sondern sie als das Gefäß eigener Sinngebung betrachtet und fremde Form mit eigenem Gehalt zu neuer Einheit verschmelzen kann.[26]) Auch für das Griechische galt, was Goethe von der Vergangenheit sagte: „Es gibt kein Vergangenes, das man zurücksehnen dürfte; es gibt nur ein ewig Neues, das sich aus den erweiterten Elementen des Vergangenen gestaltet, und die echte Sehnsucht muß stets produktiv sein."

Friedrich Schlegel hat die Begegnung mit den Alten ganz richtig verstanden, wenn er von der Klassik sagt, sie könne auch Urbildungslehre heißen, und an anderer Stelle, daß noch jeder bei den Alten gefunden habe, was er brauchte und wünschte, vorzüglich *sich selbst*.[27]) Genau so haben die Römer, die ersten Schüler der Griechen, ihr griechisches Bildungserlebnis aufgefaßt, als Menschenbildung schlechthin, als *humanitas*. Von den Römern empfingen dann die Völker des Abendlandes das Ideal der Humanität. Und die immer erneute Auseinandersetzung mit der Antike, durch die wir diese reine Menschlichkeit in uns zu verwirklichen trachten, nennen wir Humanismus. Sollten wir nicht eher sagen: *nannten* wir Humanismus?[28]) Wir geben Friedrich Schlegel gerne zu, daß der „heilige" Winckelmann zuerst unter den Deutschen die intellektuelle Anschauung der Moral gehabt hat, daß er das Urbild vollendeter Menschheit in den Gestalten des Altertums erkannte und gottbegeistert verkündete. Wir geben zu, daß für die Goethezeit Winckelmanns Griechenbild und Griechenglaube fruchtbar und darum wahr waren. Ihre verehrende und gestaltbildende Kraft sind erwiesen; Goethes Iphigenie sowohl wie Humboldts Schöpfung der humanistischen Erziehung zeugen von ihnen. Wir sehen ein, daß jene Begegnung des inneren deutschen Griechentums mit dem äußeren, geschichtlichen, das Suchen der Seele nach dem Land der Griechen und seine Entdeckung ein Wiederfinden des eigenen Selbst waren. Und wenn wir auch, ein Humboldtsches Wort abwandelnd, sagen möchten, daß das meiste von dem Eindruck *uns* und nicht dem Gegenstande angehört, so könnten wir doch zu unserer Verteidigung anführen, daß Heroisierung und Mythisierung nun einmal eine notwendige Täuschung sind. Schließlich war die Griechensehnsucht ja nicht eine Flucht aus der Gegenwart in eine als schöner geträumte Vergangenheit, sondern die Auflösung dieser Vergangenheit in die Gegenwart. Und was wäre Sinnvolles daran gewesen, das ewig Gleiche, Gewöhnliche und Alltägliche, das Gemeine in die Gegenwart überzuführen? Durch Idealisierung und Heroisierung schaute nach Humboldts Meinung der innere Sinn das Vergangene *in einer Größe, die allen Neid ausschließt*,[29]) gleich weit von elegischem Verlangen nach dem Alten wie von satirischer Bekrittelung des Neuen. Und darauf kommt es an, Größe zu sehen, um einen Maßstab für eigenes Tun zu haben.

II

Sind die Griechen für uns heute ein solcher Maßstab, sind sie noch das eigentliche Bildungsvolk der Geschichte? Die Frage ist zu verneinen; nur für eine „kleine Schar" ist die Antike noch lebendig und verpflichtend. Man möchte zunächst annehmen, dies sei eine Folge unserer vermehrten Kenntnisse. Frühere, Winckelmann noch unbekannte Jahrhunderte traten in ihren Denkmälern ans Licht. Die historische Forschung mußte tun, was schon August Boeckh, der Zeitgenosse Goethes, gefordert hatte; sie hatte die Wahrheit zum Ziel zu nehmen und nicht zu bedauern, wenn die unbedingte Verehrung der Alten gemäßigt werden muß, weil auch an ihren Händen, wo sie Gold berühren, Schmutz klebt.[30]) Winckelmanns idealisch-apollinisches Bild eines heiteren Volkes, das unter der Sonne Homers seine Tage verbrachte, wurde korrigiert. „Die Hellenen waren im Glanze der Kunst und in der Blüte der Freiheit unglücklicher als die meisten glauben", sagte Boeckh,[31]) und Friedrich Nietzsche betonte die tief tragische Lebensauffassung der Griechen. Zudem hat sich auch unser Standpunkt verändert. Wir sind nicht mehr Menschen des graziösen Rokoko, wir empfinden Geßners Idyllen nicht mehr als ein Echo des Anakreon oder Theokrit. Was Winckelmann so oft an abgeleiteten Statuen wichtig erschien, die „zärtliche Schönheit", das „zärtlich Jugendliche", die „Süßigkeit", kann unserem so ganz unzärtlichen Zeitalter nichts mehr bedeuten. Neben den eben kurz skizzierten Veränderungen, die mehr äußerlicher Natur sind, hat sich aber in uns eine Wandlung vollzogen, die viel radikaler ist.[32]) Sie hängt zusammen mit dem wissenschaftlich-geschichtlichen Denken, das wir mit Recht als eine der großen Schöpfungen des 19. Jahrhunderts betrachten. Darnach ist das Vergangene vergangen, es kann nie so wiederkommen, wie es war; jede vergangene Epoche ist einmalig. Der Gedanke an die ewige Wiederkehr, an die doch die Antike so stark geglaubt hat, ist mit dieser Anschauung unvereinbar. Die Linie des geschichtlichen Verlaufs ist zu einer Geraden geworden, die sich in die Unendlichkeit erstreckt.

Diese Erkenntnis hatte zur Folge, daß unser individuelles Selbstgefühl radikal verschärft wurde. Ist alles im strengsten Sinne einmalig und unvergleichbar, so sind wir es auch; denn auch wir werden einmal Geschichte sein. Wir sind so, wie noch nie jemand war und wie nie jemand sein wird; ob besser oder schlechter, steht hier nicht zur Frage: die Individualität als solche ist wertvoll. Damit aber werden die Griechen eine „interessante" Nation neben vielen andern, die unser Interesse reizen mögen; sie sind bestenfalls gleichberechtigt, aber nicht mehr musterhaft und beispielgebend. Ägypter, Perser, Inder, Chinesen oder auch Naturvölker Innerafrikas haben gleichen Anspruch im Zeitalter der „Allgemeinbildung", außerdem sind sie auch viel reizvoller, weil unbekannter.

Umgekehrt könnte man behaupten, daß das moderne, stark betonte Ich-Bewußtsein und die hohe Bewertung der Individualität uns gerade den Griechen nähert. Denn waren sie es nicht, die das freie Individuum zuerst im Abendland entdeckten? Ihr ganzes Wesen beruht auf stark wirkenden Individuen, nirgends gab es mehr bedeutende Individualität. Aber — und hier berühren wir den entscheidenden Punkt, der uns von der Antike trennt — griechische Individualität wurde nie im Verhältnis zu sich selber aufgefaßt, sondern in ihrer Wirkung nach außen und daher im Zusammenwirken mit andern. Den Griechen fehlt unsere vielgerühmte „Innerlichkeit", sie sind nicht subjektiv. Ihre Götter- und Menschenbilder sind immer aus der Sphäre des rein Persönlichen erhoben in die des Typischen.[33]) Darum konnte der Humanismus, der ja versucht, ein objektives Menschenbild durch die ganze Geschichte hindurch festzuhalten, im antiken Menschen eine besonders starke und reine Form dieses Menschen erblicken.

Für modernes Kunstempfinden aber wirken die unindividuellen Werke der Alten oft kalt und uninteressant, sie sind nicht persönlich genug, während umgekehrt unsere verfeinerte Subjektivität bereit ist, sich in möglichst „eigenartige" fremde Kunst einzufühlen, ja selbst in ihr sich zu verlieren.

Es ist schwer, historische Veränderungen in der Auffassung vom Menschen und in der Selbstauffassung der Individualität zu bestimmen und zu verdeutlichen. Es sei trotzdem versucht, mit Hilfe zweier moderner Dichter, Rilkes und Hofmannsthals. Ein Sonett Rilkes trägt den Titel „Archaischer Torso Apollos". Es beginnt: „Wir kannten nicht sein unerhörtes Haupt", und endet: „Denn da ist keine Stelle, die dich nicht sieht. Du mußt dein Leben ändern." Bei diesen Worten denken wir an die ethische Wirkung griechischer Werke auf Winckelmann und seine Zeitgenossen und glauben, hier geschehe dasselbe. Und doch ist der Gedanke unantik, genährt aus paulinischem Christentum. Jede Stelle dieses Leibes sieht auf uns, wir können diesen Blicken ebensowenig ausweichen wie dem Auge Gottes, wir müssen unser Leben ändern. Dahinter verbirgt sich Schuldgefühl; wir werden gesehen, wie der Herr Adam und Eva sah. Uns wird zugerufen: *metanoeite*, geht in euch, wandelt euch, tuet Buße. Der Leser des ganzen Gedichtes wird trotz des griechischen Gegenstandes nichts Griechisches entdecken, sondern feinstes subjektives Empfinden, das den Marmor glänzend, glühend, blendend sieht. Nichts ist objektiv da, als einmal gestaltetes Da-sein eines idealen Seins,[34]) vielmehr sehen wir mit den Augen Rilkes alles im zeitlichen Werden. Die Augenäpfel reifen, der Torso glüht wie ein Kandelaber, die Brust blendet uns, durch die leise Drehung der Lenden könnte ein Lächeln gehen, die Schultern stürzen, der Stein flimmert wie Raubtierfelle.

Das erinnert an exotische Tiere im Jardin des Plantes oder an die Farbigkeit Delacroixscher Bilder, aus denen immer neue und vielfältige

Eindrücke auf uns eindringen. Die in sich selbst ruhende und selige Zeitlosigkeit der Schönheit, die Verewigung des Augenblicks, des Kairos in dem marmornen Gott ist vom modernen Dichter wieder in fließende und gleitende Bewegung, in Zeitlichkeit, aufgelöst.[35])

Hugo von Hofmannsthals Begegnung mit den Griechen verläuft ganz anders als die Rilkes, eben weil auch sie ganz persönlich und einmalig ist. „Stunde, Luft und Ort machen alles", heißt es in *Augenblicke in Griechenland;*[36]) es muß die richtige Atmosphäre da sein. Es ist Abend auf der Akropolis. Die Sonne ist hinter dem Parthenon untergegangen. Alles atmet Vergänglichkeit, selbst die Steine auf diesem Hügel verwesen vor Alter. Es treibt den Dichter, um eine der Säulen herumzugehen; die abgewandte Seite, die zum Untergang der Sonne hin, verspricht ihm das eigentliche Leben. Aber ein Gefühl der Enttäuschung hält ihn zurück, und das Gefühl wandelt sich zum Haß gegen diese Griechen, weil sie längst dahin sind, weil sie so rasch dahingegangen sind. Doch der Haß ist ungerecht. Die eigene Schwäche, die eigene Unfähigkeit, dieses Antike zu beleben, ist es, die vor der Vergänglichkeit zittert und alle Umwelt ins fürchterliche Bad der Zeit taucht.

Mit dieser Einsicht beginnt der Dichter den Philoktet des Sophokles zu lesen, aber auch da bleibt alles fremd und über die Maßen unbetretbar. „Unmögliche Antike. Vergebliches Suchen. Eine dämonische Ironie webt um diese Trümmer, die noch im Verwesen ihr Geheimnis festhalten." Ein letzter Versuch: Hofmannsthal überschreitet die Schwelle in das kleine Museum und sieht die herrlichen archaischen Mädchengestalten; oder vielmehr, sie sehen ihn — und dies erinnert an Rilke. Ihre Augen sind auf ihn gerichtet, und in ihren Gesichtern vollzieht sich ein völlig unsägliches Lächeln. Erschütterung, Schrecken, Hingenommenheit, Tumult, Aufschwung, Erbangen und Verzagen, es ist nicht zu sagen, was alles sich in der Seele des Betrachters begibt; es geht auch vorbei. Nichts bleibt als eine todbehauchte Verzagtheit. Hofmannsthal sagt: „Stehe ich nicht vor dem Fremdesten vom Fremden? Blickt nicht hier aus fünf jungfräulichen Mienen das ewige Grausen des Chaos?" Das ewige Grausen des Chaos! Das ist nicht griechisch gedacht, aber modern. Als die Griechen einen Namen für die Welt suchten, fanden sie das Wort Kosmos, Ordnung, denn als Ordnung erschien ihnen die Mannigfaltigkeit dieser Welt. Germanische Völker haben allerdings eine andere Auffassung vom Wesentlichen der Welt; ihnen erscheint es in dem Alt-Werden des Menschen. Auch für Hofmannsthal ist bei dieser Begegnung das Wesentliche der Mensch, einzig, unvergleichlich, einsam und gottunmittelbar. Er sagt: „Die Statuen der Mädchen sind da und sind unerreichlich. So bin auch ich. Dadurch kommunizieren wir … Und indem ich mich immer stärker werden fühle … und immer mehr meiner selbst verliere, frage ich mich … .: Wenn das Unerreichliche sich speist aus meinem Innern und das Ewige aus mir seine Ewigkeit aufbaut, was wäre dann noch zwischen der Gottheit und mir?"

Die zum Äußersten gesteigerte Innerlichkeit und Subjektivität unserer Zeit ist hier offenbar und zugleich die kardinale Sünde des modernen Menschen, sein Stolz, seine Hybris. Die ungeheure Kompliziertheit der modernen Seelenhaltung zeigt sich im Nebeneinander von Empfindungen, wie „stärker werden" und „sich verlieren". Schon vorher hatte Hofmannsthal die Weihebilder einmal „tierhaft, göttlich" genannt, also gerade den Unterschied verwischt, der seit den Tagen des Aristoteles als unbedingt galt und unüberbrückbar: das Tier ist untermenschlich, denn es hat keine Sprache; der Gott ist übermenschlich, denn er braucht keine Sprache.

An anderer Stelle spricht Hofmannsthal einmal von unserer Kultur, die in den Grundfesten der Antike verankert sei. Aber bestehen werden wir nur, „sofern wir uns eine neue Antike schaffen: und eine neue Antike entsteht in uns, wenn wir die griechische Antike … vom großen Orient aus neu anblicken". Asien ist „im geistigen und auch im sinnlichen Verstande wie ein Becken, in das die einzelnen Völker beständig hineinfließen und es speisen, sich aber wieder beständig aus ihm ernähren". Danach müßten wir uns nach Asien ergießen, um von da aus die griechische Antike neu zu schauen. Aber die Weisheit Indiens, an die Hofmannsthal denkt, führt nicht *in* die Welt, sondern *aus* der Welt. Hofmannsthal selbst sah es nach den Erschütterungen des Weltkrieges und sprach es aus in jener schönen Rede „Vermächtnis der Antike".[37]) Er sagt: „Da und dort flammt ein jäher Orientalismus auf — auch Rußland ist Orient! —, aber ohne fortreißende Kräfte; und an denen, die ihm huldigen, wird nichts so deutlich wie der Wunsch, allen Ballast abzuwerfen, und wäre es das eigene denkende Selbst."

Es gibt einen anderen Weg zur Antike als den über das große Asien. Gewiß können wir nicht zurück, können nicht wieder nur mit den Augen Goethes oder Humboldts auf die Griechen sehen. Doch ist der Zugang uns nicht verwehrt. Er ist mühsam und nur mit nüchterner Sachlichkeit zu betreten. Wie alle Vergangenheit, so müssen wir auch das klassische Griechentum als einen geschichtlichen geistigen Verlauf betrachten. Tun wir das, dann kommt uns von den Griechen selbst Hilfe. Denn die Griechen haben in ihrer kurzen Geschichte alle Probleme des abendländischen Bildungsprozesses vorweggenommen. Doch mag mancher hier fragen: Warum soll man überhaupt nach einem lebendigen Verhältnis zur Antike suchen?

Weil gerade wir Deutsche geneigt sind, uns zu verlieren entweder an das persönliche Ich oder an ein jenseitiges Absolutes, an ein Ding an sich. Wir sind entfernt „von heitrem meer und binnen wo sich leben zu ende lebt in welt von gott und bild". So sagte Stefan George, dem Gesetz seines hellenisch-römischen, katholischen Charakters gehorchend. Er hat wie kein zweiter der großen Dichter unserer Tage das hellenische Erbe behauptet gegen das asiatisch-östliche. Nicht aus traumhaften Wünschen, nicht als Flucht aus der Gegenwart, nicht aus persönlicher Not, sondern aus persönlicher Stärke. Er sah bei den Deutschen die Gefahr, daß sie „dicht bei der Schwelle" rufen: „Überflut uns wirbel! Umfaß uns, großes jenseits! Brich hervor, o leuchtung, lösung! ... und was kommt ist nacht."[38])

Die deutsche Klassik war ein Versuch, dieser gefährlichen Neigung zu begegnen, sich nicht von Wirbeln überfluten zu lassen, nicht von einer plötzlichen Erleuchtung die Lösung zu erhoffen, sondern ein Begrenztes und Geformtes zu schaffen, auf dem allein wir geistig zu fußen vermögen. Dies wird vielleicht klarer, wenn wir noch einmal das Phänomen Winckelmann und deutsche Klassik betrachten.

Winckelmann stammte aus dem protestantischen Norden Deutschlands, ebenso wie Humboldt und Schinkel. Er trat zwar zum Katholizismus über, aber nach seinen eigenen Aussagen und der Ansicht seiner Zeitgenossen bedeutete dieser Schritt nicht mehr als eine zu erfüllende Bedingung, um nach Rom zu kommen.[39]) Daß aber dieser gewaltsame Sprung zum Hellenischen über Zeiten und Räume hinweg aus dem Norden Deutschlands geschah, hat seine tiefe und notwendige Begründung im Verlauf der deutschen Geistesgeschichte.

Die protestantische Reformation Luthers hatte einen großen Teil der Deutschen aus dem Zusammenhang mit der übrigen europäischen Kultur gelöst, sie hatte das Ethos über den Logos gesetzt. Erasmus von Rotterdam wußte wohl, warum er trotz des Drängens der Reformatoren am alten Glauben festhielt: nur dort konnte er seinen Humanismus, das große Bildungserbe der Antike, bewahren. Denn Humanismus und christliche Tradition sind keine Gegensätze.[40]) Die Kirche hatte die Antike in sich aufgenommen und den Gegensatz von jenseitiger Religion und innerweltlicher Kultur überbrückt. Das Christentum als kulturelle Erscheinung ist selbst ein Kind der Antike. In der Kirche Santa Maria sopra Minerva in Rom sind die heidnische Göttin und die christliche Mutter Gottes zusammen genannt. Im Vatikan, im Palast der Päpste, stehen die

Statuen des Apoll von Belvedere, des Laokoon, des Zeus von Otricoli.
In den Festsälen Leos X. malte der fromme Raffael neben der Disputà,
welche das Geheimnis der heiligen Eucharistie darstellt, den Parnaß, auf
dem Apollo als Gott der Dichtkunst thront, und die Schule von Athen,
in deren Mittelpunkt Plato und Aristoteles stehen.

Mit dieser Tradition hat der Protestantismus gebrochen; er war bild-
feindlich und ist auch heute noch in vielen seiner Vertreter antihumani-
stisch. Er entwickelte den Individualismus, der den einzelnen gottunmittelbar macht und ihn so aus dem festen Gefüge einer geistigen
Tradition entläßt. Die Reformation Luthers ging auf die *Urform des
Christentums* zurück, auf den radikalen Gegensatz des himmlischen und
des weltlichen Reiches. Zweieinhalb Jahrhunderte später geschieht in
der deutschen Klassik der Gegenschlag gegen den bildlosen Protestantismus. Die Klassik besinnt sich nun mit gleicher Radikalität auf die *Urform
des europäischen Geistes,* den griechischen Bildungsgedanken. Solche
Rückbesinnung konnte aber nur aus dem Bereich des Protestantismus
selbst, wenn auch gegen ihn, kommen. Angehörige anderer Völker haben
oft gesagt, daß das gewaltsame Erfassen des Griechentums und die Überschätzung des griechischen Teils der antiken Kultur aus dem bösen Willen der Deutschen zu erklären sei, der sich weigert, die Suprematie der
lateinischen Kultur anzuerkennen. Oder man sah darin einen unbegreiflichen deutschen Eigensinn, verbunden mit deutscher Neigung zum
Mystizismus, der eine heilige Ehegemeinschaft, einen ἱερὸς γάμος zwischen Griechentum und Deutschtum stiften wollte. Solche Erklärungen
sind jedoch selbst ganz subjektivistisch. Nachdem einmal in der deutschen
Geistesgeschichte die Kluft zwischen dem Reich dieser Welt und dem
Gottesreich neu aufgerissen worden war, konnte sie nicht mehr von
außen, etwa durch eine Gegenreformation, geschlossen werden. Nur da,
wo man den Mangel einer weltlichen Kultur, die Abwesenheit der Schönheit, die Enge des Lebens fühlte, das heißt, nur im damaligen Preußen,
konnte die Klassik ihren Anfang nehmen.

Blickt man heute auf manche Richtungen der evangelischen Theologie,
so kann man sich des Gefühls nicht erwehren, als wolle sich der Bilder-
sturm der reinen Innerlichkeit wiederholen. Dagegen, und gegen die oben
erwähnten Gefahren des modernen Subjektivismus überhaupt, ist der
Humanismus ein Gegengewicht. Keine der gefährlichen modernen
Kräfte darf dabei verdrängt oder auf billige Weise beschwichtigt werden.
Die Sicherheit, mit der der griechische Rhetor Libanios seinem christlichen Freunde, dem Kirchenvater Basilius von Caesarea, schreibt: „Die
Wurzeln der Bildung, die immer die meine bleibt und früher auch die

deine war, dauern doch in dir und werden dauern, solange du lebst, und keine Zeit wird sie jemals zerstören, auch wenn du ihnen kein Wasser gibst", diese sichere Zuversicht ist uns versagt. Die Zerstörungskunst unserer Zeit hat sich unendlich verfeinert.

Doch wo Gefahr ist, wächst das Rettende auch. Unsere Situation ist der Athens zur Zeit des Sokrates und Platon in vieler Hinsicht verwandt. Werner Jaeger drückte dies einmal folgendermaßen aus: „Es war der Moment der griechischen Geschichte, wo der wissenschaftliche Geist sich nach einer Periode ausschließlicher Vorherrschaft der Naturforschung und Naturspekulation der drängenden praktischen Aufgabe zuwandte, das soziale Problem des aus den Fugen gehenden Lebens architektonisch zu bezwingen, die chaotisch-selbstherrlichen Kräfte des gesellschaftlichen Organismus durch die Macht der Erkenntnis unter einem allgemeingültigen obersten Werte neu zu binden."[41] Auch·damals lebten die Griechen, wie wir es heute tun, in einem Nebel von Subjektivität, von bloßem Meinen" (δόξαι). Sie hatten es insofern besser, als ihre Individualität ihnen nicht negativ bewußt wurde, als Angst, als Sorge, als „Sein zum Tode". Trotzdem war ihre Aufgabe dieselbe wie unsere: diese Individualität zur menschlichen Einheit zu erweitern, aus den eigenen wirklichen Kräften zu steigern, und — jeder an seinem Teil — zu einer gemeinsamen „Sache" dienend beizutragen. Das persönliche Ethos, die Gesinnung des modernen Menschen, wird unter kleinen Geistern allzuleicht „Gesinnungstüchtigkeit"; Maß und Richtung gibt diesem persönlichen Ethos nur der gemeinsame Logos.

Plato hat versucht, alle Kräfte des Menschen, leibliche und geistige, zur Entfaltung, zur Einheit und zur tätigen Verwirklichung zu bringen. Als einzigen Weg zu diesem Ziel sah er die Phronesis an, die Vernunft, die Besinnung auf den κοινὸς λόγος, den Gemein-Geist.

Angesichts der Verworrenheit der Welt, der Verzagtheit, des Zweifels oder Zynismus, ist es gut, sich dessen zu erinnern, was man ererbt hat von der Vergangenheit und besitzen könnte. wollte man es nur erwerben. Ein solches Erbe ist der Geist der Antike, wie ihn Hofmannsthal 1928 charakterisierte:

„Der Geist der Antike", sagte er, „ist ein so großes *Numen*, daß kein einzelner Tempel, obwohl viele ihm geweiht sind, es faßt.

Es ist unser Denken selber; es ist das, was den europäischen Intellekt geformt hat.

Es ist die eine Grundfeste der Kirche und aus dem zur Weltreligion gewordenen Christentum nicht auszuscheiden; ohne Platon und Aristoteles nicht Augustin noch Thomas.

Es ist die Sprache der Politik, ihr geistiges Element, vermöge dessen ihre wechselnden und ewig wiederkehrenden Formen in unser geistiges Leben eingehen können.

Es ist der Mythos unseres europäischen Daseins, die Kreation unserer geistigen Welt (ohne welche die religiöse nicht sein kann), die Setzung von Kosmos gegen Chaos, und er umschließt den Helden und das Opfer, die Ordnung und die Verwandlung, das Maß und die Weihe.

Es ist kein angehäufter Vorrat, der veralten könnte, sondern eine mit Leben trächtige Geisterwelt in uns selber: unser wahrer innerer Orient, offenes, unvergeßliches Geheimnis."[42])

So ist es tatsächlich; aber wo sind all die Dinge hin, von denen Hofmannsthal spricht? Oder wie haben sie sich bis zur Unkenntlichkeit gewandelt? Wo ist unser Denken, die Kirche, das Christentum? Was ist aus der Politik geworden und was aus dem europäischen Dasein? Sind nicht schon Millionen Menschen jenseits der Möglichkeiten eines geistigen und religiösen Daseins? Nichts ist mehr da, alles muß neu gesucht und geschaffen werden.

Im gegenwärtigen Augenblick, wo die immer schon labile Kontinuität der deutschen Geschichte gänzlich zerrissen ist, *könnte* die Begegnung mit den Griechen von neuem ein Weg zur Selbstfindung und zur Selbstgestaltung werden. Je subjektiver eine Zeit und eine Nation ist, je mehr sie zur Verschwendung, zum Mißbrauch von Gemüt und Gefühl neigt, oder zu dessen Gegenteil: einem realistischen Zynismus, desto nötiger ist ihr ein objektiver Menschentypus. Ihn wieder zu erobern, braucht es eine Humanität des Lernens, deren Basis nicht anders sein kann als die Fähigkeit und der Wille zur Sachlichkeit, die Erkenntnis und Anerkenntnis dessen, was für uns nun einmal „Tatsache" ist — gleichviel auf welchen Gebieten. Solches Lernen könnte unserer erregten Innerlichkeit und unserer unsicheren Individualität Form und Richtung geben. Dann könnte auch uns wieder begegnen, was Goethe in den Maximen und Reflexionen aussprach: „Wenn wir uns dem Altertum gegenüberstellen und es ernstlich in der Absicht anschauen, uns daran zu bilden, so gewinnen wir die Empfindung, als ob wir erst eigentlich zu Menschen würden."

ANMERKUNGEN

[1]) Der Vortrag wurde im November 1947 in der Literarischen Gesellschaft, Chicago, gehalten. Der einsichtige Leser wird bemerken, wieviel der Verfasser Werner Jaeger, Karl Jaspers und Walther Rehm verdankt, auch wenn nicht ausdrücklich auf bestimmte Schriften verwiesen wird.

[2]) Es ist unmöglich, die zahllose Literatur zu diesem Thema anzuführen; erwähnt sei wegen einer teilweise anderen Auffassung Bruno Snell, Die Entdeckung der Menschlichkeit und unsere Stellung zu den Griechen. Geistige Welt, II. Jahrg., Heft 1 (April 1947), S. 1—9.

[3]) Winckelmann, Sämtliche Werke, hrsg. von Joseph Eiselein. Donauöschingen, 1825. Bd. X, 527 (künftig nur mit Band- und Seitenzahl zitiert).

[4]) Nach Berthold Vallentin, Winckelmann. Berlin, 1931. S. 76. Die Fassung Werke VI, 222, läßt diesen Satz weg, wie sie überhaupt zurückhaltender ist. Vgl. auch XI, S. LXIV ff. und 155—158.

[5]) Goethe, Werke. Jubiläumsausgabe Bd. 34, 14.

[6]) Goethe a. a. O. 34, 18.

[7]) Kleine Schriften und Briefe, hrsg. von Hermann Uhde-Bernays. Leipzig, 1925. I, 161.

[8]) Walther Rehm, Griechentum und Goethezeit. Leipzig, 1936. S. 30.

[9]) Werke VI, 223.

[10]) III, 9.

[11]) III, 15.

[12]) Vgl. den Brief an Oeser Uhde-Bernays a. a. O. II, 175.

[13]) IV, 60.

[14]) IV, 85.

[15]) VII, 116. Vgl. I, 232; IV, 124.

[16]) Rehm a. a. O. 41.

[17]) I, 227 f.

[18]) Goethe a. a. O. 34, 10.

[19]) X, 121.

[20]) Vgl. X, 278 f. und 488; auch die Briefe X, 132; XI, 242 und 252.

[21]) V, 337.

[22]) IV, 24 und 25; vgl. V, 206 und 297.

[23]) I, 30 f.

[24]) XI, 344. Vgl. XI, 34 „mein natürlicher Hang zum Schulmeister"; XI, 36 „Schulmeister oder Kinderlehrer, welches mein innerer Beruf war".

[25]) E. M. Butler, The Tyranny of Greece over Germany. Cambridge (England), 1935.

[26]) J. Stenzel, Die Antike 4, 1928, 49.

[27]) Jugendschriften, hrsg. von J. Minor. Wien, 1882. II, 227 Nr. 151; über Winckelmann ebda. 300 Nr. 102. Urbildungslehre: Minor I, 124 ff.; 233, 14; 234, 34 f.; 268, 16 f. Logos 17, 1928, 56.

[28]) Zu Goethes Zeiten war der klassische Humanismus ein Lebendiges für die Lebendigen; die Umkehrung dieser Anschauung z. B. bei Thomas Mann, der das Apollinische in einer vom Leben heilenden Welt des Geistes und Todes, der Erkenntnis und Ironie erblickt, s. Karl Kerényi, Romandichtung und Mythologie. Zürich, 1945. S. 15.

[29]) Bei Goethe a. a. O. 34, 24 f. Vgl. auch W. von Humboldt, Über Goethes zweiten römischen Aufenthalt (1830): „Wir sehen offenbar das Altertum idealischer an, als es war, und wir sollen es, da wir ja durch seine Form und Stellung zu uns getrieben werden, darin Ideen und eine Wirkung zu suchen, die auch über das uns umgebende Leben hinausgeht." Stefan George, Der Teppich des Lebens (Gesamtausgabe der Werke), S. 23: „Da

jedes Bild, vor dem ihr fleht und fliehet / Durch euch so groß ist und durch euch so gilt / Beweinet nicht zu sehr, was ihr ihm liehet."

[30]) Die Staatshaushaltung der Athener. 2. Ausg. Berlin, 1851. I, 2.

[31]) ebda. I, 792.

[32]) Vgl. zum Folgenden Stenzels oben zitierten Aufsatz „Die Gefahren modernen Denkens und der Humanismus".

[33]) Ernst Howald, Mythos und Tragödie. Tübingen, 1927. S. 13 f. B. Snell a. a. O. S. 2 scheint mir das Problem zu verwischen, wenn er von der „Idee des Menschen" spricht und mit Recht solches Reden vom Menschen schlechthin ungriechisch nennt.

[34]) C. G. Carus, Vorlesungen über Psychologie. Leipzig, 1831. S. 28 ff.

[35]) Eine andere Deutung bei Ulrich Hausmann, Die Apollosonette Rilkes und ihre plastischen Vorbilder. Berlin, 1947.

[36]) Die Prosaischen Schriften. S. Fischer, Berlin, 1917. III, 158; 174 ff.

[37]) Die Antike 4, 1928, 100. Zum Vorhergehenden Ges. Werke. S. Fischer, Berlin, 1934. Bd. 3, Dritter Teil, S. 149 und 154.

[38]) Der Stern des Bundes (Gesamtausgabe der Werke), S. 41 und 39.

[39]) Vgl. den Brief an Berendis vom 6. Jan. 1753, bes. X, 44 f.

[40]) Vgl. allgemein H. W. Rüssel, Gestalt eines christlichen Humanismus. Amsterdam, 1940. W. Jaeger, Humanism and Theology. Marquette University Press, 1943.

[41]) W. Jaeger, Die geistige Gegenwart der Antike. Berlin, 1929; auch in Die Antike 5, 1929, 167—186.

[42]) S. Anm. 37.

DAS BILD DER DICHTUNG UND DES DICHTERS BEI JEAN PAUL UND GOETHE

Matthijs Jolles

I

EINSAM STEHT Jean Paul unter den deutschen Dichtern. Wie kaum einen anderen hat ihn die Menge seiner Zeitgenossen geliebt und bewundert; wie kaum ein anderer ist er als lebendige und verpflichtende Macht dem Andenken seiner Nachkommen beinahe ganz entschwunden. Nur von wenigen Begeisterten und Literarhistorikern gewürdigt, ruft sein Name bei der großen Mehrheit der Leser das Bild eines merkwürdig überladenen Dichters hervor, der vom Modegeschmack des frühen 19. Jahrhunderts ungebührlich überschätzt uns in seiner Zerspaltenheit, seinem jähen Wechsel zwischen barocker Satire, altfränkischer Kleinstädterei und fremdtönendem Pathos heute als kaum noch genießbar erscheint. Ein befremdetes Lächeln mag daher wohl über das Gesicht vieler gegangen sein, als einer es wagte, ihn, den Halbvergessenen, neben Goethe zu stellen und von seiner verpflichtenden und befruchtenden Wirkung zu sprechen. Wenn einmal gesagt wurde, daß Jean Paul „geduldig an der Pforte des 20. Jahrhunderts" stehe und warte, „daß sein schleichend Volk ihm nachkomme",[1] so ist dies wahr geworden durch die Würdigung, die Stefan George ihm zuteil werden ließ. Er hat Jean Paul monumentalisch gesehen und ihn als eines der großen Sinnbilder deutsch-europäischen Wesens neben Goethe gestellt. Damit hat er nicht nur, wie es wohl auch von anderen mit der liebenden Hand des Antiquars geschehen war, den Dichter aus seiner frühen Vergessenheit gehoben, sondern auch jenes Bild Jean Pauls zu berichtigen und erweitern versucht, das die wenigen, die ihn im 19. Jahrhundert noch kannten und liebten, gezeichnet hatten.

Am deutlichsten treten uns die Züge jenes Bildes entgegen in einem der schönsten Bekenntnisse zu Jean Paul, der Denkrede, die Ludwig Börne wenige Tage nach der Beerdigung des Dichters in Frankfurt gehalten hat. In jener Rede, die in Farbigkeit und Beschwingtheit der Sprache an Jean Paul selbst gemahnt, heißt es:

„Jedem Lande ward für trübes Entbehren irgendeine freundliche Vergütung. Der Norden ohne Herz hat seine eiserne Kraft, der kränkelnde Süden seine goldene Sonne, das finstere Spanien seinen Glauben, die darbenden Franzosen erquickt der spendende Witz und Englands Nebel verklärt die Freiheit. Wir hatten Jean Paul und wir haben ihn nicht mehr, und in ihm verloren wir, was wir nur in ihm besaßen: Kraft und Milde und Glauben und heiteren Scherz und entfesselte Rede." [2])

Jean Paul ist ihm das Sinnbild eines himmlischen Glaubens und einer Liebe, die den Dichter selber beherrschte wie alle, die ihm folgten; er war ihm der Spötter, vor dem Könige erzitterten und blutleere Höflinge erröteten, und er war ihm ein hoher Priester im Tempel der Natur. Vor allem aber bedeutet Dichter sein für Börne ein Tröster der unterdrückten Menschheit sein. Und das war ihm Jean Paul wie kein anderer.

„Er sang nicht in den Palästen der Großen, er scherzte nicht mit seiner Leier an den Tischen der Reichen. Er war der Dichter der Niedergeborenen, er war der Sänger der Armen, und wo Betrübte weinten, da vernahm man die süßen Töne seiner Harfe. Mögen wir der stolzen Glocke, die an seltenen Festtagen majestätisch schallt, unsere Ehrfurcht zollen — unsere Liebe wird der vertrauten Uhr, die jeden Pulsschlag unseres Herzens begleitet, die jede Viertelstunde unserer Freuden nachtönt und all unsere Schmerzen, Minute nach Minute, von uns nimmt." [3])

Das ist Jean Paul, wie ihn Börne liebte, der sich betrübt und schmähend von der vermeintlichen Kälte und mitleidlosen Objektivität Goethes abwandte. Und so ist er immer wieder von seinen nach Nähe und Mitleiden sich sehnenden Freunden gesehen worden: der Dichter der Liebe, der Dichter der Mühseligen und Beladenen, der Dichter des Menschlichen, der das enge kleine Leben und Leiden mit dem goldenen Glanz seiner Sonne verklärte. In ihm fand man das Bild jenes Dichters am schönsten verkörpert, der seine Mission darin sieht, alle nur äußerlichen Gebilde der Stände, Ordnungen und Konventionen durch beißende Satire zu zerstören und durch mitfühlende Liebe zu überwinden, um endlich die Seele des Menschen wieder mit ihrem Gotte zu vereinigen. [4])

Bei Börne aber schwingt, trotz aller aufrichtigen Liebe zu Jean Paul, doch auch eine Polemik gegen das Klassische und Aristokratische in Goethe mit, ein Zug, der sich in der Jean-Paul-Verehrung einer kleinen Gruppe bis in die Gegenwart fortsetzt. Sie sehen in Jean Paul den Verfechter einer nordisch-germanischen Kunst, die dem Deutschen einzig gemäß ist und ihn vor der Verwirrung einer fremdländisch-griechisch-goetheschen Klassik bewahrt. Sie bilden den Gegenpol zu der weit größeren Gruppe, die von Goethe her sehend Jean Paul als kauzig und ungenießbar ablehnen, die in ihm nur das Idyllisch-Philiströse, das Satirisch-Verzerrte, das „Verhängnis im Schlafrock", [5]) wie Nietzsche es nannte, sehen.

Gegen dieses Entweder-Oder wendete sich Stefan George. Er stellt die Welten Goethes und Jean Pauls als ebenbürtig und zutiefst beide mit dem deutschen Wesen verbunden nebeneinander. [6]) In seiner Anthologie, *Deutsche Dichtung,* die er zusammen mit Karl Wolfskehl herausgab, gibt er Jean Paul den ersten, Goethe den zweiten und den anderen Dichtern des 19. Jahrhunderts den dritten Band. Aber es ist ein anderes Bild des Dichters Jean Paul, das hier dem Goethes entgegengestellt wird. Nicht der liebende Freund der Armen und Bedrückten oder der Rächer der Menschheit an der Willkür der Fürsten und Stände wie bei Börne, sondern der Jean Paul der Töne und Träume, „die größte dichterische Kraft der Deutschen" wird hier neben Goethe, „den größten Dichter", gestellt. In seinen Tatsachenschilderungen, im Erfinden und Entwickeln seiner Fabeln, sagt George, sei er leicht von anderen übertroffen worden, und für seine derb-scherzhaften Anfügsel erscheine seine Gestalt und Gesinnung fast zu groß. Das aber, was Jean Paul heute seine neue und hohe Bedeutung verleihe, sei die unvergängliche Schönheit seiner Gedichte. Unter Gedichten versteht George jene in gehobener Sprache gedichteten Prosahymnen, wie sie sich den bunten Erzählungen lose verwoben in allen seinen Werken finden. Aus der Gesamtheit des epischen Flusses der großen Romane herausgelöst, sind nur jene Träume, Gesichte und Abschlüsse, „in denen unsere Sprache den erhabensten Flug genommen hat, dessen sie bis zu diesem Tage fähig war",[7] in diese Sammlung deutscher Lyrik aufgenommen worden. Wieder erscheint Jean Paul als Gegenbild zu Goethe, diesmal aber nicht eine einseitige Entscheidung für oder wider fordernd, sondern als Ergänzung und Ausdruck einer schöpferischen Spannung.

„Entgegen dem Formend-Antiken und Begrifflichen der Goethischen Erfüllung, bietet er [Jean Paul] unserem Schrifttum das Farbige und Klangliche, das wir ohne ihn in der Vollendung entbehren müßten (eine ganze Schule vertrat es mangelhaft oder nur im Lehrsatz), und aus seinen Schöpfungen allein ergibt sich die Möglichkeit eines Bezuges zu unseren anderen Künsten, vornehmlich der tönenden. Manche ungeschickte Gegenüberstellung sowie jahrelanges, engsinniges Hervorheben der einen Linie, verhehlten das Bestehen der ebenso bedeutsamen zweiten und führten zu Dürftigkeit und Wirrnis in unserer Dichtung, deren neueste Entfaltung vollends nur durch gleichmäßige Erforschung und Würdigung der beiden verstanden wird."[8]

Um diese Fragen zu klären, müssen wir uns gelassen, aber keineswegs unbeteiligt fragen, *wie* sie denn eigentlich waren. Und da wir mehr von Goethe wissen und uns mehr mit ihm beschäftigt haben, so kommt es hauptsächlich darauf an, das Bild des Dichters und der Dichtung bei Jean Paul durch eine Gegenüberstellung mit Goethe zu klären und neu zu zeichnen. Dieses Bild kann gewonnen werden aus der Selbstauffassung des Dichters, aus dem Stil seiner Werke und aus dem, was er über das Wesen der Dichtung ausgesagt hat. Auf einer solchen Grundlage wird dann auch die Frage entschieden werden können, ob die schöne Würdigung, die Jean Paul durch George erfahren hat, die ihn aber zum reinen

Lyriker zu machen und die „derb-scherzhaften Anfügsel" von seinen Ge-
sichten und Träumen zu sondern scheint, die wahre Spannung zwischen
den beiden Dichtern bezeichnet. Denn entsprungen ist der gegenwärtige
Versuch allerdings aus der Überzeugung, daß eine Gegenüberstellung von
Jean Paul und Goethe eine Spannung ausdrückt, die in uns selber liegt
und der Klärung bedarf.

II

Schon Schopenhauer hat einmal gesagt, daß zum Jean Paul sich Goethe
verhalte wie der positive Pol zum negativen.[9]) Die Versuchung, sie als
absolute Gegensätze und als Ausdruck einer Antinomie typischer Weltverhaltungsweisen zu sehen, ist in der Tat groß, und gegen eine solche
Deutung ist wohl auch nichts einzuwenden, solange die Gegenüberstellung
nicht nur um der polaren Typen und des rationalen Schemas willen geschieht. Vielmehr soll die typologische Betrachtungsweise nur ein Mittel
zum Zweck eines tieferen Verstehens dieser beiden Erscheinungen in ihrer
menschlichen und inkommensurabelen Totalität sein. Das Leben eines
schöpferischen Künstlers bleibt wie ein echtes Kunstwerk „für unseren
Verstand immer unendlich, es wird angeschaut, empfunden, es wirkt",
sagt Goethe, „es kann aber nicht eigentlich erkannt, viel weniger sein
Wesen, sein Verdienst mit Worten ausgesprochen werden".[10]) Nicht um
theoretisches Sondern und die rationale Bestimmung solcher Begriffe wie
Klassik und Romantik geht es daher, sondern dem um sein geistiges Erbe
Ringenden kommt es auf Klarheit und Tiefe an in der verantwortlichen
Begegnung mit den Menschenbildern der Vergangenheit.

Um den Fehler einer der lebendigen Wirklichkeit nicht angemessenen,
zu scharfen Klassifizierung zu vermeiden, sei daher zunächst der Versuch
gemacht, die Strukturverschiedenheit von Jean Pauls und Goethes Wesen
von innen her zu erkennen. In diesem Bestreben gelangen wir zu jenem
nicht weiter ableitbaren oder erklärbaren Grundton ihres Wesens, den
Gundolf in seinem Goethebuch als Ureigenschaft und Urerlebnis bezeichnet hat.[11]) Dem Leben und Handeln, dem Fühlen und Denken jedes
Menschen liegt eine urtümliche Verhaltungsweise zugrunde, eine ihm
eigentümliche Form des Fühlens und Begreifens seiner Stellung zur Welt.
Dieses Urerlebnis, das die Verhaltungsweise des Menschen zu sich selbst
und zu der ihn umgebenden Außenwelt bestimmt, bildet beim schöpferischen Künstler in allen Modifikationen durch Bildung und Erziehung
durch die Zeit, die Umgebung und die Mächte der geschichtlichen Welt
den Grundakkord seines Schaffens und Gestaltens.

Jean Paul hat uns selbst die Natur seines Urerlebnisses geschildert in einer später wiederholt bestätigten Erinnerung aus seiner frühesten Jugend.

„Nie vergess' ich", so sagt er, „die noch keinem Menschen erzählte Erscheinung in mir, wo ich bei der Geburt meines Selbstbewußtseins stand, von der ich Ort und Zeit anzugeben weiß. An einem Vormittag stand ich als ein sehr junges Kind unter der Haustüre und sah links nach der Holzlege, als auf einmal das innere Gesicht, ich bin ein Ich, wie ein Blitzstrahl vom Himmel vor mich fuhr und seitdem leuchtend stehenblieb: Da hatte mein Ich zum ersten Male sich selber gesehen für ewig." [12])

Diese visionäre Schau, in der Jean Paul sich beinahe objektiv von außen sehend das tiefste Wunder in der Tatsache der Ichheit erfährt, kann als ein charakteristischer Ausdruck für die seinen Werken zugrunde liegende seelische Verhaltungsweise angesehen werden. Dem heranwachsenden Jüngling bleibt das Ich ein unerforschliches Mysterium, der Quell der Wahrheit, die im Menschen selber liegt und die er vergeblich in der Welt der äußeren Dinge zu erkennen herumirrt. „Eben diese äußeren Dinge, die den Endzweck haben, uns selbst fühlen zu lassen, bewirken gerade das Entgegengesetzte, werfen uns aus uns selber hinaus." [13]) So besteht eine tragische Spannung zwischen der Außenwelt und dem Menschen. Der Schwerpunkt liegt ganz auf dem Ich. Die fühlende Erfassung der inneren Wahrheit wird gefährdet durch eine zu intensive Beschäftigung mit den Dingen der Welt, denn nur zu leicht werden wir verführt, den Gleichnischarakter der Welt zu verkennen und die äußere Wirklichkeit für die innere Wahrheit zu nehmen. Ganz besonders sind es unsere Sinne, die uns zu diesem Irrtum verführen, der uns von uns selber trennt. Denn wir sehen ja nur das Gegenständliche, das heißt den Schein. So war es denn auch nicht ein herrennendes Pferd, ein Donnerschlag und Feuerlärm, vor denen der Knabe Jean Paul erschrak. Schnelle körperliche Gefahrenerscheinungen pflegten ihn vielmehr nur ruhig und gefaßt zu machen, denn er fürchtete sich, wie er selber sagt, „nur mit der Phantasie, nicht mit den Sinnen".[14]) Die Phantasie war es, die ihn in schrecklicher Furcht schüttelte, wenn er als Knabe abends im Bett, das er mit dem Vater teilte, einsam auf den noch unten Lesenden wartete, den Kopf unter der Decke, im Schweiße der Gespensterfurcht, so daß ihm war, als würde der Mensch selber eingesponnen von Gespensterraupen, bis endlich der Vater heraufkam und gleich einer Morgensonne Gespenster wie Träume verjagte.[15]) So glaubte er schon in seiner Jugend mit der Wahrheit, dem Ewigen, dem Sein nur verbunden zu sein durch die Phantasie. Das innere Reich der göttlichen Phantasie, das losgelöst ist von den gemeinen Körpern des Lebens, die ja nur Schatten des unbegrenzten Landes der Träume sind, gab ihm später die verklärten Visionen einer überirdischen Schönheit. Dieser inneren

Welt gegenüber erschien ihm die äußere, endliche Wirklichkeit nur wie ein negativer Gegenpol; sie war ihm nicht mehr als ein notwendiger Ausgangspunkt für eine nie endende Sehnsucht nach der Fülle des Übersinnlichen. Selbst wenn am Weihnachtsmorgen sich eine neue Welt voll Glanz und Gold und Gaben vor dem Knaben auftat, so entlockte dies ihm nur einen Seufzer über die Endlichkeit dieser Freuden; denn „schon dem Knaben bezeichnete der Übertritt oder Übersprung oder Überflug aus dem wogenden, spielenden, unabsehlichen Meer der Phantasie auf die begrenzte und begrenzende, feste Küste sich mit dem Seufzer nach dem größeren, schöneren Lande".[16])

Eine unüberwindliche Sehnsucht nach Erfühlung und Erfahrung der inneren Wahrheit, so kann man das Urerlebnis Jean Pauls, wie es uns im Kinde und Knaben entgegentritt, deuten, verbindet, die Welt der Dinge nur als negativen Gegenpol und Ausgangspunkt ansehend, die innere Erfahrung des Ichs unmittelbar mit der Erfahrung des Alls. Diese Verbindung vollzieht sich nicht so sehr durch sinnliche Wahrnehmungen als durch die Phantasie, die sich immer wieder erhebt über die feste Küste der endlichen Wirklichkeit.

Wie anders steht dem der junge Goethe gegenüber mit seinem unwiderstehlichen Drang zur Sachlichkeit und Objektivität, mit seinem Streben, einen sichtbaren und dinglichen Ausdruck für seine inneren Erfahrungen zu finden. Da ist jene Geschichte am Ende des ersten Buches von *Dichtung und Wahrheit*, die den Weg schildert, den er einschlug, um sich dem großen Gotte der Natur, dem Schöpfer und Erhalter des Himmels und der Erde unmittelbar zu nähern. Der Gott des jungen Goethe ist, wie er selber sagt, ein Gott, der mit der Natur in unmittelbarer Verbindung steht, „sie als Werk anerkenne und liebe — der ja wohl auch mit dem Menschen wie mit allem übrigen in ein genaues Verhältnis treten könne".[17]) Und da nun der Knabe diesem Wesen keine Gestalt zu verleihen vermochte, so suchte er ihn in seinen Werken auf. Er errichtete ihm einen Altar aus Steinen, die er der Naturaliensammlung seines Vaters entnimmt, welche ihm die Welt als Gleichnis vorstellen, und über diesen läßt er ein Kerzchen brennen, das zu seinem Schöpfer sich aufhebende Gemüt des Menschen symbolisierend. So findet seine Phantasie einen sichtbaren Ausdruck für das Übersinnliche. Die Dinge als Werke Gottes stehen für den Schöpfer, die Natur und Gott verschmelzen zur Einheit.

Für Jean Paul dagegen sind die Dinge der äußeren Welt nur der dunkle Hintergrund, auf dem der Glanz des ewigen Lichtes erscheint. Seine Phantasie findet einen unmittelbaren Zugang zu ihrem Schöpfer durch das sehnend-liebende Umfassen des Unendlichen mit der Seele des andächtig Erschütterten. Er liebt es, die Enge einer kleinen Welt zu schildern, um dahinter die Größe Gottes erscheinen zu lassen. Oder er steigt in den Augenblicken höchster Erfüllung von einer visionären Schau des Alls herab zum Irdischen und überschüttet es mit dem Glanz des Ewigen.

Goethe beschließt seine Erzählung, indem er in dem mißlichen Ausgang, nämlich dem Verkohlen des Notenpultes durch das Räucherkerzchen, eine Warnung sieht, „wie gefährlich es überhaupt sei, sich Gott auf dergleichen Wegen nähern zu wollen".[18] Die schwarze Magie, die das Übersinnliche im Sinnlichen ganz aufgehen läßt, der Aberglaube, der das Zufällige als Notwendigkeit verehrt, lagen Goethe ganz fern, und er hat sie gehaßt. Ebenso fern liegt Jean Paul die träumerisch bildlose Auflösung des Sinnlichen ins Übersinnliche. Goethes dichterische Gestaltungen streben nach epischer Klarheit und Schlichtheit, aber sie sind nicht nur diesseitig. Jean Pauls dichterische Visionen streben nach lyrisch-musikalischer Unmittelbarkeit, aber sie sind nicht nur innerlich oder phantastisch oder jenseitig.

III

Mehr als in jeglicher Aussage über sein eigenes Leben in Briefen und biographischen Äußerungen aller Art lebt der Dichter für die Nachwelt in der künstlerischen Form seines Werkes. Darin liegt seine Eigentümlichkeit als Künstler gegenüber anderen Formen menschlichen Handelns und Denkens. Berechtigt, von einer Gegensätzlichkeit der Grundeinstellung bei Jean Paul und Goethe zu reden, sind wir daher nur, wenn wir einen Ausdruck hierfür in der Verschiedenheit und in den Formeigentümlichkeiten des Stils ihrer Werke finden.

Selbst wo Goethe in seiner Jugend der allumfassenden Vereinigung mit dem Göttlichen am nächsten steht, im Ganymed, im Prometheusfragment, im Urfaust und Werther, da wirkt seine Sprache noch plastisch, anschaulich und gegenständlich verglichen mit der Jean Pauls. So z. B. wenn Werther, bevor er Lotte begegnet, die Einheit mit der Natur und Gott genießt.

„Wenn das liebe Tal um mich dampft und die hohe Sonne an der Oberfläche der undurchdringlichen Finsternis meines Waldes ruht und nur einzelne Strahlen sich in das innere Heiligtum stehlen, ich dann im hohen Grase am fallenden Bach liege und näher an der Erde mir tausend mannigfaltige Gräschen merkwürdig werden; wenn ich das Wimmeln der kleinen Welt zwischen Halmen, die unzähligen, unergründlichen Gestalten der Würmchen, der Mücken näher an meinem Herzen fühle, und fühle die Gegenwart des Allmächtigen, der uns nach seinem Bilde schuf, das Wehen des Allliebenden, der uns in ewiger Wonne, schwebend trägt und erhält; mein Freund! wenn's dann um meine Augen dämmert und die Welt um mich her und der Himmel ganz in meiner Seele ruhen — — —!"[19]

Hier erhebt sich das Allgefühl aus der staunend erfahrenen Mannigfaltigkeit der lebendigen Kreatur; hier ist ein Gott, der sich im kleinsten Lebewesen offenbart, eine Natur, wo alle Gestalten in ihrer Vielheit die Einheit ahnen lassen.

Dagegen Jean Paul:

„Wenn er so einige Stunden mit schöpfendem Auge und saugendem Herzen gewandelt war durch Perlenschnüre betauter Gewebe, durch sumsende Täler, über singende Hügel, und wenn der veilchenblaue Himmel sich friedlich an die dampfenden Höhen und an die dunklen, wie Gartenwände übereinandersteigenden Wälder anschloß, wenn die Natur alle Röhren des Lebensstromes öffnete und wenn alle ihre Springbrunnen aufstiegen und brennend ineinanderspielten, von der Sonne übermalt, dann wurde Victor, der mit seinem steigenden und trinkenden Herzen durch diese fliegenden Ströme ging, von ihnen gehoben und erweicht, dann schwamm sein Herz bebend wie das Sonnenbild im unendlichen Ozean, wie der schlagende Punkt des Rädertiers im flatternden Wasserkügelchen des Bergstroms schwimmt. Dann löste sich in eine dunkle Unermeßlichkeit die Blume auf, die Aue und der Wald, und die Farbenkörner der Natur zergingen in eine einzige weite Flut, und über der dämmernden Flut stand das Unendliche als Sonne und in ihr das Menschenherz als zurückgespiegelte Sonne. Alles ward eins, alle Herzen wurden ein größtes, ein einziges Leben schlug, die grünenden Bilder, die wachsenden Bildsäulen, der Staubklumpe des Erdballs und die unendliche blaue Wölbung wurden das anblickende Angesicht *einer* unermeßlichen Seele. Er mochte immerhin die Augen zuschließen, in seiner dunklen Brust ruhte noch diese blühende Unendlichkeit." [20]

Auch bei Jean Paul ein Frühlingsmorgen, ein die Natur genießender und in ihr aufgehender Jüngling; auch hier ein von den ersten Strahlen durchleuchteter Wald. Das Satzgefüge ähnlich, in einer langen Reihe von nebeneinandergeordneten Teilen die Fülle des Erlebens ausdrückend und durch das wiederholte „wenn" zum Höhepunkt der Vereinigung drängend. Und doch welch eine andere Welt! Da steht kein klar umrissenes Bild vor unseren Augen, wie der im Grase liegende Werther, umgeben von unzähligen Würmchen und Mücken. Die Fülle ist gesteigert zur Überfülle, die einzelnen Teile gehen auf im Ganzen; die Eigenschaftswörter erscheinen gewagter, weil sie weniger auf einzelne Hauptwörter als auf den Gesamteindruck bezogen sind. Die Sinneseindrücke, unter denen das Tönende und Farbige vorherrscht, fließen ineinander. Die Größendimensionen verschwimmen, denn der Standpunkt wechselt; das Rädertierchen im Tautropfen steht neben dem Bild der Sonne im Ozean; die Statuen wachsen und der Erdball schrumpft zum Staubkügelchen. Alles ist eine große Farben- und Tonsymphonie: summende Täler und singende Hügel, immer wechselnde Eindrücke zusammenrauschenden Wassers: der Lebensstrom und die Springbrunnen der Natur, fliegende Ströme im unendlichen Ozean und flatternde Wasserkügelchen im Bergstrom, eine einzige dämmernde Flut. Und alles klingt aus in blühender Unendlichkeit. Nicht geschaute Vielheit und geahnte Einheit wie bei Goethe, sondern beseligtes und ungehindertes Aufgehen des Menschen im All, so wie die göttliche Sonne sich widerspiegelt in der Sonne des menschlichen Herzens.

Die Sprache Jean Pauls gleicht musikalischen Schwingungen. Seine Worte erzittern und erglühen, aber sie verfestigen sich nicht zu gegenständlichen Bildern. Da gibt es zauberhafte Farbvisionen von durchsichtigem Blau und frischem Grün, wo die Natur ihr tiefstes Wesen enthüllt, weil die qualvolle Schwere, Enge und Beschränktheit der Dinge überwunden ist und alles nur noch leuchtet. Da gibt es zarte Töne und Melodien wie die der Glasharmonika, die Jean Paul so liebte; Harmonien, die im Inneren erklingen und nachzittern und die gleichzeitig die Welt umschlingen wie Engelschöre und Sphärenmusik. Da gibt es dunkelbrausende Orgeltöne, unter deren Macht alles Sinnliche und Dingliche erzittert und zerfällt, furchtbare Traumerschütterungen von der visionären Kraft und Fülle eines Mathias Grünewald.

Jean Paul selbst bezeichnet diesen Stil als „romantisch" und sagt, es sei mehr noch als ein Gleichnis, „wenn man das Romantische das wogende Aussummen einer Saite oder Glocke nennt, in welchem die Tonwoge wie in immer fernerer Weiten verschwimmt und endlich sich verliert in uns selber und, obwohl außen schon still, noch innen lautet". Das Romantische ist nach ihm „das Schöne ohne Begrenzung oder das schöne Unendliche".[21])

Je nach ihren Fähigkeiten, dem schönen Unendlichen Ausdruck zu verleihen, ergibt sich vom romantischen Ideal aus gesehen eine natürliche Rangordnung der Künste. Im äußersten Gegensatz zu Goethe, der die Gesetze seiner klassischen Kunst in den Skulpturen der Antike schaute und erkannte, ist für Jean Paul die Poesie die Schwesterkunst der Musik. Einer Statue spricht er wegen der in ihrem Wesen liegenden engen und scharfen Umschreibung jedes Romantische ab. Er steht dem Plastischen damit ungleich ferner als etwa Rilke, der ja unter dem Eindruck der Kunst Rodins selbst in der herben Verschlossenheit eines archaischen Apollotorsos noch etwas über die klare Begrenztheit Hinausgehendes empfand und es mit dem Zittern und Flimmern von Raubtierfellen verglich. Die Malerei, meint Jean Paul, nähert sich schon mehr dem Romantischen durch das Hineinstellen des Menschen in Raum, Luft und Licht, und Claude erreicht es in seinen Landschaften. Im Gegensatz zu dem in ein architektonisch klares Gesamtbild eingeordneten Park eines Rokokoschlosses dehnt ein englischer Garten sich in die unbestimmte Landschaft aus. Er umspielt uns mit einer romantischen Gegend, „mit dem Hintergrunde einer ins Schöne freigelassenen Phantasie".[22]) In der Musik findet das Romantische einen noch unmittelbareren Ausdruck. Weit aber über

die Malerei und selbst die Tonkunst hinausgehend bietet die Poesie endlich die höchste Möglichkeit der Überwindung des Nur-Diesseitigen und
Bedingten. Und in diesem Hinausgehen über die bloße Nachahmung der
sinnlichen Wirklichkeit liegt für Jean Paul das Wesen aller wahren Kunst.

Schon das romantische Ideal des schönen Unendlichen zeigt, wie tief
die Form des frühen Erlebens in den Stil und das Denken über die Kunst
des reifen Dichters eingegangen ist. Ebenso steht im Mittelpunkt seines
künstlerischen Schaffens die Phantasie, die ja schon für den Knaben eine
so große Rolle spielt. Die Phantasie ist ihm das Organ, durch das das
Göttliche unmittelbar in den Menschen hineinreicht. Die Sinne erzeugen
Teilempfindungen und gesonderte Bilder. Ihre Beschränktheit liegt nicht
darin, daß sie eine außer uns bestehende Wirklichkeit nur unvollkommen
aufzunehmen vermögen. Auch die Sinne sind kreativ; sie nehmen nicht
auf, sondern sie erschaffen. Aber sie erschaffen nur Teilbilder, sie reißen
nur „Blätter aus dem Naturbuch".[23] Die Phantasie aber vermittelt transzendente Empfindungen, ein Gesamtbild, das alles Körperliche und Un-
körperliche einbegreifend die Vergangenheit und Zukunft zum Teil einer
vergeistigten, erhöhten und verklärten Gesamtschau macht. Die Phantasie macht alle Teile zum Ganzen, sie totalisiert alles, den Raum und
die Zeit, ja selbst das unendliche All. „Nicht aus einem Zimmer voll
Luft, sondern erst aus der ganzen Höhe der Luftsäule kann das Ätherblau
eines Himmels erschaffen werden."[24] Sie ist nicht nur der Ursprung aller
Tugend und Wahrheit, sondern auch die Quelle der Schönheit, denn das
Romantische ist ja „das Schöne ohne Begrenzung". Durch die Phantasie
erhebt sich die Dichtung über eine reine Nachahmung der Wirklichkeit,
indem sie die äußere Natur zu ihrem geistig-poetischen Stoffe macht, die
begrenzte Natur mit der Unendlichkeit der Idee[25] umgibt und so gleichsam das Brot verwandelt in den göttlichen Leib. So vergleicht Jean Paul
einmal das Gedicht mit einem Strom, „der wohl den Boden zeigt, worauf
er fließt, aber ihn durchsichtig macht und unter ihm in einer größeren
Tiefe, als er selber hat, den unergründlichen Himmel ausbreitet und spie-
gelnd ihn mit den oberen verwölbt".[26]

Nähert Jean Paul die Dichtung der Musik und vergeistigt alles Dingliche zu einer schönen Unendlichkeit durch den inneren, göttlichen Sinn
der Phantasie, so geht Goethe den entgegengesetzten Weg. Er nähert die
Poesie der Plastik, denn das Unendliche ist für ihn nur kenntlich im
Gleichnis des Endlichen. Nur durch bewußte Ausschaltung einer vor-
und übergreifenden Phantasie und durch strenge Schulung des Auges
für das sehende Erkennen des inneren Wesens der Dinge kann der
Mensch sich erheben über die Wirklichkeit zur Wahrheit; nur so kann er

das Seiende schauen im ewig Wechselnden, das Urphänomen erfassen im Phänomen. Goethe wandert durch Italien, mit offenem Blick sich die Gegenstände einprägend, mit freudiger Erregung über die neu gewonnenen Einsichten, aber auch der Mühe bewußt, die es gekostet hat, das eigene Urteil zurückzuhalten und die Dinge zu erkennen, wie sie sind.

„Wenn man hier nicht phantastisch verfährt, sondern die Gegend real nimmt, wie sie da liegt, so ist sie doch immer der entscheidende Schauplatz, der die größten Taten bedingt; und so habe ich immer bisher den geologischen und landschaftlichen Blick benutzt, um Einbildungskraft und Empfindung zu unterdrücken und mir ein freies, klares Anschauen der Lokalität zu erhalten."[27]

Natürlich erhebt sich auch für Goethe die Kunst über die realistische Abbildung der Wirklichkeit zum Allgemeinen und Wahren. Nur liegt das Allgemeine und Wahre nicht in der göttlich inspirierten Phantasie des Menschen, sondern in den Gegenständen der Natur selber. Nur wer durch geregelte Übung des ganzen Lebens, die Dinge genauer und schärfer zu betrachten lernt, dem enthüllt sich im ruhigen Anschauen das Geheimnis des Urphänomens. Die hohe Kunst aber schafft nach eben denselben wahren, natürlichen Gesetzen, nach welchen die Natur verfährt. Das Geheimnis der unvergleichlichen griechischen Skulpturen schien ihm darin zu liegen, daß in ihnen „alles Willkürliche und Eingebildete" überwunden ist; „da ist Notwendigkeit, da ist Gott".[28] In diesem Sinne ist das Kunstwerk eine zweite, höhere Natur, es ist übernatürlich, aber nicht außernatürlich; es faßt in eins zusammen, was in der Natur nur zerstreut ist; es ist in einer Welt des Willkürlichen und Unvollendeten die sinnliche Erscheinung des Notwendigen und der in sich selber schönen Vollendung, ein Abbild unserer höheren Existenz und somit ein Abbild Gottes.

Für Jean Paul dagegen ist der Flug der im Innern des Menschen ruhenden Phantasie der göttliche Funke, der alles Begrenzte grenzenlos, alles Dingliche geistig, alles Solide durchsichtig macht und so zur schönen Unendlichkeit Gottes führt. Mit dieser völlig verschiedenen Bewertung der Phantasie und ihrer Rolle im künstlerischen Schaffensprozeß ist die Gegensätzlichkeit der Weltverhaltungsweisen Goethes und Jean Pauls noch einmal scharf umrissen.

IV

Nun verbirgt sich aber hinter diesen Gegensätzen doch eine unvermutet starke Gemeinsamkeit, die besonders deutlich dort hervortritt, wo Goethe und Jean Paul die wahre Dichtung abgrenzen gegen das, was sie als Unpoesie bezeichnen. Sie beide sehen das hohe Kunstwerk an als eine Überwindung zweier typischer und antithetischer Formen von unpoetischer Einseitigkeit.

Die erste Form der Einseitigkeit ist die bloße Nachahmung der Natur, das Kopieren, ein Naturalismus, der die Kunst herabwürdigt zu einem Spiegel beschränkter Endlichkeit. Während Goethe, seiner den Dingen mehr zugewandten Natur entsprechend, mit den Kopisten nachsichtig ist, da sie doch mühselig die Kunst auf eine Stufe bringen, wo der echte Künstler sie ihnen abnehmen kann und muß,[29]) sind diese sogenannten poetischen Materialisten der Gegenstand eines besonderen Zornes bei Jean Paul. Sie verkennen die Tatsache, daß jede Nachahmung der Natur For- mung und Beseelung voraussetzt und daß deswegen der ganze Unter- schied zwischen Prosaischem und Poetischem von der Frage abhängt, „welche Seele die Natur beseele, ob ein Sklavenkapitän oder ein Homer".[30]) „Wo diese hanseatischen, statistischen und kanzleimäßigen Seelen" über- haupt idealisieren, da machen sie die Poesie „zum schmutzigen Abdruck ihrer prosaischen Leibeigenschaft".[31])

Die zweite Form der unpoetischen Einseitigkeit vertreten die von Goethe als Scheinmänner, Nebulisten und Phantomisten[32]) bezeichneten Poeten, welche gar nichts mit der Natur zu tun haben wollen und mit ihrem hohlen Gespensterwesen und Luftbildern ewig in den Wolken schweben. Wie leicht sind in diesen mit erzürnten Worten geschilderten Imaginaten Goethes die jungen Romantiker zu erkennen! Und unwill- kürlich vermeinen wir darin auch ein herbes Urteil über die Eigentüm- lichkeiten von Jean Pauls Stil zu vernehmen. Und doch übertrifft Jean Paul noch Goethe in der Geißelung dieses Typus der „poetischen Nihi- listen".[33]) Für ihn sind sie in ihrer gesetzlosen Willkür und ichsüchtigen Selbstvergötterung ein schlimmes Anzeichen für die Gottlosigkeit einer Zeit. Wo die Menschen Gott und die Gesetzmäßigkeit des Alls leugnen, da versinkt auch die Natur für sie im Dunkel.

Nirgendwo wird es klarer, daß Jean Pauls Begriff der göttlichen Phan- tasie nichts zu tun hat mit subjektiver Willkür und gegenstandsloser Phantasterei, als dort, wo er sein hartes Urteil über die romantische Tendenz zum Nihilismus ausspricht. Daß diese regellosen Maler und Dichter verächtlich über die Nachahmung und das Studium der Natur sprechen, beweist nur, daß sie, „die den Äther in Äther mit Äther"[34]) malen, nichts gemein haben mit dem wahren Genie, das ja die Natur reicher und vollständiger und gottbelebter sieht als andere Menschen.

„Kommt nun vollends zur Schwäche der Lage die Schmeichelei des Wahns, und kann der leere Jüngling seine angeborene Lyrik sich selber für eine höhere Romantik ausgeben, so wird er mit Versäumung aller Wirklichkeit — die eingeschränkte in ihm selber ausgenommen — sich immer weicher und dünner ins gesetzlose Wüste verflattern; und wie die Atmosphäre wird er sich gerade in der höchsten Höhe ins kraft- und formlose Leere verlieren."[35])

Nur wer das Leben kennt und zu meistern gelernt hat, kann an Hand der göttlichen Phantasie über die Wirklichkeit hinausschreiten zu Wahrheit. Alles andere ist Flucht aus einer äußeren Beschränktheit in eine innere Willkür. Jean Paul verurteilt die Tendenz, Romane in ferne Zeiten und Länder zu verlegen, als eine billige Ausflucht, denn „ein bestimmter Kleinstädter ist schwerer poetisch darzustellen als ein Nebelheld aus Morgenland".[36]) Er verdächtigt die romantischen Jünglinge, daß sie sich nur deshalb Dichter, Maler und andere Künstler zum Helden ihrer Romane wählen, weil sie auf diese Weise nur ihre eigenen, subjektiven und willkürlichen Empfindungen darzustellen brauchen. Ja, er sieht eine Gefahr darin, wenn Jünglinge zu sehr unter dem Einfluß großer Dichter stehen, denn „dann holet der blühende junge Mensch die Natur aus dem Gedicht, anstatt das Gedicht aus der Natur".[37])

Daß Jean Paul sich so weit erhebt über alle nur gestaltlos reflektierenden Denker der Romantik und über jene dichtenden Jünglinge, denen er selber vorwarf, daß sie nie „vom Leben durchwühlt und gepflügt und gefurcht"[38]) wurden, das gibt uns die Berechtigung, ihn mit Goethe zu vergleichen. Wer bezweifelt, daß Goethe nichts zu tun hat mit seinen nur-bürgerlichen, klaren und engen Zeitgenossen, den Stilisten und Nikolaiten, wie Jean Paul sie nennt! Aber ebenso fern steht Jean Paul den romantischen Dichterlingen und Jakobiten, den Schweblern und Neblern, wie Goethe zu sagen pflegte. Goethe überwindet in sich den Trieb zum Gestaltlosen und Allumfassenden, den Werther, der die Umrisse der Natur nicht packen kann, den Urfaust, für den Worte Schall und Rauch sind, den Tasso, der den Weg zur schönen Gemeinschaft nicht finden kann, den Wilhelm, den es zum Theater zieht; sein Weg ist Entsagung und Beschränkung; er gestaltet die gelebte Wirklichkeit und erhebt sich zur schönen Vollendung. Jean Paul überwindet in sich nicht nur den formlos zerfließenden Jüngling, sondern auch den kalten Stoiker, den spöttischen Satiriker, den Reflektierenden und Gebrochenen, den Zäsara, den Schoppe und den Roquairol; er gestaltet den buntfarbenen Traum und erhebt sich zur schönen Unendlichkeit. Goethe ist der Romantiker unter den Klassikern, könnte man fast sagen; Jean Paul der Klassiker unter den Romantikern.

Man muß das Urteil Jean Pauls über die Pseudo-Romantik kennen, bevor man ihm und seinem Werk eine Formlosigkeit vorwirft, die er selber so eindeutig abgelehnt hat. Man darf ihn nicht einfach mit Goetheschen Maßstäben messen. Eine ganze Reihe von inhaltlichen und formalen Eigentümlichkeiten seiner Romane, die dem oberflächlich Urteilenden als widersprüchlich und formlos erscheinen, können nur im Lichte seiner eigenen Anschauungen in ihrer Bedeutsamkeit verstanden werden. In der schroffen Verdammung pseudo-romantischer Formlosigkeit liegt die Erklärung für seine unermüdlichen Versuche, die Wirklichkeit in ihren kleinsten Einzelheiten zu erfassen und zu beherrschen, ihre ganze Fülle zu umspannen und seinem Gedächtnis, wo es nicht ausreichte, durch ungeheure Materialsammlungen nachzuhelfen. Hier finden wir den Grund für die merkwürdige Tatsache, daß dieser Dichter, dessen Werke in ihren Höhepunkten reinste Lyrik sind, die lyrische Form für sich ablehnte und nie ein Gedicht veröffentlicht hat. Wie oft, sagt er, wird die lyrische Form nur gewählt, weil in ihr „keine Natur nachzuahmen ist als die mitgebrachte".[39]) In seinem Werk mußte sich das Lyrische als Ausdruck des Übersinnlichen und Ewigen herausringen aus der in epischer Breite geschilderten Wirklichkeit einer Landschaft und einer Gesellschaft, die ihm zutiefst vertraut war und in deren innerstes Wesen einzudringen er sich täglich bemühte. „So ist dem reinen, durchsichtigen Glase des Dichters die Unterlage des dunkeln Lebens notwendig, und dann spiegelt er die Welt ab."[40]) Die dramatische Gespanntheit im Wesen Jean Pauls, welche die dunkele, endliche Welt als Gegensatz zur lichten Fülle Gottes empfindet, löst sich in den Momenten einer berauschenden Alleinheitserfahrung. Dann erhebt sich sein Werk zur lyrisch-hymnischen Form.

Wie anders Goethe! Sein lyrisches Urerlebnis einer gottbeseelten Natur läutert sich zur epischen Klarheit einer mythisch-symbolisch geschauten Diesseitigkeit. Seinem episch objektiven Stil, der Wärme empfängt aus dem lyrischen Gott-Welt-Einheitserlebnis, woraus er entspringt, fehlt das dramatische Element der Spannung zwischen Diesseits und Jenseits. Man denke nur an die Römischen Elegien, um sich dies zu verdeutlichen, oder auch an Hermann und Dorothea und Wilhelm Meister. Jean Pauls epische Werke wirken dagegen subjektiv und unruhig, dramatisch und gespannt. Er arbeitet mit scharfen Kontrasten. Die Disharmonien einer in realistischen Einzelheiten geschilderten Welt deutscher Landschaft und Kleinstadt lösen sich oft unvermittelt und plötzlich auf in die Sphärenmusik seiner lyrischen Hymnen. Das Lyrische kann daher aus dem polaren Zusammenhang, in dem es hervorbricht, nicht gelöst werden, sofern man das ganze Wesen Jean Pauls sehen will. Beide Seiten gehören zusammen, so wie Nähe und Ferne. Denn nur in der nächsten Nähe, mit dem Auge des mitfühlenden Freundes, gewahrt man die Zuckungen des menschlichen

Herzens, den Schmerz und die Freude; nur im Kleinen wiederum spiegelt sich der überirdische Schein der fernsten Fernen, die unendliche göttliche Liebe. Mag in der Nähe der Blick sich mit Tränen umfloren und so keine Klarheit zulassen — mag aus der Höhe des Überirdischen alles in blauer und goldener Ferne verschwimmen und so keine Klarheit zulassen — es ist ja nicht Klarheit und Objektivität, nach der Jean Paul strebt, sondern Wärme und Liebe; nicht gemessene Distanz, sondern Nähe und Ferne; nicht die Welt des Hier und Jetzt, der äußeren Wirklichkeit, der gemeisterten Gegenwart, sondern die dämmernde Welt, wo die Dinge ihre Schwere und Gegenständlichkeit verlieren und zart und durchsichtig werden, wo in Innerlichkeit und Jenseitigkeit eine tiefere Wahrheit sich enthüllt, wo die Gegenwart verfließt und nur noch ein kurzer Augenblick ist in dem gewaltigen Strom von der Vergangenheit über die Zukunft in das Meer der Ewigkeit.

V

Siegreich erhebt sich über die materialistische und nihilistische Form der Unpoesie und Einseitigkeit das Bild der Dichtung und des Dichters. Wenn der Materialist das Allgemeine in das Besondere „versteinert und verknöchert", [41]) und dem rohen Stoff der Natur keine Seele und daher keine lebendige Form einzuhauchen vermag, wenn der Nihilist das Besondere in das Allgemeine auflöst und keine lebendige Form erschafft, weil ihm der Stoff der Natur mangelt, so vereinigt der wahre Dichter das Zeitliche mit dem Ewigen und „die begrenzte Natur mit der Unendlichkeit der Idee". [42]) So muß, sagt Jean Paul:

> „die lebendige Phantasie eine solche Vereinigung beider (des Allgemeinen und des Besonderen) verstehen und erreichen, daß jedes Individuum sich in ihr wiederfindet und folglich, da Individuen sich einander ausschließen, jedes nur sein Besonderes in einem Allgemeinen — kurz, daß sie dem Monde ähnlich wird, welcher nachts dem einen Wanderer im Walde von Gipfel zu Gipfel nachfolgt, zu gleicher Zeit auch einem anderen von Welle zu Welle, und so jedem, indes er bloß seinen großen Bogengang am Himmel zieht, aber doch am Ende wirklich um die Erde und um den Wanderer auch." [43])

Das ist in Jean Pauls Bildersprache mit dem Mond, dem romantischen Sinnbild der dämmernden Nacht eine Auffassung der wahren Kunst, die der Goethes zutiefst verwandt ist. In „Der Sammler und die Seinigen" nennt Goethe die vier Stufen, durch die sich ein Werk von der bloßen Nachahmung der Natur zur wahren Kunst erhebt. Er stellt sich den Entwicklungsgang der größeren Klarheit wegen zeitlich auseinandergelegt vor. 1. Die Nachahmung eines natürlichen Gegenstandes verdoppelt gleichsam nur durch das erschaffene Bild den Gegenstand. 2. Es regt sich nun im Nachahmenden der Trieb, nicht nur das Individuum sondern den „Begriff des Geschöpfes", den Gattungscharakter oder das Allgemeine im einzelnen darzustellen. Damit wird etwas zwar wissenschaftlich Schätzbares aber für das Gemüt noch nicht Befriedigendes erreicht. 3. Es kommt hinzu die Forderung nach dem Ideal. Erheben kann den Menschen nur ein Gegenstand, in dem das Göttliche erscheint. 4. Nun ist aber sogar das Ideal, durch das wir über uns selbst erhoben werden, wenn wir darin verharren, nicht befriedigend. Wir sehnen uns aus dem Allgemeinen und Idealen zurück zum Genuß der Nähe des Individuellen. Und doch ist es nicht eigentlich ein Zurückgehen zum Ausgangspunkt, denn die liebende Verbundenheit mit dem einzelnen soll verschmolzen werden mit dem Bedeutenden des Allgemeinen und dem Erhebenden des Ideals.

„Was würde aus ihm [dem Menschen] in diesem Zustande werden, wenn die Schönheit nicht einträte und das Rätsel glücklich löste. Sie gibt dem Wissenschaftlichen erst Leben und Wärme, und indem sie das Bedeutende, Hohe mildert und himmlischen Reiz darüber ausgießt, bringt sie es uns wieder näher. Ein schönes Kunstwerk hat den ganzen Kreis durchlaufen; es ist nun wieder eine Art Individuum, das wir mit Neigung umfassen, das wir uns zueignen können." [44]

Für beide also, für Jean Paul und Goethe, ist das hohe Kunstwerk die sinnlich faßbare Darstellung des Seienden und Ewigen im Werdenden und Vergänglichen. Schönheit aber ist die Überwindung des Fluches der Individuation, denn sie vereinigt das Allgemeine mit dem Individuellen und läßt das Göttliche ein in den Bereich des Menschen.

Wie in dem Ideal der Schönheit und ihrer Erscheinung in der künstlerischen Gestalt, so treffen sich Jean Paul und Goethe auch in dem Bilde des Dichters. Ist Schönheit die Harmonie der beiden Welten, des Besonderen und des Allgemeinen, so ist das Wesen des Genies, daß sich diese beiden Welten in ihm verschmelzen zu einem Ganzen. Was sonst als logischer Widerspruch oder sittliche Antithese erscheint, Materie und Geist, Zeit und Ewigkeit, Gut und Böse, Freude und Leid, das löst sich vor seinem schauenden Auge und seiner göttlichen Phantasie auf zu einem großen, harmonischen und schönen Ganzen. Im Gegensatz zum bloßen Talent, das als die Vorherrschaft einzelner Kräfte, Bilder und Gedanken verstanden werden muß, gießt das künstlerische Genie über alles Irdische und Teilhafte, über alle Leiden und Freuden den Glanz einer göttlichen Totalität, „da es vor dem Göttlichen nur Eines und keinen Widerspruch der Teile gibt". [45] Der Dichter ist der Führer zu einer höheren Existenz. Er ist es, der die Blitze, welche uns auf Augenblicke den Himmel aufreißen, jene Blitze der tiefen Erschütterung, in der ersten Liebe, zuweilen bei der Musik, bei großen Entschlüssen, bei großen Schmerzen, bei Entzückungen in seiner Hand sammelt. Indem die großen Dichtungen „die Wirklichkeit, die einen göttlichen Sinn haben muß, weder vernichten noch wiederholen, sondern entziffern", enthüllen sie uns das schöne Angesicht des urschönen Allgeistes.[45a])

Im gleichen Sinne spricht Goethe von dem „Überirdischen der Kunstwelt" und von dem wahren Liebhaber der Kunst, der nicht nur die Wahrheit des Nachgeahmten sieht, sondern auch fühlt, „daß er sich zum Künstler erheben, daß er sich aus seinem zerstreuten Leben sammeln, mit dem Kunstwerk wohnen, es wiederholt anschauen und sich selbst dadurch eine höhere Existenz geben müsse".[45b])

Überall macht der Dichter, sagt Jean Paul, „das Leben frei und den Tod schön", und er vermählt, „wie die Liebe und die Jugend, das unbehülfliche Leben mit dem ätherischen Sinn".[46])

Und doch deuten gerade diese Worte trotz aller Gemeinsamkeit auf einen letzten, in ungebundener Rede kaum noch aussagbaren Gegensatz zu Goethe, den Jean Paul selber tief empfunden hat. Wohl ist „das unbehülfliche Leben" als ein dunkler Hintergrund dem Dichter notwendig, um das göttliche Licht erscheinen zu lassen. „Alles Himmlische", sagt er einmal, „wird erst durch Versetzung mit dem Wirklichen, wie der Regen des Himmels erst auf der Erde, für uns hell und labend."[47]) Während Goethe aber in der Schöpfung den Schöpfer sucht und von der Natur zu Gott aufsteigt, geht Jean Paul, wie wir schon früher sahen, den entgegengesetzten Weg. Nur „durch den Standpunkt von oben herab" erscheint ihm der Himmel in seiner Unermeßlichkeit und die Erde, wenn auch klein, so doch rund und glänzend. „Aus einem Gott kommt wohl eine Welt, aber nicht aus einer Welt ein Gott."[48]) Der irdische Standpunkt Goethes ist von dieser Position aus gesehen notwendig beschränkt. Er birgt für den, der auf ihm beharrt, die Gefahr in sich einer Überbetonung des Diesseitigen und einer Selbstüberschätzung des Menschen und seiner Freiheit.

Aus diesem Grunde wendet sich Jean Paul gegen den Begriff des Spiels als des Symbols der Freiheit bei Schiller und Goethe. Das Letzte und Höchste ist für ihn ein ewiger Ernst. Der erhabenen Wahrheit dieses Ernstes gegenüber bleibt selbst die höchste dem Menschen erreichbare Stufe, die Schönheit in der Kunst und Poesie nur Schein. Sie ist der Weg, aber dieser Weg ist nicht, wie für Goethe, zugleich das Ziel.

„Jedes Spiel ist bloß die sanfte Dämmerung, die von einem überwundenen Ernst zu einem höheren führt. Den höheren vernichtet wieder ein höheres Spiel, und so wechselt es lange fort und ab, bis endlich der höchste, der ewige Ernst erscheint. Götter können spielen, aber Gott ist ernst."[49])

Dieser Ernst ist also keineswegs der Ernst des Lebens, wie er empfunden wird angesichts des menschlichen Leidens und der irdischen Vergänglichkeit. Jean Paul wirft den Werken seiner eigenen Jugend vor, er habe in ihnen die tragische Seite des Lebens zu stark in den Vordergrund gestellt und zu oft „die Gräber offen gezeigt, nicht nur den Himmel".[50]) Die armen Menschen zu trösten und zu begeistern, den Himmel für sie zu öffnen und ihnen die „letzten paar Abendstunden im Glanze der untergehenden Sonne"[51]) zu zeigen, betrachtet er in der Tat als eine wichtige Mission „der herrlichen Dichtkunst". Er gelobt sich, im Dienst dieser Aufgabe keinen Aufwand der noch übriggebliebenen Jahre und Kräfte und absterbenden Augen zu scheuen, denn es ist „eine Aussaat, deren Mühe kleiner ist als die Ernte für die Freunde"[52]) seines Herzens.

Aber damit ist die Mission der Dichtkunst noch nicht erschöpft. Sie soll nicht nur durch die Wärme des Mitleidens und die Güte ihres Lächelns über das irdische Jammertal hinausführen. Die zweite und höhere Mission der Dichtung ist, sich über ihr eigenes Spiel zu erheben und hinzuleiten zu dem letzten, erhabenen Ernst Gottes. Diese tiefste Frömmigkeit glaubt Jean Paul bei Goethe zu vermissen. Er wirft ihm vor, die hohe Muse zur „Tänzerin und Flötenspielerin am flüchtigen Lebensgastmahl"[53]) herabgewürdigt zu haben.

„Der Dichter erheitere nicht bloß, wie Goethe, sondern erhebe auch, wie Klopstock, er male nicht bloß das nahe Grün der Erde, wie jener, sondern auch das tiefe Blau des Himmels, wie dieser, das am Ende doch länger Farbe hält als das erbleichende Grün." [54])

Deswegen soll der Dichter sich nicht nur, wie Schiller fordert, davor hüten, ein Günstling seiner Zeit zu sein. Damit stimmt Jean Paul überein. Auch er meint, daß sich die Dichtkunst, weder zu mißfallen noch zu gefallen suchend, von der Gegenwart absondern müsse und daß, um den Himmel zu öffnen, nicht die Ewigkeit mit irgendeiner Zeit befleckt werden dürfe. Schiller aber wünscht,[55]) der Dichter möge unter fernem, griechischem Himmel zur Mündigkeit heranreifen und jenseits aller Zeiten aus der absoluten, unwandelbaren Einheit seines eigenen Wesens die Quelle der Schönheit, die Form entspringen lassen. Jenseits aller Zeiten liegt für Jean Paul nicht die dämonische Natur des Menschen, die ihre höchste Erfüllung in der griechischen Antike gefunden hat, nicht die heitere, von heidnischen Göttern belebte Welt, nach der Schiller sich sehnt, sondern die Allewigkeit Gottes, vor deren Glanz alles Irdische versinkt.

„Kommt die Muse groß auf den Grabhügel, statt auf den Kothurn steigend, und ist sie, obwohl ein Engel des Himmels, doch ein Todesengel der Erde, so wird — sagen sie (Goethe und die Klassiker) — die Malzeit und die griechische Heiterkeit der Dichtkunst ganz zerstört. Aber da die rechte Poesie keine Welt nimmt, ohne die bessere dafür zu geben, so leidet nur die gemeine Seele, die von einem Almosen des Augenblicks zum anderen lebt, ohne den Schatz eines Inneren zu haben. Ist denn das Sterben in der Dichtkunst nicht ein Sterben vor Freude?" [56])

VI

Dieser letzte Gegensatz in der Auffassung der Dichtung und ihrer Mission wie auch die Gemeinsamkeit Jean Pauls und Goethes in ihrer Richtung zur Mitte und in ihrem Streben nach Vereinigung von Irdischem und Überirdischem muß aufgefaßt werden als ein Ausdruck der gewaltigen Spannungen, die auftraten im Ringen um das Kernproblem der damaligen wie auch der unsrigen Zeit. Es ist das Problem der schöpferischen Durchdringung und Verschmelzung jener zwei tragenden Mächte westlichen Geistes, des Humanismus und des Christentums.

Schon Lessing hatte im Streben nach diesem hohen Ziel nicht gegen eine besondere Form des Extremen, Einseitigen und Intoleranten gekämpft, sondern gegen das Extreme, Einseitige und Intolerante an sich, wo immer er es fand. Aber was für ein unbefriedigendes Leben hatte er noch führen müssen im beständigen Kampfe mit Schwärmern und Regelkrämern! Was hat er aber auch erreicht! Durch die Tiefe seines Erlebens hat er das Gelehrtentum zugleich vertieft und belebt und damit die Grundlage geschaffen für einen Humanismus des klaren Denkens und guten Handelns. Herder, von der anderen Seite her vorstoßend, hatte das christliche Vermächtnis befreit aus seiner Bildlosigkeit und die heranwachsende Jugend gelehrt, mit der Tiefe des christlich-jenseitigen Glaubens eine lebendige Erfahrung der geschichtlich-diesseitigen Welt zu verbinden. Sie beide haben den Weg bereitet für das Streben nach erfüllter und vollendeter Diesseitigkeit *und* das Streben nach einer strahlenden und dunkelglühenden Ewigkeit, wie es dichterisch gültige Gestalt findet in den Werken Goethes und Jean Pauls.

Wie alle großen Dichter und Gestalter den Kampf kleinlicher und einseitiger Parteien überragen, so stehen auch Jean Paul und Goethe jenseits der polaren Gegensätze der klassisch-romantischen Epoche, in der sie lebten. Beide sind sie einsam im Kreise der sie umgebenden Freunde, Lieben und Bewunderer, einsam in ihrem Streben zur Mitte und Durchdringung. Nur noch gelegentlich war es für sie nötig, sich gegen Schulmeister und Pfaffen, gegen Materialisten und Nihilisten abzugrenzen. In ihrem Gegeneinander und Miteinander, in ihrer unwilligen Ablehnung und unwillkürlichen gegenseitigen Anerkennung, stehen sie da wie ein Zweigestirn, wie feindliche Brüder und doch beide entsprungen aus dem Geschlecht des großen Befruchters Herder.

Wo höchste Fülle und Gestaltung erreicht wird, da durchdringen sich, bei aller Verschiedenheit der Ausgangspunkte, die Gegensätze. Mag Goethe sich mehr zum Humanismus, Jean Paul sich mehr zur christlichen Seite hinneigen, so sind sie sich doch einig in ihrem schöpferischen Ringen um das Ideal einer menschlichen Totalität, das jenseits dogmatischer Streitigkeiten von zeitloser Bedeutung ist.

Seiner Bedeutung als Dichter ist Jean Paul sich voll bewußt. In das Dunkel der historischen Zukunft blickend, sieht er das Blau des Himmels immer mehr verschwinden hinter den wachsenden Massen der Menschen und Städte und hinter der wachsenden Macht despotischer Tyrannen. Sinnlichkeit und goldgierige Selbstsucht sieht er die Grundlagen zerstören von Religion, Staat und Sitten. Dann aber, wenn alle Hoffnungen auf neues Blühen dahingeschwunden sind, dann wird es der Dichter sein, der allein noch singt, was niemand zu sagen wagt in schlechter Zeit.

„Wenn die Welt- und Geschäftsmenschen täglich stärker den Erdgeschmack der Zeit annehmen müssen, in der sie leben, so bricht der Genius, wie der Nachtschmetterling, der sich unter der Erde entpuppt, mit unversehrten Flügeln aus den Schollen an die Lüfte auf. Ist einst keine Religion mehr und jeder Tempel der Gottheit verfallen und ausgeleert — möge nie das Kind eines guten Vaters diese Zeit erleben! —, dann wird noch im Musentempel der Gottesdienst gehalten werden. Denn dies ist eben das Große, daß, wenn Philosophie und Gelehrsamkeit sich im Zeitenlaufe zerreiben und verlieren, gleichwohl das älteste Kunstwerk noch wie ein Apollo ein Jüngling bleibt." [57])

Daß sie selber ewig jung geblieben sind, daß sie als Freunde zu uns sprechen in schlechter Zeit, daß sie eine Antwort von uns fordern, d. h. ein verantwortliches Ringen in ihrem Sinne mit den Spannungen und Problemen unserer eigenen Existenz, daß sie uns Mut geben, immer erneut nach einer Durchdringung von Freiheit und Ordnung, von Fülle des Gehalts und Klarheit der Gestalt zu streben, darin liegt für uns die tiefste Bedeutung von Jean Paul und Goethe. In ihrem Bild der Dichtung und des Dichters haben sie uns zeitlos-gültige Sinnbilder geschenkt für die Verschmelzung im deutschen Wesen von der Klarheit einer beherrschten Gegenwart und dem buntfarbenen und vieltönenden Traum einer Vergangenheit und Zukunft in sich umschließenden, verklärten Ewigkeit.

ANMERKUNGEN

[1]) Ludwig Börnes Gesammelte Schriften (Leipzig, Max Hesse) I, 156.

[2]) Ibid.

[3]) Ibid., S. 157.

[4]) So sieht und liebt ihn auch Gottfried Keller. „Mag die wandelbare Welt in ihrer Vergänglichkeit Jean Paul zum alten Eisen werfen, ich werde ihn nicht verleugnen, solange mein Herz nicht vertrocknet. Denn dies ist der Unterschied zwischen ihm und den anderen Helden und Königen des Geistes: bei diesen ist man vornehm zu Gaste und geht umher in reichen Sälen, wohl bewirtet, doch immer als Gast — bei ihm liegt man an einem Bruderherzen."

[5]) Friedrich Nietzsche, Der Wanderer und sein Schatten, § 99.

[6]) Deutsche Dichtung. Hersg. und eingeleitet von Stefan George und Karl Wolskehl (Berlin, 1910, Georg Bondi) I, 7.

[7]) Ibid.

[8]) Ibid.

[9]) Schopenhauer, Parerg. u. Paralip. XIX, § 234.

[10]) Goethes Sämtliche Werke, Jubiläums-Ausgabe, XXXIII, 124, im Folgenden abgekürzt „Jub.-Ausg.".

[11]) Friedrich Gundolf, Goethe (10. Aufl.; Berlin, 1922), SS. 45—46.

[12]) Wahrheit aus Jean Pauls Leben (Breslau, 1826—1831) I, 53. Im Folgenden abgekürzt „Wahrh.".

[13]) Wahrh., III, 84.

[14]) Wahrh., I, 64.

[15]) Ibid., S. 62.

[16]) Ibid., S. 107.

[17]) Jub.-Ausg., XXII, 47.

[18]) Ibid., S. 49.

[19]) Jub.-Ausg., XVI, 5—6.

[20]) Jean Pauls Sämtliche Werke (Berlin, 1860—1862, G. Reimer) VII, 187. Im Folgenden abgekürzt „Sämtl. W.".

[21]) Sämtl. W., XVIII, 81.

[22]) Ibid., S. 80.

[23]) Ibid., S. 38.

[24]) Ibid., S. 39.

[25]) Ibid., S. 35.

[26]) Sämtl. W., XXVIII, 112.

[27]) Jub.-Ausg., XXVI, 139.

[28]) Jub.-Ausg., XXVII, 108.

[29]) Jub.-Ausg., XXXIII, 197—198.

[30]) Sämtl. W., XVIII, 29.

[31]) Die Briefe Jean Pauls, herausg. von Ed. Berend (München, 1922, Georg Müller), II, **134.**

[32]) Jub.-Ausg., XXXIII, 196—197.

[33]) Sämtl. W., XVIII, 21.

[34]) Ibid., S. 23.

[35]) Ibid., S. 24.

[36]) Ibid., S. 23.

[37]) Ibid., S. 24.

[38]) Ibid., S. 22.
[39]) Ibid., S. 24.
[40]) Ibid., S. 23.
[41]) Ibid., S. 37.
[42]) Ibid., S. 34.
[43]) Ibid., S. 37.
[44]) Jub.-Ausg., XXXIII, 179.
[45]) Sämtl. W., XVIII, 58.
[45a]) Sämtl. W.., XIX, 121.
[45b]) Jub.-Ausg., XXXIII, 91.
[46]) Sämtl. W., XVIII, 59.
[47]) Sämtl. W., XIX, 121.
[48]) Ibid., S. 122.
[49]) Ibid., SS. 118—119.
[50]) Ibid., S. 358.
[51]) Ibid.
[52]) Ibid., S. 359.
[53]) Ibid., S. 123.
[54]) Ibid., SS. 358—359.
[55]) Friedrich Schiller. Über die ästhetische Erziehung des Menschen. Neunter Brief.
[56]) Sämtl. W., XIX, 123.
[57]) Ibid., S. 122.

RANKE UND DIE GESCHICHTLICHE WELT[1])

Hans Rothfels

IM HERBST 1854 hielt Leopold von Ranke seine Vorträge über „Die Epochen der Neueren Geschichte" vor Maximilian II. von Bayern. Er hielt sie in Berchtesgaden, einige von ihnen auf einem Jagdhaus höher in den Bergen, und man würde wünschen, daß sie viele andere Worte und Ereignisse zu überdecken vermöchten, die sich an die gleiche Örtlichkeit geheftet haben. Der preußische Historiograph sprach vor dem Wittelsbacher König, der sich seinen „treuen Schüler" nannte. Während sie auf kleinen norwegischen Pferden über die Bergpfade ritten, erörterten sie, der gläubige Protestant und der gläubige Katholik, einverständlich die Probleme von Sühne und Erlösung. „Da die Luft etwas rauher daherwehte", schreibt Ranke, „so ließ der König seinen Mantel bringen und legte ihn mir um die Schultern." Auch auf die Gamsjagd wagte sich der schmächtige Berliner Professor, der sonst nur ein großer Jäger war in Bibliotheken und Archiven, er gab wohl gar einen Schuß ab, in die Luft, wie er selbst sagt: „Ich gestehe, es war mir nur um den Knall und das Echo zu tun, denn nichts ist prächtiger als diese daherrollenden Donner der Büchse, welche über den Bergen wie ein Luftrausch zu vernehmen sind."[2])

Worte und Szenen, so wird man mit Recht finden, aus einer versunkenen und verklungenen Welt. Auch wer der Ansicht ist, daß Ranke nicht nur ein unvergänglicher Meister der Sprache und künstlerischer Darstellung ist, daß er nicht nur die große Epoche deutscher Literatur, in Wahrheit einer Weltliteratur, in ein neues und letztes Feld hinein verlängert hat, sondern daß er in einem bestimmten Sinne, der abzugrenzen und zu erläutern sein wird, etwas *Unveraltetes* und *Unveraltbares* hat, über die Grenzen seiner Epoche und seines Vaterlandes hinaus — auch wer dieser Ansicht ist, wird vorweg das *Standorthafte* und *Zeitgebundene* des großen Historikers zu betonen haben.

Rankes Erlebnis- und Bildungswelt war überwiegend vormärzlich und nicht ohne einige Züge von Biedermeier. Er selbst hat in einem oft zitierten Wort von den halkyonischen Jahren, den Jahren der Windstille, gesprochen, die den Studien so günstig gewesen seien. Sie waren es in der Tat, und das begrenzt den Sinn des Wortes von der „Windstille". Es galt gewiß nicht vom geistigen Bereich, in dem Romantik und Idealismus, historische und philosophische Schule sich ihre königliche Schlachten lieferten, bis die Universität Berlin förmlich in zwei Weltanschauungsheerhaufen aufbrach. Es waren Jahre der Windstille vornehmlich im politischen und sozialen Bereich, obwohl auch das eigentlich nur für einen Teil der kurzen Zeitspanne von 1815—1830 gilt. Aber in dieser Phase der sogenannten Restauration hat Ranke allerdings wesentliche Elemente seiner Stellung zur geschichtlichen Welt geformt. In dem Erstlingswerk des 29jährigen und völlig unbekannten Oberlehrers in Frankfurt a. d. O., den „Geschichten der romanisch-germanischen Völker" von 1824, ist bereits deutlich angelegt, was Ranke in einem 90jährigen Leben auszuführen unternahm. Und neue Funde erlauben das zurückzuverfolgen zu den Notizbüchern des 22jährigen Leipziger Studenten von 1817.[3]) Nicht daß Ranke sich das Ziel setzte, bestimmte Meinungen im geschichtlichen Stoff zu erweisen; von solchen mehr oder weniger absichtvollen Beimischungen sind seine Werke so weitgehend frei, wie das innerhalb der Bedingungen menschlicher Existenz überhaupt erreichbar ist. Aber unstreitig ist die Welt der Werte, an die er glaubte, durchwebt und durchfärbt von den Antrieben einer Epoche, die Friede und soziale Ordnung nicht nur wiederhergestellt, sondern tiefer gegründet sah, und die Vertrauen besaß in eine Kontinuität, die nach der Ära revolutionärer Erschütterung wieder in ihr Recht gekommen zu sein schien. Es war auf der Grundlage einer ihm vergleichbar erscheinenden Erfahrung nach 1870, daß Ranke, wie er am Ende seines Lebens bezeugt hat, den Entschluß faßte, seine Weltgeschichte zu schreiben. „Die universale Aussicht für Deutschland und die Welt" habe ihn veranlaßt, die letzten Kräfte einem solchen Werk zu widmen.[4]) Und noch einmal, in einer Rede an seinem 90. Geburtstag, bekennt sich Ranke zu der tiefen Gebundenheit an seine Zeit, zum Glauben an einen letzthin sinnvollen Ablauf, den er (nicht allein, aber ganz wesentlich) in Erfahrungen seiner eigenen Lebensspanne bestätigt sah. Hätten die revolutionären Kräfte den Platz behauptet, so würde eine Weltgeschichte im objektiven Sinne unmöglich geworden sein. „Er jedenfalls würde nicht daran gedacht haben, eine solche zu schreiben.[5])

Was immer der Sinn des Wortes von der „Weltgeschichte im objektiven Sinne" ist (diese Frage wird später aufzunehmen sein), soviel wird auf den ersten Blick deutlich, daß in all dem Antriebe konservativer und optimistischer Art sich auswirken, die zeitgeschichtlich bedingt sind und standortsmäßige Farbe tragen. Damit gehen andere Züge der Rankeschen Geschichtsschreibung zusammen, die oft beobachtet und auch kritisiert worden sind: eine gewisse makroskopische Ansicht der Dinge, besonders in den späteren Jahren bemerkbar, ein Glätten des Unharmonischen, wie es insbesondere seine Preußische Geschichte etwa zeigt, eine Vorsicht, vielleicht würden wir besser sagen, eine Ehrfurcht im Zufassen, ein Zurückhalten im Urteil. Es gezieme dem Historiker „milde und gut zu sein", hat er wohl einmal gesagt. Oder ein andermal: er glaube im Grunde nicht an Übereilungen großer Männer.

All dies sind Zeugnisse für Rankes Neigung, Geschichte von oben zu sehen, von den Höhen der Gesellschaft, mit den Augen von Fürsten, Ministern, Generalen, was denn zum Teil allerdings in der Natur seiner Stoffe lag. Aber eben die Wahl dieser Stoffe, so wird dann wohl gesagt, zeugt von der gleichen aristokratischen Sicht. Auch daß er selbst auf den Höhen wandelte, ist gegen Ranke eingewandt worden. Er schreibt wohl einmal, wie in voraussehender Abwehr, an seinen Bruder im Jahr 1835:[6] „Geld habe ich, soviel ich brauche; Höfe fliehe ich eher als daß ich sie suchen sollte; und meine einzige Absicht für dies Leben ist, meine wissenschaftliche Idee durchzusetzen." In der Tat: das Bild des Höflings paßt schlecht genug zu der Wirklichkeit eines Professors mit bescheidener Sekurität und einem asketischen Arbeitsleben. Wahr vielmehr ist, daß er mit geistreichen Fürsten ebenso zu verkehren liebte wie mit Fürsten des Geistes und daß etwas von Höhenluft und gewiß auch von Finesse und diplomatischer Vorsicht um ihn weht. Ein Historiker von stärkerem bürgerlichem Selbstbewußtsein und elementareren Trieben politischen Wollens, wie Joh. Gust. Droysen, vermißte in aller „tief blickenden Menschenklugheit" die ethische Entschiedenheit. Es war gegen Ranke gemünzt, wenn er als sein Richtmaß aufstellte: „Pectus facit historicum." Er warf ihm wohl parfümierten Stil, tüpflige Miniaturmalerei und diplomatische Leisetreterei vor.[7] Vollends dem Antipoden Karl Marx war Ranke der kleine Rabunzel, der Kammerdiener der Geschichte, das tanzende Wurzelmännchen.[8]

In allen Übertreibungen ist hier doch ein Kern des Richtigen. Die Aufbrüche der Tiefe, die harten Pressungen des wirtschaftlichen und sozialen Lebens, die Nöte der Massen drangen nur von ferne an Rankes Ohr. Er sah sie gleichwohl an ihrem historischen Ort. In der Erörterung etwa der Bartholomäusnacht spricht er ausdrücklich davon, daß man die elementaren Triebkräfte jetzt besser zu erkennen vermöge. „Es ist der Tribut, den wir unserem Jahrhundert zahlen, wo die populären Bewegungen so oft die Oberhand behalten haben."[9] Und in einem Brief an Maximilian II. (1859) erkennt er an, daß der Gegensatz konservativer und liberaler Ideen „mehr Leben in sich schließe als Gefahr ..."[10] Ranke mithin war nichts weniger als ein noch so verfeinerter Advokat des ancien régime, aber er neigte doch wesentlich dazu, Revolutionen an ihrem Instinkt des Beharrens und Bewahrens zu messen, wofür die englische von 1688 naturgemäß das große Beispiel bot. Man könnte sagen, daß er in seiner Geschichtsansicht (wie Goethe in seiner Naturansicht) den „Vulkanismus" zurückwies. Und nie erschien ihm Luther, „der größte Konservative unter allen Revolutionären", heldenhafter als in dem Augenblick, da er den Schwärmern und Aufrührern entgegentrat. So treffend dies als geschichtliches Urteil sein mag, so unleugbar ist Rankes Sympathie mit den Kräften der Ordnung und der Selbstbehauptung des Geistes. In den Dissonanzen suchte er die Möglichkeit „verborgener Harmonie" (die nach Heraklits Wort besser sei als eine „offene"), und das Dumpfe und Triebhafte des geschichtlichen Lebens erscheint bei ihm oft wie überglänzt.

So ist es nicht unrichtig, wenngleich nur eine Teilwahrheit, zu sagen, daß Rankes Geschichtsschreibung weithin einer Gratwanderung gleicht, bei der man den Blick in die gähnenden Tiefen besser vermeidet. Wenn „die Luft rauher daherweht", verschmäht er nicht, sich einen Mantel umlegen zu lassen, und nicht selten, um im gleichen Bilde der Berchtesgadener Szene zu bleiben, ist seine Stimme wie ein „Luftrausch", der „über den Bergen" zu vernehmen ist. Kein anderer Historiker, der der Fülle des Konkreten so hingebend zugewandt war, hat das Feste und Stoffliche zugleich so weitgehend vergeistigt und das Anschauliche so innig mit der Idee vermählt. In keiner anderen Periode und keinem anderen Lande konnte das geschehen. So sah es schon der Leipziger Student als sein Ziel, wenn ihm aus dem Verstehen des einzelnen „das Leben des Ganzen zu Gedanken und Gemüt" kam und er in bezeichnenden Worten die Gestalt Goethes beschwor: „Daß mich Dein Geist besuche, Siebzigjähriger — daß sich auf dem festen Boden des Historischen das Ideale wahrhaft erhübe, aus den Gestalten, die da gegeben sind, was nicht gegeben ist, herausspringe — daß uns Blut zu Gold werde."[11]

Auf dem festen Boden des Historischen — von hier aus können wir den ersten Ansatzpunkt gewinnen für die Umkehr unserer bisherigen Betrachtungen, für die Auffassung nicht des Vergänglichen, sondern des Unvergänglichen in Ranke. Wenn es so etwas wie eine Uranlage des Historikers gibt, so verkörpert er sie wohl reiner als irgend jemand sonst. „Von wirklich geschehener Geschichte, wahrhaften Bericht erstatten", das sei sein Ziel, so schreibt er dem Bruder, als er sein Erstlingswerk veröffentlicht.[12] Und von Stufe zu Stufe kann man verfolgen,[13] wie der Eros, den Ranke sonst aus seinem Leben weitgehend verbannt hat, ihn in die Fülle des geschichtlichen Stoffes hineintreibt, in das süße und gar so verführerische „Schwelgen in dem Reichtum aller Jahrhunderte", so schreibt der 25jährige, in das Miterleben „noch einmal und gedrängter fast". „Wer enthüllt", fragt er zwei Jahre später, „Kern, Natur, lebend Leben des Individuums?" Und dann mit noch vollerem Klang der 31-jährige: „Du kennst meine alte Absicht, die Mär der Weltgeschichte auf-zufinden, jenen Gang der Begebenheiten und Entwicklungen unseres Ge-schlechts, die als ihr eigentlicher Inhalt, als ihre Mitte und ihr Wesen anzusehen ist. All die Taten und Leiden dieses wilden, heftigen, gewalt-samen, guten, edlen, mutigen, dieses befleckten und reinen Geschöpfes, das wir selber sind, in ihrem Entstehen und ihrer Gestalt zu begreifen und festzuhalten. Ich lese nun wieder Weltgeschichte." Er wünscht sich Moses zu sein, um das Wasser, das da gewißlich in der Tiefe ist, „hervor-rinnen zu machen". Und er findet diesen lebendig machenden Stab in der Berührung mit den ursprünglichen Quellen „wirklich geschehener Geschichte".

Selten wohl hat die staubige Welt der Archive und Bibliotheken un-mittelbarer und frischer gespendet, als es dem jungen Ranke geschah. Und nie ist schlüssiger ausgesagt worden, was nicht der Historiker dem Stoff, sondern der Stoff dem Historiker antut: „Es setzt sich mir", schreibt Ranke aus Rom im April 1830,[14]) „eine Geschichte der wichtigsten Momente der neueren Zeit fast ohne mein Zutun zusammen. Sie bis zur Evidenz zu bringen und zu schreiben, wird das Geschäft meines Lebens sein. Ich bin zufrieden, daß ich weiß, wozu ich lebe, meine Brust erfüllt sich mit freudiger Bewegung, wenn ich das Glück vorausfühle, das mir die Ausarbeitung eines wichtigen Werkes machen wird, ich schwöre täg-lich es auszuführen, ohne einen Finger breit von der Wahrheit abzu-weichen, die ich erkenne."

In einer Zeit, da die Materialfülle besonders der modernsten Geschichte den Beruf des Historikers bedroht, indem sie ihn entweder von den Quellen abdrängt oder in bloßer Stoffhuberei versinken läßt, hat es seinen mahnenden Sinn, an dieses „Urerlebnis" Rankes, wie man es wohl nen-nen darf, zu erinnern. Es war nicht der einzige Weg, auf dem das 19. Jahr-hundert sich der Geschichte mit einer neuen Hingabe zuwandte, aber es war der spezifisch historische Weg im Gegensatz zum positivistischen und konstruktiven. Vielleicht ist es gut, den Kontrast im Hohlspiegel zu fassen: Der französische Soziologe Auguste Comte in der Mitte des 19. Jahrhunderts hat einmal gesagt, es sei ein Erfordernis der Hygiene seines Gehirns, sich nicht mit den originalen Zeugnissen geschichtlichen Lebens zu befassen. Man vergleiche damit etwa die Vorrede zur Refor-mationsgeschichte, in der Ranke über seine Quellenstudien berichtet; er erwähnt (unter anderem) 96 Foliobände deutscher Reichstagsakten und fügt mit unnachahmlicher Grazie hinzu: „Ich nahm Gelegenheit, mir den Inhalt der ersten 64 Bände zu eigen zu machen."[15]) Auch das sicherlich ein Akt geistiger Hygiene, wenngleich von unterschiedlicher Art, ein Gesundheitsprogramm des echten Historikers, eine „Aneignung" der geschichtlichen Welt aus ihrer originalen Bezeugung.

Aber es würde unrecht sein, das Epochemachende in Ranke zu sehr zu vereinzelnen. Die Suche nach dem Echten und Ursprünglichen hat ihre Tradition durch die neueren Jahrhunderte. Sie wurde namentlich von den großen Philologen zum Prinzip erhoben, und es ist insbesondere die Treue zum Wort, die die Sprach- und Literaturwissenschaft des frühen 19. Jahrhunderts mit dem Aufstieg der Geschichtswissenschaft verbindet. Ein weiterer und verwandter Antrieb höchst folgenreicher Art kam dann von Herder und von der romantischen Bewegung, die ja gleichfalls den Blick richtete auf das Einmalige und Konkrete statt des Allgemeinen und Abgezogenen, auf das schlechthin Individuelle im Einzelleben und im Leben der Völker, letzthin auf die Individualität in der Totalität. In der Tat: Rankes Frage nach dem „lebendigen Leben des Individuums" ist eine romantische Frage, und gelegentlich sprach er wohl davon, daß sogar die Luft ein „Lokalkolorit" habe. Hier stand er auf wohlvorbereitetem Boden. Aber er ging doch seinen eigenen und vorwärts weisenden Weg, und die wirklich geschehene Geschichte, wie sie in der echten Überlieferung enthalten ist, fand er „schöner und interessanter" als die „romantische Fiktion".[16])

Das führt zu einer kurzen Berührung von Rankes grundlegender kritischer Arbeit. Man pflegt zu sagen, daß er Niebuhrs Methode von der römischen auf die mittelalterliche und neuere Geschichte übertrug, was dann freilich, gemäß der Natur des Stoffes, mehr als eine Übertragung war. Es ist hier nicht nötig, den mehr technischen Bereich zu erörtern: Rankes aufsehenerregende Kritik neuerer Geschichtsschreiber in seinem Erstlingswerk, seine Wendung zu anderen, ursprünglicheren Quellen und die Art ihrer Benutzung, die Gründung seines berühmten Seminars. Wir können all das um so eher übergehen, als in der Methodik das Fortwirkende am sinnfälligsten und am unbestrittensten ist. Ranke wurde der anerkannte Meister von Generationen von Forschern in allen Ländern. Während nur wenige seiner Werke (und leider keine einzige seiner mehr auf das Grundsätzliche gerichteten kleineren Schriften) übersetzt worden sind, drang sein Ruhm als Schulhaupt über die Welt. Als 1884 die „American Historical Association" begründet wurde, ernannte sie Ranke zum ersten und alleinigen Ehrenmitglied und erkannte ihn damit an, wie George Bancroft schrieb, als den „größten lebenden Historiker".[17]) Und ein amerikanischer Gelehrter hat sich die Mühe nicht verdrießen lassen, in einer „chart" die Ranke-Schülerschaft 1. und 2. Grades mit über 120 Namen zu belegen.[18])

Aber vielleicht gerade, weil es sich hier um ein so faßbares, sogar statistisch faßbares Fortleben des großen deutschen Historikers handelt, hat sich daran ein seltsames Mißverstehen angesetzt. Der gleiche amerikanische Gelehrte spricht — sicherlich in lobender Absicht — von Rankes „total unphilosophicalness".[19]) In der Tat, Ranke gilt vielen als der Begründer einer „streng wissenschaftlichen", einer „neutralen", einer „scientifischen" Geschichtswissenschaft. Und da sich inzwischen herausgestellt hat, daß es so etwas nicht gibt, daß die Philosophie, die der Historiker aus der Vordertür hinauswirft, zur Hintertür wieder hereinzukommen pflegt, werden wir dann belehrt, daß Ranke sich und andere über das unvermeidlich subjektive Element seiner Geschichtsschreibung getäuscht hat oder daß er im besten Fall eine Figur aus dem Museum liebenswürdiger menschliche Irrtümer ist.[20]) In Wahrheit war Ranke, obwohl in mancher Beziehung von einer großartigen Naivität, sicherlich kein naiver Realist; er wußte sehr wohl, daß der Historiker nicht vergangenes Leben in der gleichen Weise erneuern kann, wie der Physiker oder Chemiker im Laboratorium die Prozesse der Natur wiederholt, und er lebte im vollen Bewußtsein der Kluft, aber auch der schöpferischen Wechselwirkung zwischen Erkennendem und Erkanntem im geschichtlichen Bereich. Gerade darum drängte er auf strengste geistige Zucht, auf ständigen und intimen Kontakt mit den Quellen. Selbst dann aber galt noch, was er an König Max einmal schrieb: „Das Subjektive ergibt sich von selbst."[21]) Die Aufgabe demnach war, dies unvermeidliche Element zu kontrollieren, ohne es seines lebendigen Antriebs zu berauben. Die Historie werde immer wieder „umgeschrieben", hat Ranke einmal bemerkt,[22]) weil jede Zeit „ihre Gedanken" darauf überträgt, „bis man die Sache selbst gar nicht mehr erkennt." „Es kann dann nichts helfen", fügt er hinzu, „als Rückkehr zu der ursprünglichsten Mitteilung. Würde man sie aber ohne den Impuls der Gegenwart überhaupt studieren?"

Wir sahen, wie tief Ranke sich seiner eigenen Zeit verpflichtet fühlte; die Möglichkeit dessen, was er „Weltgeschichte im objektiven Sinne" nannte, sah er von besonderen, sich bestätigenden und berichtigenden Erfahrungen abhängen, von einem Verstehen, das mit der Geschichte und dem Bewußtsein, selbst Geschichte zu sein, wuchs, von dem Hineinnehmen des Geschehenen in die Erlebniskontinuität des Historikers, letzten Endes von der Artverwandtschaft zwischen Subjekt und Objekt, die schon W. v. Humboldt postuliert hatte. Das ist der tiefere Grund, warum

Ranke forderte,[23]) der Historiker müsse alt werden, nicht allein wegen des unermeßlichen Umfangs der Studien, welche die Erkenntnis der historischen Entwicklung möglich machen, sondern auch wegen „des Wechsels der Zeitumstände, die in einem langen Leben eintreten".

Man mag zugeben, daß diese Selbstzeugnisse eine letzte Schwierigkeit (und auch eine letzte Würde) im Werk des Historikers nicht aufzulösen vermögen, aber sie sollten davor bewahren, in Ranke einen bloßen Empiriker zu sehen. Daß auch die gesichertsten Tatsachen und die reinste Überlieferung noch keine Geschichte sind, daß das Geschehen unter der Hand des Historikers eine spezifische Veränderung erfährt, wußte er so gut wie spätere Kritiker. Nur daß er den echten Historiker zugleich im Bann der Geschichte sah, „fast ohne sein Zutun". Über diese Wechselwirkung hat Ranke in andeutenden Worten wohl Gültigeres gesagt, als die moderne Geschichtslogik es je hat tun können. So heißt es gleich im zweiten Absatz der Vorrede zu seinem Erstlingswerk sehr schlicht, aber beziehungsreich: „Die Absicht eines Historikers hängt von seiner Ansicht ab."[24]) In der Tat, die Fakten, die er auswählt, der Zeitraum, innerhalb dessen er sie beschreibt, die Zuordnungen, die er vollzieht, alles das hängt von etwas ab, das mehr als faktisch ist; im gegebenen Fall hing es von Rankes Ansicht einer Einheit der romanisch-germanischen Völker ab, von einer schöpferisch hinzugetragenen, aber nicht willkürlich erfundenen Ansicht, die sich für ihn im Gesamtzuge der Fakten oder wie er sich ausdrückt: in den „großen Atemzügen dieses unvergleichlichen Vereins" bezeugt. So springt denn, um noch einmal an die Aufzeichnungen des Studenten zu erinnern — „aus den Gestalten, die da gegeben sind, heraus, was nicht gegeben ist". Und „Blut wird zu Gold".

Eine solche Deutung scheint nun im Widerspruch zu stehen zu dem bekanntesten und meist zitierten Worte Rankes, das wir in der gleichen Vorrede seines Erstlingswerkes finden und das der Geschichte die Aufgabe beilegt, zu zeigen, „wie es eigentlich gewesen". Es ist in der Tat ein fast zu Tode gehetztes Wort, und für manche, die es anzuführen lieben, scheint der Satz der Francesca da Rimini aus Dantes Inferno zu gelten: „An jenem Tage lasen wir nicht weiter." Man möchte vermuten: auch nicht an irgendeinem anderen. Denn nur wenn man das Wort vereinzelt, kann Ranke als ein naiver Realist erscheinen. Was er wirklich meint, ist aus dem klaren Zusammenhang einer Polemik zu erschließen, die sich gegen zwei Fronten richtet: gegen die rhetorischen Absichten der Renaissance-Historiker wie gegen die pragmatische Geschichtsschreibung des 18. und frühen 19. Jahrhunderts. Die Rhetorik wird ins Stammbuch geschrieben, daß „strenge Darstellung der Tatsache, wie bedingt und unschön sie auch sei, oberstes Gesetz ist". Dem Pragmatiker wird entgegengehalten, daß es der Historie nicht obliege, „die Vergangenheit zu richten — oder die Nachwelt zum Nutzen zukünftiger Jahre zu belehren; so hoher Ämter unterfängt sich gegenwärtiger Versuch nicht". Aber die Bescheidenheit des Ausdrucks sollte nicht darüber täuschen, daß es Ranke auf das „Eigentliche" des „Gewesenen" ankam; man möchte schon hier sagen: auf die Einheit in der Fülle, die Idee in der Erscheinung — und jedenfalls auf weit mehr als eine möglichst treue Erfassung der Faktizität oder ein noch so hochwertiges Antiquariertum.

Hier erst treten wir in den inneren Vorhof seiner Stellung zur geschichtlichen Welt. Ranke hat sich selbst einmal ausgelassen über die Mißdeutung, als ob er ein bloßer Empiriker und neutraler Tatsachenmensch sei; er mag dabei an Hegel gedacht haben, der von ihm gesagt haben soll: „Das ist nur so ein gewöhnlicher Historiker."[25]) In einem Brief von 1830 greift Ranke das auf, mit einer persönlichen Schärfe, die selten bei ihm ist: „Man gibt mir Mangel an religiösem oder philosophischem Ernst schuld. Man hat nicht unrecht, insofern man unter Ernst das Ergreifen irgendeiner bereits im System ausgesprochenen und hervorgetretenen Meinung versteht. Daß es mir aber an philosophischem und religiösem Interesse fehle, ist lächerlich zu hören, da es just dies ist, und zwar ganz allein, was mich zur Historie getrieben hat."[26])

Die Wahrheit dieses Selbstzeugnisses von 1830 ließe sich umfassend belegen aus Rankes Leben und Werk.[27]) Die „heilige Hieroglyphe zu entziffern", sei sein Ziel, so schreibt der 25jährige, auch damit „diene" man Gott. Und als er sein Erstlingswerk vollendet hatte, schwur er sich zu, sein ganzes Leben „in Gottesfurcht und Historie" zu vollbringen. Auch die Hinwendung zum Originalen und Echten, die Andacht zum Einzelnen und Konkreten, hat unleugbar religiöse Farbe. Das gleiche gilt von dem Selbstvergessen, dem Auslöschen der eigenen Person, das Ranke wohl gelegentlich gefordert hat. Aber alle diese Einzelmotive, und man könnte sie häufen, fassen sich zusammen in Rankes Suche nach dem Wahren, das zugleich ein ahnendes Ergreifen ist von Gottes Hand — hier oder da — und vornehmlich im großen Gang der Geschichte. So schreibt er 1873 an seinen Sohn:[28]) „Die historische Wissenschaft und Darstellung ist ein Amt, das sich nur mit dem priesterlichen vergleichen läßt, so weltlich auch die Gegenstände sein mögen, mit denen sie sich eben beschäftigt... Der Historiker ist dazu da, den Sinn jeder Epoche an und für sich selbst zu verstehen und verstehen zu lehren. Er muß nur eben den Gegenstand selbst und nichts weiter mit aller Unparteilichkeit im Auge haben. Über allem schwebt die göttliche Ordnung der Dinge, welche zwar nicht gradezu nachzuweisen, aber doch zu ahnen ist. In dieser göttlichen Ordnung der Dinge, welche identisch ist mit der Aufeinanderfolge der Zeiten, haben die bedeutenden Individuen ihre Stelle; so muß sie der Historiker auffassen. Die historische Methode, die nur das Echte und Wahre sucht, tritt dadurch in unmittelbaren Bezug zu den höchsten Fragen des menschlichen Geschlechtes." Nie ist wohl vom Amt des Historikers höher, aber im selben Atemzug auch freier gedacht worden. Denn das wird zugleich aus diesen Zeugnissen deutlich werden und durch jedes Werk Rankes bestätigt. In der sehr persönlichen und durchaus theistischen Frömmigkeit, die seine Geschichtsschreibung trägt und die auf den Vorsehungsglauben als „die Summe allen Glaubens" nicht verzichtet, liegt ebenso auch der Bruch mit jeder theologischen oder pantheistischen Auffassung der Geschichte. Die Geschichte folgt nicht einem Heilsplan oder einer lenkenden und vorsehenden Hand, die der Mensch in den Dingen selbst unmittelbar zu erfassen oder sie hineinzulesen vermöchte und die der Fülle des Werdens ein Ziel setzt. Ranke war weit entfernt von der ausdrücklichen Theodizee, die noch ein so „politischer" Historiker wie Droysen bekannt hat. Seine teleologische Auffassung war, wie man gesagt hat, „ohne Telos". Aber er war auch weit entfernt von der pantheistischen Annahme einer im Universum sich entfaltenden Gesamtkraft. Gott ist nicht in der Geschichte, weder als eine „dunkle Fatalität" noch als ein Prinzip der Immanenz, wohl aber kann sein „Anhauch" ahnend ergriffen werden in „der Aufeinanderfolge der Zeiten".

Auf den ersten Blick wird die abwehrende Seite dieser Haltung als die bedeutsamere erscheinen, sie macht den Moment, den „Ausschlag der Begebenheit", den Gegenstand selbst, das heißt die „wirklich geschehene Geschichte", in ihrem Eigenwert frei. Es ist dieser Haltung zu danken, daß Ranke jede Einzelerscheinung, die Individualitäten in der Geschichte, große und kleine, also das Individuelle schlechthin und an und für sich selbst zu verstehen lehrt und es davor bewahrt, nur als Mittel zum Zweck verstanden zu werden. So heißt es denn 1854 in einem seiner bedeutendsten Worte, einem Kernwort der modernen Geschichtsanschauung, indem er sich wieder, wie in der Jugend, mit Goethe berührt:[29] „Ich aber behaupte, jede Epoche ist unmittelbar zu Gott, und ihr Wert beruht gar nicht auf dem, was aus ihr hervorgeht, sondern in ihrer Existenz selbst, in ihrem eigenen Selbst."[30])

Aber diese Aussage enthält eben nicht nur Abwehr einer religiösen Mediatisierung, die jedes Ereignis zu einer Vorstufe machen würde im Heilsplane, sondern ruht in ihrer allumfassenden Objektivität und Gegenständlichkeit, in ihrer Goetheschen Hingabe an das Seiende statt an das daraus Hervorgegangene, sie ruht in ihrer Freudigkeit und Weltoffenheit grade auf religiösem Grunde. In einer Parallelstelle[31]) verwirft Ranke die Anschauung, nach der das Vergangene die Bedeutung habe, „inwiefern es das Gegenwärtige hervorbringt". Für ihn „haben die historischen Erscheinungen jeder Zeit ihre eigene Beziehung zu den göttlichen Dingen; sie haben einen unmittelbaren Wert, ihr Zusammenhang ist zugleich providentieller Natur". Grade weil Ranke an einen solchen letzten Zusammenhang glaubt, ist ihm des Historikers Amt ein „priesterliches" und eines, das ihn auffordert, in den Grenzen der Menschlichkeit „gerecht" zu sein, so wie es dem Vater im Himmel zuzutrauen ist. So heißt es denn in den Berchtesgadener Vorträgen weiter: „Vor Gott erscheinen alle Generationen der Menschheit als gleichberechtigt, und so muß auch der Historiker die Sache ansehen."[32])

Zu diesem religiösen Fundament, das Rankes Stellung zur geschichtlichen Welt trägt, findet sich eine genaue Entsprechung in seiner philosophischen Ansicht. Der klassische Historiker ist nicht denkbar ohne den Hintergrund der klassischen deutschen Philosophie. In den Tagebüchern des Studenten[33]) sehen wir ihn den „hellen und heiteren Glanz" der kantischen Schriften aufrufen gegen den „Morast" (wie er schreibt) der romantischen Naturphilosophien. Und überraschend stark findet man ihn in der Auseinandersetzung mit Fichte begriffen, besonders mit Fichtes Schrift „über das Wesen des Gelehrten". Es waren die Probleme von Individuellem und Allgemeinem, von Erscheinung und Idee, von geschichtlichem und idealem Leben, die den werdenden Historiker ergriffen. „Da die Geschichte eine empirische Wissenschaft ist", zeichnete er sich auf, „begegnet es ihr nur zu oft, daß sie sich in Einzelheiten zersplittert und fern davon ist, was man doch immer an ihr rühmt, den Menschen zu bilden. Nur wer jenes Empirische mit der Idee vermählt, kann den Geist wirklich anziehen."

Aber stärker noch als mit Fichte hat sich Ranke unstreitig mit dem größten geistigen Gestirn seiner Zeit berührt, mit Hegel, der ja den universalhistorischen Prozeß in seinem rhythmischen Pulsschlag als das Zu-sich-selbst-Kommen des Geistes, als Realisierung der Vernunft, letzten Endes als Rechtfertigung Gottes in der Geschichte ansprach. Es finden sich genug Stellen in Rankes Werk, die das Durchgehen durch Hegel spüren lassen,[34]) so wenn er von den allgemeinen Tendenzen des Zeitgeistes, von der inneren Notwendigkeit der Dinge spricht; wenn er eine Persönlichkeit groß findet, in dem Maße, wie sie objektiven Zwecken dient, oder die eine Stufe der Weltgeschichte in der nächsten, dem römischen Weltreich etwa „aufgehoben" sieht.

Aber zugleich und stärker noch empört sich der echte historische und der tief religiöse Sinn Rankes gegen den Systemzwang, gegen das Prinzip einer monistischen Immanenzphilosophie, gegen die Gewalt, die selbst eine historisch so gesättigte Spekulation wie die Hegels der wirklichen Geschichte antut. Und so finden wir die zahlreichen Bekenntnisse, mit denen sich Ranke auf die Seite der historischen gegen die philosophische Schule stellt. Während die zeitgenössische Philosophie, so meint er,[35]) „aus einer geringfügigen, oberflächlichen Kenntnis, die alles vermengt, mit keckem Finger erzwungene Resultate" ableite, rühmt Ranke der historischen Schule nach, daß sie „die Dinge in ihrer Wesenheit zu begreifen sucht, ihrem Zuge nachdenkt und, eingedenk der Unvollkommenheit der Überlieferung, die höchsten Ergebnisse ahnen läßt. Das ganze Vergnügen ihres Studiums ist, die geistige Ader der Dinge zu verfolgen. Wenn Plato die höchsten Resultate seines Nachdenkens darstellen wollte, so verhüllte er sie in den Mythos, mit dem distingierenden, sozusagen dickhäutigen Worte angesprochen, gehen sie der inneren Wahrnahme zu Grunde". Mit einer wundervollen Abgewogenheit ist hier das unabweisbare Bedürfnis, hinter den „Richtigkeiten" der Geschichte ihre „Wahrheit", die „geistige Ader der Dinge", zu sehen gegen die Begrenztheit der menschlichen Erkenntnis, die eben nicht an der Wissenschaft Gottes teilhat und nur über „dickhäutige" Worte verfügt, gleichsam ausbalanciert. In anderen Äußerungen geht Ranke weiter in der Abwehr: es gäbe zwei Wege der Erkenntnis, sagte er einmal,[36]) „den der Erkenntnis des einzelnen und den der Abstraktion; der eine ist der Weg der Philosophie, der andere der der Geschichte".

Mit dieser Abwehr ist wiederum, wie mit der Abwehr der Theologie, der Geschichte ihr Königsrecht gesichert. Nichts vielleicht zeigt dies deutlicher als Rankes Stellung zur Fortschrittslehre, in der die mannigfachsten Motive seines Denkens zusammenklingen.[37]) Er hat die Annahme einer inneren Zielstrebigkeit und eindeutigen Gerichtetheit der Geschichte, einer gradlinigen Stetigkeit in der Höherentwicklung der Menschheit, die von der Aufklärung überkommen war und an der auch Hegel in seiner Weise festhielt, er hat diese ganze rationale Vorstellungswelt in seinem ersten Vortrag vor König Max ausführlich erörtert. Er findet sie philosophisch unhaltbar, weil sie den Menschen entweder zum willenlosen Werkzeug herabdrücke oder zu Gott erhebe. Und er widerspricht ihr insbesondere mit dem konkreten Tatsachensinn des Historikers, mit dem Hinweis auf erstorbene oder stillstehende Kulturen („abortive or arrested civilizations", wie Toynbee sagen würde), die sich nicht in das Schema eines ost-westlichen Kreislaufs der Weltgeschichte fügen. Oder er verweist auf das Auf und Ab der kulturellen Potenzen in Kunst, Literatur und Religion, von denen häufig nur eine jeweils überwiege. In Worten, die uns Heutige besonders berühren, stellt Ranke fest, daß Fortschritt mit Sicherheit nur abzulesen sei im Bereiche der materiellen Interessen, der zivilisatorischen Technik, oder im Bereiche des Quantitativen — aber nicht „in moralischer Hinsicht". In der geistigen Welt komme es sogar häufig vor, daß „die intensive Größe zur extensiven im umgekehrten Verhältnis steht". „Werke der Literatur und Kunst werden heutzutage von einer größeren Menge genossen... Aber es wäre lächerlich, ein größerer Epiker sein zu wollen als Homer, oder ein größerer Tragiker als Sophokles."

Indem Ranke so den Fortschrittsoptimismus ablehnt, ist er doch weit entfernt vom Kulturpessimismus späterer Generationen. Es gelte jede Epoche in ihren eigenen Idealen anzuschauen, und in ihrer Aufeinanderfolge, zum Beispiel in der Ausweitung der Geschichte der Nationen zu der der Menschheit,[38]) sei ein „gewisser Fortschritt" nicht zu verkennen. „Aber ich möchte nicht behaupten", fügt Ranke hinzu, „daß sich derselbe in einer graden Linie bewegt, sondern mehr wie ein Strom, der sich auf seine eigene Weise den Weg bahnt."

Man fühlt wohl, worauf es dem historischen Denker vor allem ankommt — auf die Spontaneität des Geschichtlichen, das keinem begrifflichen Schema folgt, das alle Möglichkeiten des Unerwarteten, des Ursprünglichen, des Unableitbaren, auch des Neuanfangs, der Verjüngung, der „Ausweitung", offenhält; und man fühlt wiederum, wie eng das mit dem religiösen Grundempfinden zusammenhängt. In der Tat steht das Wort von der Unmittelbarkeit jeder Epoche zu Gott im Zentrum dieser Auseinandersetzungen. Wollte man annehmen, daß „in jeder Epoche das Leben der Menschheit sich höher potenziert, daß also jede Generation die vorhergehende übertreffe", so würde das „eine Ungerechtigkeit der Gottheit sein". Betrachte man vollends die Geschichte wie einen „logischen Prozeß", der „in Satz—Gegensatz, Vermittlung, in Positivem und Negativem sich abspinne", so würden die Menschen „bloße Schatten oder Schemen, welche sich mit der Idee erfüllten". „Ich kann", so schließt Ranke, „unter leitenden Ideen nichts anderes verstehen, als daß sie die herrschenden Tendenzen in jedem Jahrhundert sind. Diese Tendenzen können indessen nur beschrieben, nicht aber in einem Begriff summiert werden..."

Nach alledem ist es kaum nötig zu sagen, daß auch die Abwehr der philosophischen Konstruktion mehr als der Protest eines reinen Empirikers ist; anders ausgedrückt: daß sie genau so auf Philosophie beruht wie die Abwehr der theologischen Konstruktion auf Religion. „Wahre Historie" und wahre Philosophie werden daher nach Ranke „miteinander nie im Widerstreit sein",[39]) eine Gleichsetzung, die in unseren Tagen durch Benedetto Croce im Hegelschen Sinn wiederholt worden ist und nicht zu Mißverstehen Anlaß geben sollte. Was sie für Ranke bedeutete, hat er wohl am klarsten im Eingang seiner Vorlesungen in den dreißiger, vierziger und sechziger Jahren ausgesprochen,[40]) in einer Zeit also, da er in der frischesten und unmittelbarsten Bewältigung gewaltiger Stoffmassen stand, da er die Geschichte der römischen Päpste und der deutschen Reformation, die Französische, die Preußische und die Englische Geschichte verfaßte.

Besser als alle begrifflichen Erörterungen können einige dieser Sätze und Zitate Rankes Stellung zur geschichtlichen Welt umschreiben. Wir sehen hier recht eigentlich hinein in die Herzkammern seines Denkens, in das Grundsätzliche seiner Position zwischen den Zeiten wie über die Zeiten hin. Gegen eine apriorische und „unreife" (d. h. unhistorisch-spekulative) Philosophie müsse man sich allerdings verwahren, so führt Ranke in einer Handschrift der dreißiger Jahre aus, aber ebenso irrig sei es, nur ein „ungeheures Aggregat von Tatsachen" in der Historie zu sehen. „Teilnahme und Freude an dem einzelnen an und für sich", an dem „Geschlecht dieser vielgestaltigen Geschöpfe, aus welchem wir selber sind", so wie man „sich der Blumen erfreut, ohne daran zu denken, in welche Klasse des Linnäus sie gehören", dieses „ursprüngliche Sehen" müsse sich verbinden mit einem offenen Auge „für das Allgemeine". „In ihrer Tendenz", so heißt es in einer Aufzeichnung der vierziger Jahre, habe „die philosophische Methode etwas Wahres": sie beruhe „auf dem Bedürfnis nach universeller Anschauung". Oder wie Ranke es später ausdrückt: Die Beziehung auf ein Allgemeines kann der Forschung keinen Eintrag tun; „ohne jenes würde diese erkalten, ohne diese die Auffassung in ein Hirngespinst ausarten."

Und dann das lange Zitat aus den Sechzigern: „Gestehen wir ein, daß die Geschichte nie die Einheit eines philosophischen Systems haben kann; aber ohne inneren Zusammenhang ist sie nicht. Vor uns sehen wir eine Reihe von aufeinanderfolgenden, einander bedingenden Ereignissen. Wenn ich sage bedingen, so heißt das freilich nicht durch absolute Notwendigkeit. Das Große ist vielmehr, daß die menschliche Freiheit überall in Anspruch genommen wird: die Historie verfolgt die Szenen der Freiheit; das macht ihren größten Reiz aus. Zur Freiheit aber gesellt sich die Kraft, und zwar ursprüngliche Kraft; ohne diese hört jene in den Weltereignissen auf. Jeden Augenblick kann wieder etwas Neues be-

ginnen . . . nichts ist ganz um des anderen willen da; keines geht ganz
in der Realität der anderen auf. Aber dabei waltet doch auch ein tiefer,
inniger Zusammenhang ob, von dem niemand ganz unabhängig ist, der
überall eindringt. Der Freiheit zur Seite besteht die Notwendigkeit. Sie
liegt in dem bereits Gebildeten, nicht wieder Umzustoßenden, welches
die Grundlage aller neu emporkommenden Tätigkeit ist. Das Gewordene
konstituiert den Zusammenhang mit dem Werdenden. Aber auch dieser
Zusammenhang selbst ist nichts willkürlich Anzunehmendes; sondern er
war auf eine bestimmte Weise so und so, nicht anders . . . Er ist ebenfalls
ein Objekt der Erkenntnis. Eine längere Reihe von Ereignissen — nacheinander und nebeneinander —, auf solche Weise miteinander verbunden, bildet ein Jahrhundert, eine Epoche. Die Verschiedenheit der Epochen beruht darauf, daß aus dem Kampf der Gegensätze von Freiheit
und Notwendigkeit andere Zeiten, andere Zustände hervorgehen. Vergegenwärtigen wir uns in diesem Sinn die Reihe der Jahrhunderte, jedes
in seiner ursprünglichen Wesenheit, alle in sich verkettet, so werden wir
die Universalgeschichte vor uns haben, von Anbeginn herauf bis zu dem
heutigen Tag. Die Universalgeschichte begreift das vergangene Leben des
menschlichen Geschlechts, und zwar nicht in einzelnen Beziehungen und
Richtungen, sondern in seiner Fülle und Totalität.“

Man könnte wohl schließen mit diesen Worten, die in ihrer andeutenden Verhaltenheit doch alles Wesentliche zusammenfassen über „Ranke
und die geschichtliche Welt“. Nur in wenigen Worten und einigen Haupt-
richtungen soll noch versucht werden, den Ertrag dieser Position zu
skizzieren.

Sie ist einmal von fortwirkender Bedeutung für das Grundproblem
einer historischen Weltanschauung, ihre Möglichkeiten, ihre Gefahren
und deren Abwehr. Ranke führt zur Höhe, was man den „deutschen
Historismus“ genannt hat; jene „Teilnahme und Freude an dem einzelnen“, den Sinn für das Unableitbare, für das „Gewordene“ gegen das
„Gemachte“, für das Originale und Konkrete, das keiner allgemeinen
Regel unterworfen werden kann, weder der des „organischen“ Kreislaufs
noch des „linearen“ Fortschritts, weder der Vorstellung eines besten
Staates oder einer besten Gesellschaftsordnung noch der Vorstellung einer
ewig gleichen Menschennatur, sei sie von ursprünglicher Güte oder ursprünglicher Verworfenheit. Nur der Durchbruch durch diese überkom-
menen Formeln normativen Denkens konnte die geschichtliche Welt in
ihrem Bildungswerk frei setzen. Indem er das Individuelle schlechthin zu
erfassen suchte, mit einer Verbindung von unbestechlichem Sehen und
inniger Einfühlung, hat Ranke selbst eine Norm des geschichtlichen Den-

kens geschaffen. Sie besagte, daß jede Erscheinung allererst aus sich selbst, aus den Bedingungen ihres Werdens und Bestehens, aus dem „Geist der Zeit" forschend verstanden werden könne und solle.

Aber zwei Gefahren lauerten auf diesem Weg. Die eine ist die einer Rechtfertigung des Beharrenden oder des sich Durchsetzenden als solchen. Man wird sagen müssen, daß auch Ranke dieser Gefahr gelegentlich seinen Tribut entrichtet hat. Aber im Prinzipiellen war er gefeit gegen jede billige Erfolgsethik. Der Wert einer Epoche oder einer geschichtlichen Einzelerscheinung lag ja gar nicht in dem, „was aus ihr hervorgeht". „Zuletzt", so sagt Ranke in seiner Französischen Geschichte,[41]) „liegt etwas von dem Gelingen noch Unabhängiges in dem Bestreben an sich." — Die andere verwandte Gefahr ist die des Relativismus und Indifferentismus, die schon am Anfang des 19. Jahrhunderts blitzartig beleuchtet wird durch jenes Wort der Frau von Staël: „Tout comprendre est tout pardonner." — Im Gegensatz dazu war Rankes Allverstehen kein Allverzeihen. Er verstand Machiavelli, aber er rechtfertigte ihn nicht.[42]) Trotz gewisser harmonisierender Neigungen blieb ihm das Böse in der Geschichte, was es für Burckhardt war: ein zugelassener Teil der Weltökonomie, der aber deshalb nicht aufhört, böse zu sein. Für „höchst gefährlich" halte er den Grundsatz, schrieb Ranke einmal an König Max, daß der Zweck die Mittel heiligt. Und Hegels Lehre von der List der Vernunft fand er eine „höchst unwürdige Vorstellung von Gott und der Menschheit". „Die Einsichtigen aller Zeiten", heißt es ein andermal,[43]) „wußten, was gut und groß, was erlaubt und Rechtens, was Fortschritt und Verfall ist. In großen Zügen ist es in die menschliche Brust geschrieben, ein einfaches Nachdenken genügt, um es aufzufassen."

Hier fand der verstehende Historiker die Schranke gegen das, was eine spätere Zeit so selbstbezeichnend „die Anarchie der Werte" genannt hat. Er schöpfte aus dem christlich-humanistischen Erbe und rief es doch gleichsam nur im Grenzfall an, er mäkelte nicht an der Geschichte herum mit dem Eifer des besserwissenden Moralisten oder des vom Schuldkomplex Besessenen. Er anerkannte, daß in ihr Erscheinung und Idee, Freiheit und Notwendigkeit unlöslich durcheinandergewachsen sind, aber er wahrte das Prinzip menschlicher Würde und sittlicher Zuordnung sowie eine feste Rangordnung metaphysischer und moralischer Werte. Wir haben gewiß alle Ursache heute, das Verpflichtende und Überhistorische in diesem letzten Maßstab zu betonen.

Doch noch in einer anderen, rein historischen, aber nicht weniger verpflichtenden Form wehrte Ranke die Gefahr des Historismus ab. Während er das einzelne davor bewahrte, Mittel zum Zweck zu sein, wurde es doch nicht Selbstzweck. Dem stand entgegen das „Offenhalten des Auges für das Allgemeine" oder Rankes universalgeschichtlicher Sinn. Die Freude am einzelnen wurde bei ihm weder ästhetische noch patriotische Vereinzelung, er hat weder Biographien noch eigentliche Nationalgeschichte geschrieben. So hat Ranke wohl Persönlichkeiten in einer Fülle glänzender Porträts gezeichnet, vor allem die in der Geschichte der Päpste sind mit Recht berühmt. Aber sein Wallenstein ist keine Biographie, sondern eine Geschichte Wallensteins, und mit einer sehr bezeichnenden Technik führt er Individuen in der Regel erst ein, wenn sie für den Gang der Dinge Bedeutung gewinnen, wenn sie mehr als private Existenz haben, wenn sie ihren „Weltmoment" erleben.[44]) Das gleiche gilt auf einer höheren Ebene von den Kollektivindividualitäten, den Nationen. Rankes Erstlingswerk handelt von den romanisch-germanischen Völkern, in dem Augenblick, da sie in Einheit und Widerstreit die Bühne der neueren Geschichte zu füllen beginnen. Seine Französische und seine Englische Geschichte, vornehmlich im 16. und 17. Jahrhundert, sind ganz gegenständlich und gewiß voll von individuellem Leben, aber doch ausgerichtet auf den Beitrag, den beide Völker jeweils in einer entscheidenden Phase zur Gesamtgeschichte Europas liefern. Er studiere sie „als die Weltgeschichte", schrieb er 1865 an Edwin v. Manteuffel. Selbst von Rankes Preußischer Geschichte ließe sich das bis zu einem bestimmten Grade sagen. „Übrigens kommt man an einen Punkt", schreibt Ranke 1830, „wo die Entwicklung nicht mehr national, sondern ganz universell ist."[45]) Und einige Jahre später sagt er gradezu,[46]) daß „zuletzt doch nichts weiter geschrieben werden kann als die Universalgeschichte. In seinem vollen Licht wird das einzelne niemals erscheinen, als wenn es in seinem allgemeinen Verhältnis aufgefaßt wird". Rankes Weltgeschichte ist somit nur die ausdrückliche Krönung einer von früh auf angelegten Sicht. Im Schlußband erinnert er ausdrücklich an den Begriff seiner universalhistorischen Studien überhaupt, wenn er der Weltgeschichte — neben und über der Geschichte der einzelnen Völker — ihr eigenes Prinzip vindiziert. „Es ist das Prinzip des gemeinschaftlichen Lebens des menschlichen Geschlechts, welches die Nationen zusammenfaßt und sie beherrscht, ohne doch in denselben aufzugehen." Er bezeichnet dies Prinzip als die „Bildung, Erhaltung, Ausbreitung der Kulturwelt; nicht der Kultur, wie man sie gewöhnlich versteht, was einen auf Wissenschaften und Künste beschränkten Horizont ergeben würde. Die Kulturwelt umfaßt zugleich Religion und Staat, die freie, dem Ideal zugewandte Entwicklung aller Kräfte; sie bildet den vornehmsten Erwerb und Besitz des menschlichen Geschlechts, der sich von Generation zu Generation fortpflanzt und ver-

mehrt." Wir begegnen hier wieder der Annahme eines „gewissen Fortschritts" in der Richtung universaler, allumfassender und menschheit-
licher Kultur. Aber Ranke fügt hinzu: „Das welthistorische Moment tritt
nicht in allgemeingültigen Formen, sondern in den verschiedensten Gestalten hervor."[47]) Oder wie es in der Vorrede zu Rankes letztem Werk
heißt:[48]) „Die Weltgeschichte würde in Phantasien und Philosopheme
ausarten, wenn sie sich vom festen Boden der Nationalgeschichten los-
reißen wollte, aber ebensowenig kann sie an diesem Boden haften. In
den Nationen selbst erscheint die Geschichte der Menschheit."

Deutlicher vielleicht als irgendwo sonst sehen wir hier Rankes Stellung zwischen den Zeiten und über die Zeiten hin. Er übernahm das uni-
versalgeschichtliche Interesse der Aufklärung, aber gab dem „Philoso-
phem" eine konkrete Struktur. Es sei erinnert an das Wort aus den Sechzigern: „Zur Freiheit gesellt sich die Kraft, und zwar ursprüngliche Kraft,
ohne diese hört jene in den Weltereignissen auf. Jeden Augenblick kann
wieder etwas Neues beginnen." Und doch, indem Ranke den Staat als
dynamischen Faktor in die Zivilisationsgeschichte hineinstellte und in den
Nationen die Geschichte der Menschheit suchte, wurde er nicht zum politischen Historiker im Sinn des späteren 19. Jahrhunderts. Anders ausgedrückt: er übergreift in eigentümlich fruchtbarer Weise die Phase natio-
naler Verengerung, die Europa und der Welt bevorstand, und wird daher
erneut bedeutsam in einer Zeit, die sich wiederum vor das Problem universaler Ordnung gestellt sieht.

Aber hat er nicht grade durch seine Betonung der Macht, durch seine
vornehmliche Blickrichtung auf auswärtige Politik und Krieg, dem Ab-
gleiten ins Partikulare und Nationale Vorschub geleistet? Und ist sein
Sinn für das Allgemeine nicht beschränkt auf eine Gruppe großer Staaten in West- und Mitteleuropa? Man könnte solchen Fragen entgegen-
halten, daß Rankes „Beschränkung" auf die romanisch-germanischen
Völker tatsächlich eher „Ausweitung" war, daß er immerhin eine Geschichte der serbischen Revolution geschrieben hat, die völliges Neuland
betrat, und daß in seinem Hardenberg sich sehr wesentliche Bemerkungen
über polnisch-russische Dinge finden. Man könnte im gleichen Sinne einer
etwas äußerlichen Verteidigung betonen, daß er zwar an Wirtschafts-
geschichte zweifellos nicht besonders interessiert war, aber wichtige Studien veröffentlicht hat über „Verfassung und soziale Zustände" in Süd-
europa und über die Staatsökonomie der Venetianer. Auch seine Aufsätze
über italienische Poesie und italienische Kunst sollten den Vorwurf der
Einseitigkeit widerlegen, sie zeigen Rankes Fruchtbarkeit im Erfassen des
individuellen sowohl wie des universalen Geistes einer großen Epoche.

So schreibt er 1830 aus Rom im Vollgefühl einer damals noch ungewohn-ten Sicht: „Ich bin darauf gekommen, daß [Gang und Entwicklung der Kunst seit dem Ende des 15. Jahrhunderts] der Poesie und übrigen Literatur völlig entspricht, daß, sobald es gelingt, die wichtigsten Um-wandlungen mit sicherer Wahrnehmung zu ergreifen, man sich einer Ge-schichte des inneren Daseins der [italienischen] Nation annähern könnte, an deren Möglichkeit man kaum glauben sollte.⁴⁹) Gewiß, er betonte scharf den sogenannten „Primat" der auswärtigen Politik, aber doch nur in dem Sinne (wie das „Politische Gespräch" unmißverständlich zeigt), daß das Gebot der Selbsterhaltung die „ursprüngliche" Wurzel, d. h. eben die ideellen und sozialen Antriebe des politischen Lebens, „modifiziere". Es scheint kaum nötig hinzuzufügen, daß der Historiker der deutschen Reformation, so sehr er sie in politische Verhältnisse und Weltbegeben-heiten einbettete, ein tiefes Interesse an ihrer „ursprünglichen Wurzel" hatte, wie er denn sein Buch mit einem Kapitel über deutsche Literatur endet. Und schließlich hörten wir, daß Ranke die „Bildung, Erhaltung und Ausbreitung der Kulturwelt" als das Prinzip der Weltgeschichte ver-trat. Er wollte allerdings nicht heterogene Kulturkreise aufeinander oder nebeneinander häufen, die nur durch formale Ähnlichkeiten verknüpft sind. Und er wollte nicht eine extensive Weltzivilisationsgeschichte schrei-ben, die notwendigerweise weithin aus zweiter Hand schöpft oder ihre Einheit nur aus der Hand des Buchbinders empfängt. Und doch ließe sich sagen, daß in einer Zeit, da die „Großen Mächte" tatsächlich die Erde erfüllen und alle Völker in Wechselwirkung stehen, Rankes Position so-sehr sie im Sinn des 19. Jahrhunderts die Vertikalen zuungunsten der Horizontalen überwertet, in fruchtbarster und einzigartiger Weise auf die Geschichte der ganzen und einen, wenngleich perspektivisch und struk-turell gegliederten Welt vorausweist.⁵⁰)

Dies möge schließlich für einen Augenblick noch Rankes Konzeption der „Großen Mächte" in das Blickfeld führen. Er hat darüber in einem kurzen, ungemein gedrängten Aufsatz gehandelt, der im Kern alle seine Hauptwerke vorweg enthält.⁵¹) Es ist das Thema der Einheit in der Viel-heit und der Vielheit in der Einheit, das er hier durchführt und verwirk-licht findet im Wettstreit der nationalen Individualitäten vom 17. zum 19. Jahrhundert hin: „Sie blühen auf, nehmen die Welt ein, treten heraus in dem mannigfaltigsten Ausdruck, bestreiten, beschränken, überwältigen einander, in ihrer Wechselwirkung und Aufeinanderfolge, in ihrem Leben, Vergehen oder ihrer Wiederbelebung, die dann doch immer größere Fülle, höhere Bedeutung, weiteren Umfang in sich schließt, liegt das Geheimnis der Weltgeschichte." — Es würde zu weit führen zu erörtern, was in dieser

Konzeption real-geistiger Einheiten und konkret gemachter Ideen zeit-gebunden und harmonisierend ist oder die Dämonie der Macht übersieht, und was Gültigkeit etwa behalten hat.[52]) Zwei Beobachtungen aber drängen sich auf, die uns heute nahe angehen. Die eine ist, daß Ranke seinen vertrauensvollen Ausblick gewinnt mit Bezugnahme auf jenen „Genius", wie er ihn nennt, „der Europa noch immer von der Herrschaft jeder ein-seitigen und gewaltsamen Richtung beschützt, jedem Druck von der einen Seite noch immer Widerstand von der anderen entgegensetzt und bei einer Verbindung der Gesamtheit, die, von Jahrzehnt zu Jahrzehnt enger und enger geworden, die allgemeine Freiheit und Sonderung glücklich gerettet hat." Aber wenn Ranke jede gewaltsame Universalherrschaft und nivel-lierende Einerleiheit am Genius Europas scheitern sieht, so ist er doch, und das ist das zweite, durchaus offen der Möglichkeit einer rechtlich organisierten Einheit. „Es ist wahr, die Weltbewegungen zerstören wieder das System des Rechts, aber", so heißt es in den Großen Mächten, „nach-dem sie vorübergegangen, setzt sich dieses von neuem zusammen, und alle Bemühungen zielen nur dahin, es wieder zu vollenden."

Es sei hier nicht versucht, aus solchen Anschauungen mit „dickhäutigen Worten" ableiten zu wollen, was Rankescher Geist heute zu bedeuten ver-möchte für die Ansicht von gegliederter Fülle und rechtlicher Einheit der Welt. Das wäre sehr wenig im Sinn des großen Historikers. Und viel-leicht ist dies ein letztes, was ihn uns ehrwürdig macht, inmitten einer lauten und marktschreierischen Welt. Auch nachdem er so weite Bezirke forschend durchwandert hatte wie kaum ein Geschichtsschreiber vor ihm, hätte er die gleichen Worte niederschreiben können, die am Ende des Vorworts zu seinem Erstlingswerk stehen:

„Man bemüht sich, man strebt, am Ende hat man's nicht erreicht. Daß nur niemand darüber ungeduldig werde! Die Hauptsache ist immer, wo-von wir handeln . . ., Menschheit wie sie ist, erklärlich oder unerklärlich: Das Leben der einzelnen, der Geschlechter, der Völker, zuweilen die Hand Gottes über ihnen."

ANMERKUNGEN

¹) Im folgenden ist ein Vortrag wiedergegeben, der vor der Literarischen Gesellschaft in Chicago am 31. Januar 1947 gehalten wurde. Die Vortragsform ist bis auf kleinere Abschleifungen und Erweiterungen beibehalten, und nur die nötigsten Quellennachweisungen sind beigefügt worden. Dem Kenner wird nicht verborgen sein, wieviel der Verfasser der neueren Ranke-Forschung verdankt. Summarisch genannt seien: Gerhard Masur, *Rankes Begriff der Weltgeschichte* (1926); Ernst Simon, *Ranke und Hegel* (1928); Joachim Wach, *Das Verstehen*, Bd. 3 (1933), S. 89—133; Ernst Troeltsch, *Der Historismus und seine Probleme*, Bd. 1 (1922). Insbesondere sei auf die zahlreichen Ausführungen Friedrich Meineckes verwiesen: *Weltbürgertum und Nationalstaat*, 5. Aufl. (1919), S. 187—328; *Die Idee der Staatsräson* (1924), S. 469—487; *Preußen und Deutschland* (1918), S. 361—379; *Die Entstehung des Historismus* (1936), S. 632—649. Doch werden auch bestimmte Abweichungen deutlich sein von einer Gedankenrichtung, die vornehmlich unter dem Zeichen des „Historismus und seiner Krisis" stand. Unser Interesse gilt heute wieder mehr der weltanschaulichen Geschlossenheit und universalen Struktur als der logischen Zwiespältigkeit und standortmäßigen Bedingtheit des Rankeschen Geschichtsbildes.

Erst bei der Fertigmachung für den Druck (Dez. 1948) sind dem Verfasser die beiden neuesten Aufsätze Meineckes über Ranke zur Kenntnis gekommen *(Aphorismen und Skizzen, 1942, S. 72—87, 127—162),* die in Aneignung und Umformung Rankescher Ideen ein sehr persönliches und sehr positives Bekenntnis des Nestors unter den noch lebenden deutschen Historikern enthalten. Der zweite Aufsatz insbesondere gibt eine ausführliche und ungemein beziehungsreiche „Deutung eines Ranke-Wortes", das auch für die nachstehenden Ausführungen von zentraler Bedeutung ist. — Da sich die Drucklegung um mehr als zwei Jahre verzögert hat, sei noch ein weiterer Nachtrag gemacht. Es ist in erster Linie zu verweisen auf das einheitlich zusammengefaßte und aus neuen Quellen ergänzte Briefwerk Rankes. *(Leopold v. Ranke, Das Briefwerk.* Eingel. und herausg. v. Walter Peter Fuchs; Hamburg 1949; *Leopold v. Ranke, Neue Briefe.* Ges. und bearb. v. Bernhard Hoeft, herausg. v. Hans Herzfeld, Hamburg 1949.) Die im folgenden gegebenen Briefzitate sind danach überprüft worden, doch ist von Umschreibungen der Fußnoten und von Erweiterungen des Materials abgesehen worden. Unter neueren monographischen Arbeiten ist vor allem die Studie von *Theodor v. Laue, Leopold Ranke, the formative years* (Princeton 1950) hervorzuheben. Das Buch hat unter anderem das Verdienst, im Anhang eine englische Übersetzung der „Großen Mächte" und des „Politischen Gesprächs" zu geben. Es enthält weiterhin viele treffende, zum Teil glänzende und geistvolle Formulierungen sowie eine Reihe wertvoller Beobachtungen über die politischen Unter- und Obertöne seiner Geschichtsschreibung. Aber des Verfassers Vorurteile treten seinen besseren Einsichten und dem, was an seiner Analyse berechtigt ist, immer wieder störend in den Weg. Es ist für ihn von vorneherein unvollziehbar, daß ein Konservativer Auch-Idealist gewesen sein kann, und in letzter Linie muß Ranke herhalten, eine entweder falsche oder fehlende politische Erziehung des deutschen Volks zu erklären. In gröbster Form ist diese Tendenz in der London „Times" (Lit. Suppl. May 12, 1950) in einer Besprechung der Ranke-Briefe ausgesprochen: „To turn from political responsibility to dedication is to open the door to tyranny and measureless barbarism."

²) *Sämtliche Werke* (S. W.), 53—54, S. 362—370; *Weltgeschichte,* IX, 2. XIX.

³) Herausg. v. Elis. Schweitzer in: Rankes *Geschichte der Reformation,* Bd. VI S. 35 ff. Gesamtausg. der Deutschen Akademie, herausg. v. Joachimsen, München 1926. v. Laue (a. a. O.) hat es versäumt, diese Quelle zu Rate zu ziehen.

⁴) S. W., 53—54, S. 76.

⁵) S. W., 51—52, S. 597 f.

[6]) S. W., 53—54, S. 278.

[7]) Urteile Droysens vor allem in seinem *Briefwechsel,* herausg. v. Hübner, 1929, I, 10 f., 119 („Das wahre Faktum steht nicht in den Quellen"), 370, 391, 725; II, 54, 169, 197, 373 f., 424, 434, 442, 450, 534, 605, 656, 661, 705, 911 f., 952, 976 f. Dazu die Auseinandersetzung über die Preußische Geschichte in Küntzels Neuausgabe: Ranke, *12 Bücher Preußische Geschichte,* I, S. XCIII ff. — Auch in der Beurteilung durch Jakob Burckhardt (den einzigen ebenbürtigen Rivalen in universalgeschichtlicher Betrachtung, den Ranke im 19. Jahrhundert gehabt hat) kreuzte sich bekanntlich Kritik der allzu „diplomatischen" Persönlichkeit mit großer sachlicher, nur hier und da qualifizierter Bewunderung. (Hauptstellen in Jak. Burckhardt, *Briefe,* herausg. v. F. Kaphahn, S. 22, 40, 53, 65, 82, 364). Der Vergleich der universalhistorischen Konzeption beider Männer ist ein großes Thema für sich. Meinecke in einer Berliner Akademie-Rede *(Ranke und Burckhardt,* Berlin 1948. Vorträge und Schriften der Ak. d. Wiss. H. 27) hat das Versöhnende innerhalb des Gegensätzlichen hervorgehoben: „Man kann sich dankbar lernend von dem einen zum anderen begeben und hier wie dort Höhenluft atmen." (S. 20.) Unleugbar jedoch hat für ihn wie auch sonst für die zeitgenössische Geschichtsauffassung Burckhardt an Gewicht gegenüber Ranke zugenommen, nicht so sehr wegen seiner Bevorzugung der Kulturgeschichte, als wegen seines fundamentalen Bewußtseins der Krisenhaftigkeit unserer Epoche, dem in Ranke ein noch unerschütterter Glaube an die abendländische Zukunft gegenübersteht. In starker Profilierung tritt das hervor in Th. Schieders schönem Aufsatz: Die historischen Krisen im Geschichtsdenken Jakob Burckhardts *(Schicksalswege deutscher Vergangenheit.* Düsseldorf, 1950, S. 421 ff.) und dem Parallelaufsatz: Das historische Weltbild Leopold v. Rankes *(Geschichte in Wissenschaft und Unterricht* H. 3. 1. Jahrg. 1950, S. 138 ff.).

[8]) *Briefwechsel* zwischen K. Marx und F. Engels, herausg. v. Bebel und Bernstein, III (1913), S. 182. Für einige Beziehungen zwischen Ranke und Marx siehe des Verfassers Aufsatz: Marxismus und auswärtige Politik *(Meinecke Festschrift* 1922, S. 316 ff.).

[9]) Zitiert in Meinecke: Zur Beurteilung Rankes *(Preußen und Deutschland im 19. und 20. Jahrh.,* 1918, S. 371).

[10]) S. W., 53—54, S. 405.

[11]) *Reformationsgeschichte,* Bd. VI, S. 324 (Gesamtausg. der Deutschen Akademie). — Die Bezugnahme auf Goethe ist nicht wörtlich ausgesprochen, ist aber in ihrer Selbstverständlichkeit um so nachdrücklicher.

[12]) S. W., 53—54, S. 122.

[13]) Zum Folgenden s. a. a. O., S. 89, 102, 140, 162.

[14]) A. a. O., S. 233.

[15]) Gesamtausg. d. Deutschen Akademie, Bd. 1, S. 3*.

[16]) S. W., 53—54, S. 61.

[17]) J. W. Thompson and B. Holm, *A History of Historical Writing,* II (1942), S. 180.

[18]) A. a. O., S. 190—191.

[19]) A. a. O., S. 185. — Von einem sehr anderen Boden aus wiederholt Benedetto Croce dieses Urteil.

[20]) Charakteristisch für diese Auffassung ist unter anderen Charles A. Beard, *Written History as an Act of Faith* (Am. Hist. Rev., 39). — In schärferer Tonart werden wir mit Bezug auf Ranke belehrt („Times" a. a. O.), daß Unparteilichkeit das gefährlichste aller Vorurteile ist.

[21]) S. W., 53—54, S. 404.

[22]) A. a. O., S. 569.

²³) Betrachtung, Januar 1877, S. W., 53—54, S. 613.

²⁴) *Geschichten der romanischen und germanischen Völker von 1494—1514.* Vorrede zur 1. Ausgabe. Hier auch die folgenden Zitate. Für die „großen Atemzüge dieses unvergleichlichen Vereins" siehe Ende der Einleitung.

²⁵) Zitiert bei E. Simon, *Ranke und Hegel,* S. 82.

²⁶) S. W., 53—54, S. 238.

²⁷) Die folgenden Zitate aus S. W., 53—54, S. 90, 139, 195, 210, 261, 569. Über die religiösen Antriebe der Jugendjahre hat Hermann Oncken schön gehandelt in: *Aus Rankes Frühzeit,* Gotha, 1922, S. 2 ff.

²⁸) Zitat nach Rothacker, *Leopold von Ranke, Das Politische Gespräch und andere Schriften zur Wissenschaftslehre,* 1925, S. XI. Vgl. auch Meinecke, *Aphorismen,* S. 149—150.

²⁹) Für die Bewußtheit dieser Berührung siehe das interessante Wort Rankes: „Goethe hätte auch ein großer Historiker werden können, aber Schiller hatte keinen Beruf zum Geschichtsschreiber." (Zitat bei Oncken, a. a. O., S. 13.) — Für das Grundsätzliche der Berührung siehe auch die schöne Abhandlung von Theodor Schieder, *Ranke und Goethe,* Historische Zeitschrift, Bd. 166, 1942, S. 260—286.

³⁰) *Weltgeschichte,* IX, 2, S. 5 f. (Vorträge für König Max, 1854.) Siehe zur umfassenden Deutung dieses Kernworts Meinecke, a. a. O., S. 127—162.

³¹) *Briefwechsel Friedrich Wilhelms IV. mit Bunsen,* S. 78. (Vgl. Meinecke, a. a. O., S. 127—128.)

³²) Es ist von Meinecke mit Recht betont worden, daß diese Anschauung nicht gleichzusetzen ist einer Leugnung des Unterschiedes zwischen gottnahen und gottfernen Zeiten (a. a. O., S. 132—134). Auf die Gegengewichte gegen einen verflachenden Relativismus in Rankes Geschichtsbild wird zurückzukommen sein.

³³) *Reformationsgeschichte* (Ges.-Ausg. d. Deutschen Akademie, VI, S. 316—371).

³⁴) Dazu E. Simon, a. a. O., bes. S. 143 ff.

³⁵) S. W., 53—54 (Tagebuchblätter), S. 570.

³⁶) *Weltgeschichte,* IX, 2, Vorw. S. IX. — Mehr ausgewogen wiederum ist die berühmte Äußerung im „Politischen Gespräch", deren erkenntnistheoretische Folgerung hier freilich nur für das Gebiet des Staatlichen gezogen wird: „Aus dem Besonderen kannst du wohl bedachtsam und kühn zu dem Allgemeinen aufsteigen; aus der allgemeinen Theorie gibt es keinen Weg zur Auffassung des Besonderen."

³⁷) Zum Folgenden siehe insbes. *Weltgeschichte,* IX, 2, S. 2—13.

³⁸) Hierzu auch die charakteristische Bemerkung Rankes im 2. Vortrag (a. a. O., S. 13): „Niemand kann die Prätension haben, ein größerer Geschichtsschreiber zu sein als Thukydides. Hingegen habe ich selbst die Prätension, etwas anderes in der Geschichtsschreibung zu leisten als die Alten, weil unsere Historie voller strömt als die ihrige, weil wir andere Potenzen in die Historie hineinzuziehen suchen, welche das gesamte Leben der Völker umfassen, mit einem Worte, weil wir die Geschichte zur Einheit zu fassen suchen."

³⁹) S. W., 49—50 (Reflexion, 1832), S. 245.

⁴⁰) Wiedergegeben von A. Dove in *Weltgeschichte,* IX, 2, S. VII—XVI.

⁴¹) 1, S. 109.

⁴²) Dazu wie für die folgenden Zitate siehe vor allem Fr. Meinecke, *Die Idee der Staatsraison,* München u. Berlin, 1924, S. 473 ff.

⁴³) In der *Einleitung zur Historisch-politischen Zeitschrift* (1832), S. W., 49—50, S. 4.

⁴⁴) Siehe dazu A. Dove, *Rankes Verhältnis zur Biographie,* in Ausgewählte Schriften vornehmlich historischen Inhalts (1898), p. 205 ff., und E. Simon, a. a. O., S. 147 ff. Siehe das. die charakteristische Art, wie Ranke Contarini (eine seiner Lieblingsgestalten) in

der Geschichte der Päpste einführt: „Jetzt trat er in eine ... Stelle, die uns wenn nicht die Pflicht auflegt, doch die Erlaubnis gibt (!), seine Persönlichkeit näher zu betrachten." (*Päpste*, 1, S. 154.)

[45]) S. W., 53—54, S. 234.

[46]) A. a. O., S. 270 f.

[47]) *Weltgeschichte*, VIII, S. 4 — Rothacker, a. a. O., S. xv—xvi. H. Holborn (*The Science of History*, in: *The Interpretation of History*, ed. by Jos. R. Strayer, Princeton, 1943, p. 79, et. seq.) rühmt diesen Sätzen des „altersreifen" Gelehrten ihre „awareness of human civilization in its totality" nach. Er übersieht die früheren Linien „seiner universalhistorischen Studien überhaupt", die auf „immer größere Fülle, höhere Bedeutung, weiteren Umfang" hinweisen (so schon in den „Großen Mächten" und in den Äußerungen der vierziger und sechziger Jahre). Siehe auch den Vergleich mit Thukydides (Anm. 38).

[48]) *Weltgeschichte*, 1, S. vii—viii. — Dieses Zitat ist treffend von Schieder (s. Anm. 29) mit Goethes Ansicht der Weltliteratur als „unendliche Fuge der Völker" verglichen worden. In der Tat nimmt Ranke selbst in den Großen Mächten dieses Thema auf: eine wirkliche Weltliteratur gebe es erst, seit es Nationalliteratur gebe.

[49]) S. W., 53—54, S. 238.

[50]) Es würde sich dies auch gegenüber Toynbees großer „Study of History" sagen lassen, sosehr dieses Werk naturgemäß im Anspruch der Allumfassung und in der Kenntnis entlegenster Zivilisationen dem alten Meister überlegen ist. Ranke war unzweifelhaft in Europa zentriert, er war zudem ein individueller Universalhistoriker und noch nicht Leiter eines wissenschaftlichen Großunternehmens. Dafür hat seine Sicht einer sich ausweitenden Welt, die das vergangene Leben des menschlichen Geschlechts „in seiner Fülle und Totalität" zu begreifen sucht, mehr innere Einheit und Verbindlichkeit als die verblüffende Kombination einer anthropologischen oder soziologischen Analyse von Zivilisationsstrukturen mit einer plötzlichen Wendung zu chiliastischen Zukunftshoffnungen oder einer Augustinischen Zweiweltentheorie.

[51]) Zuerst gedruckt in der *Historisch-politischen Zeitschrift* und zusammen mit dem ebenda gedruckten „Politischen Gespräch" ein Hauptdokument von Rankes politischen Anschauungen. Wiederabdruck in S. W., 49—50. Ein Sonderdruck der „Großen Mächte" ist veröffentlicht und eingeleitet durch F. Meinecke in Insel Bücherei Nr. 200. Die folgenden Zitate das. S. 60, 23, 21.

[52]) Man könnte in den „Großen Mächten" eine konkrete und lebensvolle Vorausdeutung auf Toynbees Schema von „Challenge-and-Response" erblicken, aber auch das Zeugnis des noch unerschütterten Glaubens an eine „verborgene Harmonie", der den „rout-rally rhythm" nicht als in der Regel auf „three-and-a-half beats" beschränkt sieht. Auch den Kampf als den „Vater aller Dinge" hat Ranke gelegentlich in einer Weise betont, zu der wir uns nicht mehr bekennen können. Bei alledem handelt es sich für ihn um ein Ernstnehmen des pragmatischen Zusammenhangs, der doch zugleich (Schieder, a. a. O., S. 139) „nur die Zeichenschrift einer Welt höherer Ordnung ist".

HEBBEL UND SCHELLING

Wolfgang Liepe

BEIM EINTRITT in sein dreißigstes Lebensjahr zieht Hebbel im Hamburger Tagebuch die Summe seiner menschlichen und künstlerischen Existenz für die sieben Jahre, die er erst in der Welt sei, das heißt für die Zeit, seit er die Engigkeit seiner dithmarsischen Heimat hinter sich gelassen hatte. Befriedigt schaut der Dichter auf die vollbrachte künstlerische Leistung zurück. „Aber", so schließt er seinen Rechenschaftsbericht, „ich habe das Talent auf Kosten des Menschen genährt, und was in meinen Dramen als aufflammende Leidenschaft Leben und Gestalt erzeugt, das ist in meinem wirklichen Leben ein böses, unheilgebärendes Feuer, das mich selbst und meine Liebsten und Teuersten verzehrt."[1] Bereits der Siebzehnjährige hatte in der naiv konventionellen Sprache seiner ersten Aphorismen in Wesselburen notiert: „Eine Treppe steht auf Erden: Ob der Mensch ihre erste Stufe betritt oder nicht, davon hängt es ab, ob die irdische Laufbahn ihm unvergängliche Rosen beut oder nimmer vergehende Dornen: die Stufe der Schuld."[2] Der Dreißigjährige ist sich bewußt, daß er mit dem Schritt in die Welt auch die Treppe der Schuld betreten hat.

Sein Bekenntnis enthüllt die grundlegende Spannung seiner menschlichen und dichterischen Existenz, die sein Leben lang anhalten wird: die Spannung zwischen dem herrischen Eigenwillen seiner Individualität und dem Widerstand der Umwelt, eine Spannung, die ihn in den „Wirbel" von Schuldbewußtsein und Entschuldungsdrang zieht. Dieses im persönlich Menschlichen erlittene und in der Kunst ins Schicksalhafte erhobene Erlebnis des Schuldigwerdens macht Hebbels gesamtes Werk zur dichterischen Beichte. Schuldbekenntnis und Schuldflucht zugleich schließt das vieldeutige Wort ein, das noch der Nibelungendichter im Tagebuch niederschreibt: „Das böse Gewissen des Menschen hat die Tragödie erfunden."[3] Alle seine großen Gestalten, deren tragisches Geschick sich in der Selbstzerstörung erfüllt, sind in die Spannung zwischen Schuldbewußtsein und Entschuldungsdrang, zwischen Sollen und Nichtkönnen, zwischen Freiheit und Notwendigkeit gestellt. Auf dieser Spannung beruht auch die Doppelheit des tragischen Aspekts bei Hebbel, das Ineinander von Charaktertragödie und Zustandstragödie; denn noch das notwendige Sosein der Charaktere wird von ihm — in Schellings Sicht — im Zeichen der Freiheit gesehen.

Die Spannung von Ich und Umwelt, in die Hebbel sich von frühauf im Kampf um seine äußere und innere Existenz gestellt sieht, erlebt er wechselweise als Leiden am Ich oder als Leiden an der Welt. Zwischen dem Ja zum Ich und dem Ja zum Du, zwischen Individuum und Universum sucht er die Brücke. Das Ich zu entlasten, projiziert er den subjektiven Erlebniszwiespalt in die objektive Struktur der Welt, überwölbt aber diese — den Dualismus des Daseins als nur empirisch begreifend — mit einem metaphysischen Einheitsweltbild, dem deutlich alle Zeichen der absoluten Philosophie der Romantik aufgeprägt sind.

Unter dem heuristischen Gesichtspunkt der Diltheyschen Weltanschauungslehre gesehen, ordnet sich Hebbels Haltung jenem Typus des objektiven Idealismus ein, der die Wirklichkeit zwar als Entfaltung eines einheitlichen Zusammenhangs begreift, aber die ethische Spannung des „subjektiven" Idealismus, des Idealismus der Freiheit, innerhalb des übergreifenden Einheitserlebnisses wach erhält.[4]

Es ist das kein Schema, das wir von außen an Hebbel herantragen. Er selbst hat in seiner theoretischen Erstlingsschrift die Daseinssituation des Menschen umschrieben als „das bedenkliche Verhältnis..., worin das aus dem ursprünglichen Nexus entlassene Individuum dem Ganzen, dessen Teil es trotz seiner unbegreiflichen Freiheit noch immer geblieben ist, gegenübersteht".[5] Hinter dieser Formulierung wird der Grundriß des theosophischen Weltbildes sichtbar, das Schelling in seinen *Philosophischen Untersuchungen über das Wesen der menschlichen Freiheit* entwickelt hatte. Schelling hatte hier den Versuch unternommen, die Mystik Böhmes und Baaders mit der praktischen Vernunft Kants zu verbinden, das heißt die zentrale Idee des subjektiven Idealismus, die der intelligiblen Freiheit des Menschen, in den Rahmen des objektiven Idealismus einzubauen. Es war vor allem dieses Stadium des Schellingschen Philosophierens, das Hebbels eigener Erlebnisform entgegenkam und seinem Schuld- und Entschuldungserlebnis gleicherweise Raum bot.

Schellings Theosophie bezeichnet den geistesgeschichtlichen Moment, in dem sich die in der Frühromantik ungebrochen strömende Melodie der Unendlichkeitssehnsucht an den dunkleren Akkorden des Weltleids bricht. Innerhalb des enthusiastischen Einheitserlebnisses von Gott und Welt erhebt sich die Spannung zwischen Seinsgrund und Einzelsein, zwischen Sein und Werden, eine Spannung, in die nicht nur der Mensch, sondern auch die Selbstentfaltung Gottes in der Welt gestellt ist. Beide, Gott und Mensch, tragen die Last des Werdens. Die Melodie des Weltleids klingt auf, aber sie hat noch nicht die Führung; der Ausgangspunkt der Schellingschen Theosophie bleibt das Erlebnis der Einheit, dem sich die empirische Spannung von Ich und Welt, so wach sie auch ist, von Anbeginn unterordnet. Der Ansatzpunkt des Hebbelschen Erlebens dagegen ist die Spannung; die tragische Melodie hat daher bei ihm die Führung und wird von den Sehnsuchtstönen des Einheitserlebnisses untermalt. Wohl versteht auch er wie Schelling die menschlichen Individuen als Ideen Gottes, aber sie gelten ihm als „gefrorene Gottgedanken",[6]) und die tragischen Individualitäten sieht er als „Eisstücke", die sich, um in die Einheit einzuschmelzen, „aneinander abreißen und zerstoßen" müssen.[7]) Das macht ihn zu dem Dramatiker, dem „das Gesetz des Weltlaufs" im Rhythmus der Tragödie abläuft.[8]) Die tragische Sicht aber, von dem quantitativen Übergewicht seines dramatischen Werks in den Vordergrund gedrängt, ist nicht die ganze Sicht Hebbels. Als Lyriker erhebt er sich über das in der Erscheinungswelt waltende Gesetz des tragischen Gegensatzes:

> Und magst Du, wenn Dein Blick noch an der bloßen
> Erscheinung haftet, dumpf entgegenstreben,
> Bald schaust Du tiefer in der Kräfte Weben,
> Und das Gesetz wird Dich nicht mehr erboßen.

In den „kosmischen Momenten" dichterischer Verzückung, in den Augenblicken mystischer Versenkung, verwirklicht sich auch Hebbel das Erlebnis ursprünglicher Einheit des Individuellen und des Universellen. Auf diese spannungsvolle Einheit des Hebbelschen Werks richten wir daher im folgenden unseren Blick.

Es ist dieses Standhalten in der Spannung, das Hebbels Erleben bei aller Verwandtschaft seines Ideenkreises mit dem der Romantik, von ihr abhebt. Ihm war es gegeben, die ganze Spannungsweite der in dem romantischen Weltbild beschlossenen Möglichkeiten in ihrer radikalen Konsequenz zu durchleben und im dichterischen Symbol zu bewältigen. Wenn sich die müde gewordenen Frühromantiker vom Schlage Friedrich Schlegels, Brentanos, Zacharias Werners dem Ringen um die innere Bewältigung der Gegensätze durch die Flucht in die Eindeutigkeit des Dogmas entzogen, so erlebt Hebbel die Zweideutigkeit des Lebens, die mit ihm selbst gesetzte Spannung, als einen positiven, ja, als den das Dasein bedingenden und erst ermöglichenden Wert. Die Spannung ist „das höchste Gesetz" des Daseins, wie er es in dem gleichnamigen Sonett ausspricht: „Der holde Keim verborgner Möglichkeiten: Das Dasein war nicht anders zu erkaufen."[9])

Um die Originalität des Weltbildes Hebbels geht seit den Tagen des Dichters ein in der Forschung nicht beendeter Streit. Fast hat es den Anschein, als habe man befürchtet, dem Wert der dichterischen Leistung Hebbels durch den Zweifel an der (von ihm selbst in Anspruch genommenen) Originalität seines Weltbildes Abbruch zu tun. Wie wenig die Frage nach der Originalität der philosophischen Substanz mit dem Wert der künstlerischen Schöpfung als solcher zu tun hat, das beweist die Tatsache, daß gerade einige der künstlerisch wertvollsten und menschlich ergreifendsten Schöpfungen Hebbels den unmittelbarsten Einfluß fremder Denker im ganzen wie im einzelnen aufweisen. Wesentlicher als die Frage nach der Originalität ist uns die Frage nach der Funktion, die dieses Weltbild für das Erlebnis des Dichters im Sinne der Lebensbewältigung und Lebensdeutung im dichterischen Symbol erfüllt. Nicht auf der, wie mir scheint, zweifellos direkten Abhängigkeit des Hebbelschen Weltbildes von fremder Quelle liegt daher der Ton dieser Untersuchung, sondern auf dem Wie und Warum der Adaption und der Einschmelzung in das individuelle Erlebnis des Dichters. Freilich bedarf, um diese Sicht zu schärfen, auch das Was der Übernahme beweiskräftiger Feststellung, die auch die Diskussion textlicher Einzelheiten nicht verschmäht.

Wenn Hebbel die grundlegende Befruchtung, die er durch das frühe Studium philosophischer Werke erfahren hatte, verschwieg, so geschah es, weil sein Stolz ihm nicht erlaubte, sie vor sich selbst zuzugeben. Die Bitterkeit seines Bildungskampfes läßt hier ihre Spuren zurück. Aber das „böse Gewissen" ist auch in diesem Bereich in Hebbel wach; gelegentlich entlädt es sich in Tagebuchnotizen wie der über Steffens „Anthropologie". Sie fesselt ihn so, daß er „zweiunddreißig Seiten daraus exzerpiert". „Das Buch ist voll von glänzenden Ansichten", gesteht er, „aber", fährt er fort, „es ist weit mehr ein Werk kühner Phantasie als ruhigen Verstandes, und das ist dem Begriff der Wissenschaften nicht angemessen. Man wird einem solchen Buch auch eigentlich nichts schuldig: so wenig als etwa dem Baum, dem Stein usw., die Gedanken in uns anregen."[10]) Nach diesem Grundsatz, geistig niemandem etwas schuldig sein zu wollen, verfuhr Hebbel auch in anderen Fällen. So erklärt sich das Geständnis, das er zu einer Zeit ablegt, da er schon das Schicksal Judiths und Golos im Lichte Schellings gestaltet hatte: „Ich kann Gedanken erzeugen, die dennoch nicht meine eigenen, sondern nur durch fremde Befruchtung hervorgerufen sind."[11])

Noch als reifer Mann hat der Dichter jeden bestimmenden Einfluß der zeitgenössischen Philosophie auf sein Weltbild abgelehnt. Ein Teil der Forschung hat sich denn auch verpflichtet gefühlt, der Selbstverteidigung des Dichters zu Hilfe zu kommen und ihn als „absoluten Selbstdenker" zu verstehen, der aus sich selbst heraus ein dem Geist der Zeit adäquates und der absoluten Philosophie der Romantik gleichartiges Weltbild konzipiert habe. Der Hauptvertreter dieser Anschauung suchte gar aus den weltanschaulichen Äußerungen Hebbels ein eigenes System seiner Weltanschauung zusammenzustellen, nach dem Grundsatz, daß „nicht von Einflüssen, sondern nur von Ähnlichkeiten und Verwandtschaft des Hebbelschen Systems mit dem der absoluten Philosophie zu reden" sei.[12]) Aber selbst diejenigen Forscher, die im Hinblick auf die Verwandtschaft der Hebbelschen Gedankenwelt mit der Philosophie der Romantik weniger geneigt waren, den Anspruch Hebbels auf absolute Unabhängigkeit gelten zu lassen, wollten doch nur einen mehr oder weniger indirekten Einfluß auf dem Wege über die mit Ideen der romantischen Philosophie gesättigte Zeitatmosphäre annehmen. Sieht man von jenen ab, die jede, auch indirekte Einwirkung der romantischen Philosophie für den Vor-Münchener Hebbel, ja, jede Übereinstimmung mit ihr, ablehnen, so dürfte die zusammenfassende Feststellung Tibals: „Il nous suffit de constater que des idées de la Naturphilosophie se retrouvent dans Hebbel ... par quel chemin elles lui sont parvenues, sous quelle forme, c'est ce que nous ne saurons probablement jamais",[13]) die bis in die jetzige Zeit von der Forschung eingenommene Haltung bezeichnen: wir werden es wahrscheinlich niemals wissen ...

Dieser Verzicht auf ein tieferes Eindringen in die unmittelbaren Zusammenhänge des Hebbelschen Weltbildes mit der Philosophie der Zeit war, wie ich mich in jüngsten Forschungen zu erweisen bemüht habe,[14]) unberechtigt. Wir wissen nunmehr, daß Hebbel bereits in Wesselburen von seinen frühesten schriftstellerischen Anfängen an unter dem unmittelbaren und richtunggebenden Einfluß des weithin bekannten Naturphilosophen und Schellingschülers Gotthilf Heinrich Schubert stand. Aus Schuberts Schriften, den *Ahndungen einer allgemeinen Geschichte des Lebens*, den *Ansichten von der Nachtseite der Naturwissenschaft* und der *Symbolik des Traumes* schöpfte er die Grundzüge seines Weltbildes. Aus dieser von Schelling gespeisten Quelle erklären sich alle jene rätselhaften Gemeinsamkeiten der frühen Gedankenlyrik Hebbels mit leitenden Ideen Schellings. Bis in den Wortlaut und die dichterische Motivik hinein läßt sich Schritt für Schritt die Bedeutung Schuberts für Hebbel verfolgen. Von den frühen Traumstücken im *Dithmarser und Eiderstedter Boten* bis in die späte Dichtung und Gedankenwelt seiner

Reifezeit hinein ist die Einwirkung der Schubertschen Naturmystik erkennbar und unmittelbar nachweisbar.

Durch Schubert, der in seinen Schriften vielfach auf Schelling als seinen Lehrer hinwies, wurde Hebbel natürlicherweise auf das Studium der Schellingschen Philosophie selbst geleitet. Die erste unmittelbare Berührung mit den Lehren Schellings vollzog sich bereits während des ersten Hamburger Aufenthaltes. Spuren der Kenntnis des *Bruno* und auch der *Ideen* sind deutlich im Hamburger Tagebuch und in der Lyrik jener Zeit („Gott über der Welt") erkennbar. Während der Heidelberger Studienzeit beginnt Hebbel dann das Studium der Schellingschen Theosophie, wie sie in den *Philosophischen Untersuchungen zum Wesen der menschlichen Freiheit* niedergelegt ist. Die Kenntnis anderer wesentlicher Schriften Schellings zeichnet sich in der Ideenentwicklung der Münchener, der zweiten Hamburger und der Pariser Zeit deutlich ab. Ich beschränke mich hier darauf, das Wesentlichste dieser Entwicklung vom Beginn der Heidelberger bis zum Beginn der Pariser Zeit sichtbar zu machen.

Die Beschäftigung mit der Lehre Schellings bedeutete für Hebbel die begrifflich-philosophische Klärung der Ideenwelt, die ihm bereits aus der phantasievollen aber auch nebelhafteren Darstellung der Schubertschen Schriften vertraut war. So konnte er mit einem gewissen Recht behaupten, daß er seit seinem Weggang aus Wesselburen „nicht eine einzige wirklich neue Idee gewonnen" habe; alles, was er „schon mehr oder weniger dunkel ahnte", sei in ihm „nur weiter entwickelt und links und rechts bestätigt oder bestritten worden";[15] nur daß er bei dieser Behauptung die Erinnerung daran verdrängt hatte, daß ihm diese Ahnungen zuerst an Schuberts *Ahndungen, Ansichten* und *Symbolik Gestalt* gewonnen hatten.

Aber noch eine andere für Hebbels Auseinandersetzung mit Welt und Leben außerordentlich reich fließende Quelle ist der bisherigen Forschung völlig entgangen. In der angeblichen Abgeschlossenheit Wesselburens fand er Zugang zu einem der weltanschaulich revolutionären Grundbücher der eigenen Zeit. Es war offenbar jenes „Walten der Vorsehung", von dem Hebbel selbst im Zusammenhang seiner literarischen Jugendbildung spricht,[16] daß ihm schon in den frühen dreißiger Jahren die Jugendschrift Ludwig Feuerbachs, die im Jahre 1830 anonym erschienenen *Gedanken über Tod und Unsterblichkeit*, in die Hände führte.

In der Ideenwelt des jungen Feuerbach eröffnete sich dem jungen Dichter der erste Tiefenblick in die Tragik des individuellen Lebens, in das Wesen der Geschichte, in die metaphysische Bedeutung des Todes. Ich muß den näheren Nachweis dieser Zusammenhänge einer Sonderdarstellung vorbehalten.[16a] Im Rahmen dieser Studie beschränke ich mich darauf, die Bedeutung des Feuerbachschen Einflusses auf Hebbel an den Punkten sichtbar zu machen, wo dieser sich mit dem Schellings überkreuzt.

Wie der pietistisch getönte Supranaturalismus des späten Schubert noch durchsetzt war von dem Schellingschen Einheitserlebnis von Gott und Natur, so trägt der sogenannte „naturalistische" Pantheismus des frühen Feuerbach noch deutlich die Prägung der idealistisch begründeten Weltsicht Schellings und Hegels und selbst Züge der Mystik Jakob Böhmes. Beide also, Schubert wie Feuerbach, bereiten Hebbel auf Schelling vor. Ihre Ideen werden sich denn auch in Hebbels Denken mannigfach mit solchen Schellings verschmelzen und überkreuzen.

Am Beginn seines Heidelberger Aufenthaltes ergreift ihn zum ersten Male mit voller Stärke ein Anfall jener metaphysischen Todeskrankheit, wie sie sich nach seinem eigenen Bekenntnis bis in seine Reifejahre hinein periodisch wiederholte.[16b] Im Grauen vor dem Tode, als dem endgültigen Ende des Individuums — „Es gibt nur einen Tod und nur eine Todeskrankheit" —, erlebt er die abgründige Widersprüchlichkeit des Daseins schlechthin. Der Brief an Elise, in dem er ein Jahr später zurückblickend seine Heidelberger „Todeskrankheit" beschreibt, ist deutlich von den weltschmerzlichen Stimmungen überschattet, die Feuerbachs Philosophie des Todes und des Schmerzes in ihm bestärkt haben: „Es gibt nur einen Tod und nur eine Todeskrankheit, und sie lassen sich nicht nennen; aber es ist die, deretwegen Goethes Faust sich dem Teufel verschrieb, die Goethen befähigte und begeisterte, seinen ‚Faust' zu schreiben; es ist die, die den Humor erzeugt und die Menschheit... erwürgt; ... es ist das Gefühl des vollkommenen Widerspruchs in allen Dingen... Ob es für diese Krankheit ein Heilmittel gibt, weiß ich nicht; aber das weiß ich, der Doktor (sei er nun über den Sternen oder im Mittelpunkt meines Ichs), der mich kurieren will, muß zuvor die ganze Welt kurieren, und dann bin ich gleich kuriert. Es ist das Zusammenfließen alles höchsten Elends in einer einzigen Brust; es ist die Empfindung, daß die Menschen so viel von Schmerzen und doch so wenig vom Schmerz wissen; es ist Erlösungsdrang ohne Hoffnung und darum Qual ohne Ende."[17]

Äußere und innere Schwierigkeiten, die Furcht, an der Bewältigung des Daseins zu scheitern, bevor es noch recht begonnen, hatten sich vor dem Dreiundzwanzigjährigen beim Beginn seines Heidelberger Studiums aufgetürmt. Mit der eigenen Existenz stellt sich ihm der Sinn des Daseins überhaupt in Frage. Die Frage nach dem Sinn aber ist für Hebbel immer zugleich die nach der Verantwortlichkeit. Die Spannungen des eigenen Ich in die objektive Struktur der Welt projizierend, entscheidet er: Nicht im eigenen Ich liegt der Grund dieser „Qual ohne Ende", nicht das Geschöpf, der Schöpfer, Gott selbst, trägt die Schuld. Dem Hebbelschen „Erlösungsdrang", der sich hier noch „ohne Hoffnung" zerquält, wird Schelling gerade im Ich den Weg zur Überwindung der Spannung von Ich und Welt aufschließen. Zuerst aber überwiegen Stimmungen, wie sie der Dichter später in den Gottesanklagen Golos gestalten und im Geiste Schellings überwinden wird, Stimmungen, wie sie ihn immer wieder anfallen werden. Noch in Rom bekennt er 1845: „Ich möchte mich nie an Menschen rächen, die mir Übels tun, aber an Gott, der solche Menschen geschaffen hat. Buchstäblich wahr."[18])

Es ist das Problem der Theodizee, das für Hebbel in den Heidelberger Tagen in den Mittelpunkt der denkerischen und dichterischen Lebensdeutung tritt. Dieses Ringen um den guten Sinn der Welt, das als letzter Antrieb in allen seinen Schöpfungen fühlbar ist, hat seine ausdrückliche Gestaltung in drei noch des näheren zu deutenden Gedichten gefunden: in Heidelberg in dem Gedicht „Was ist die Welt?", während des zweiten Hamburger Aufenthalts in dem Sonett „Das Element des Lebens" und in der Pariser Zeit in dem Terzinengedicht „Das abgeschiedene Kind an seine Mutter". Jedes der drei Gedichte bedeutet zugleich eine Etappe in der Auseinandersetzung des Dichters mit Schellings Theodizee.

Schelling hatte das Problem der Theodizee in den *Untersuchungen über das Wesen der menschlichen Freiheit* im Rahmen einer großzügig entworfenen Kosmogonie, die zugleich als Selbstentfaltungsprozeß Gottes verstanden wurde, zu lösen versucht. Hier fand Hebbel eine geschlossene, dichterisch konzipierte Weltsicht vor, eine Philosophie, die Ideen als lebendig handelnde Kräfte begriff. „Gott ist etwas Realeres als eine bloße moralische Weltordnung und hat ganz andere und lebendigere Bewegungskräfte in sich als ihm die dürftige Subtilität abstrakter Idealisten zuschreibt",[19]) erklärt Schelling hier mit deutlichem Seitenblick auf den Logizismus des Hegelschen Systems, das Hebbel selbst später als „etymologisches Becherspiel" bezeichnen wird.

Gleich einem Drama von mythischen Ausmaßen entrollt sich die Gott-Weltwerdung bei Schelling. Der dunkle „Urgrund" — auch „Ungrund" oder „Abgrund" genannt — die „Natur in Gott" gerät in handelnde Bewegung. Aus der Finsternis des Grundes, der absoluten Indifferenz, erhebt sich der Drang des Willens zum Selbstbewußtsein; die Sehnsucht des unbewußten Grundes nach dem Licht des „Verstandes", des „Wortes", des „Logos", in dem Gott sich selbst offenbar werden will, bricht hervor. Es ist „die Sehnsucht, die das ewige Eine empfindet, sich selbst zu gebären".[20]) Aus der „Scheidung" von Finsternis und Licht tritt sukzessiv die reale Welt hervor: die dunkle der unbewußten Natur und die lichte des Geistes. Beiden ist der Mensch verhaftet: „Im Menschen ist die ganze Macht des finsteren Prinzips und in demselben zugleich die ganze Kraft des Lichtes, in ihm ist der tiefste Abgrund und der höchste Himmel, oder beide Zentra."[21]

Der Idee „des Abgrunds" im menschlichen Ich werden wir bei Hebbel in der folgenden Periode noch vielfach begegnen. Für Judiths Traumvision wird sie die Grundlage abgeben. Auch dem das Leben des Menschen bestimmenden und tragisch formenden Gegensatz von „Universalwillen" und „Partikularwillen", den Hebbel schon von Feuerbach her kannte, begegnete er hier in ethisch vertiefter Formulierung. Aus dem noch in der Natur wirkenden Universalwillen, das heißt aus dem Bereich des Instinkts und der Notwendigkeit, ist der Mensch nach Schelling in die „Selbstheit", in den Partikularwillen entlassen. Er ist „Wille, der sich selbst in der völligen Freiheit erblickt".[22] Ihm ist die Freiheit gegeben, sich vom Universalwillen loszusagen oder sich ihm einzuordnen. Nicht also die Selbstheit an sich ist das Böse, sondern erst die „Selbstheit in ihrer Lossagung".[23] In der Indifferenz des Urgrundes waren die Gegensätze von Gut und Böse nicht als wirklich vorhanden, denn sie existierten nicht als getrennte Elemente. Erst im Menschen, der in die Freiheit eintritt, trennen sie sich und werden „wirklich". Der Mensch ist also der eigentliche Schöpfer des Bösen: „So schwer, wenn nicht unmöglich", auch „die Verbindung des allgemeinen Willens mit einem besonderen Willen im Menschen" erscheint, so „bleibt das Böse immer die eigene Wahl des Menschen; das Böse als solches kann der Grund nicht machen, und jede Kreatur fällt durch ihre eigene Schuld."[24]

Das Studium der *Philosophie der Freiheit* faszinierte Hebbel — innerlich vorbereitet, wie er war — so stark, daß er zu dem Buch, das er niemals erwähnt hat, immer wieder zurückkehrte. Als erste Reaktion auf die direkte Begegnung mit der Schellingschen Freiheitsphilosophie in Heidelberg ist die Tagebucheintragung vom 4. Juni 1836 zu verstehen. „Freier Wille, das Ding, Leben, Natur, Zusammenhang mit der Natur verbergen sich in einem und demselben Abgrund. Dies ist die einzige Frucht langen Grübelns über Unbegreiflichkeiten."[25] Der hier erwähnte Problemkreis ist deutlich der in Schellings Freiheitsphilosophie umschrittene, und noch deutlicher ist der Nachklang der Terminologie Schellings. Hebbel hat in den „Abgrund" des Schellingschen „Urgrundes" geschaut, der „unbegreiflichen Basis der Realität", die der Philosoph beschrieb als den „nie aufgehenden Rest, das was sich mit der größten Anstrengung nicht in Verstand auflösen läßt, sondern ewig im Grunde bleibt".[26] Das niederdrückende Erlebnis von der Ohnmacht des Verstandes, dem sich Hebbel hier ausgeliefert fand, aber wandelte sich in leidenschaftlichen ethischen Protest, als er die bei Schelling anschließenden Zeilen las: „Ohne dies vorausgehende Dunkel gibt es keine Realität der Kreatur; Finsternis ist ihr notwendiges Erbteil. Gott allein — Er selbst der Existierende — wohnt im reinen Lichte, denn er allein ist von sich selbst. Der Eigendünkel des Menschen sträubt sich gegen diesen Ursprung aus dem Grunde und sucht sogar sittliche Gründe dagegen auf. Dennoch wüßten wir nichts, das den Menschen mehr antreiben könnte, aus allen Kräften nach dem Licht zu streben, als das Bewußtsein der tiefen Nacht, aus der er ans Dasein gehoben worden."[27]) Der „Eigendünkel des Menschen", den Schelling apostrophiert hatte, „sträubt sich" in Hebbel, sein Gerechtigkeitsgefühl erhob sich gegen die Vorstellung des selig im reinen Licht wohnenden Gottes und des dem Dunkel, der Finsternis des Bösen überlassenen Menschen.

In dieser Protesstimmung wurzeln zwei markante Heidelberger Gedichte Hebbels, die Anti-Theodizee „Was ist die Welt?" und die gedämpftere Klage „Jetzt ist die Nacht gekommen". Sie repräsentieren in des Dichters Heidelberger Gemütsverfassung den äußersten Ausschlag des Pendels nach der pessimistisch-fatalistischen Seite hin. In Gedichten dagegen wie „Erleuchtung", „Nicht darf der Staub noch klagen", „Das Sein" und „Mir war das Wort gegeben" findet der Dichter, bestärkt durch das Eindringen in Schellings Theosophie, den Ausweg aus der Spannung, „der Qual ohne Ende", in der Hingabe des Ich an das übergreifende Einheitserlebnis von Ich und Welt.

Das Gedicht „Was ist die Welt?" wurzelt in der metaphysischen Verzweiflung, in die ihn die erneute Beschäftigung mit Feuerbachs *Gedanken über Tod und Unsterblichkeit* in Heidelberg stürzte. Je länger und stärker er sich durch die Bitterkeit des persönlichen Lebenskampfes auf die eigene Person zurückgeworfen fühlt, je schwerer wird ihm das Ja zum „ganzen" Tode, das Feuerbach forderte. Erschließt sich diesem aus dem Sinn des Todes eine neue Sinngebung des Lebens und der „Einmaligkeit" des Individuums, eine neue Bewertung des fälschlich sogenannten Diesseits, so erlebt Hebbel zur Zeit der Heidelberger „Todeskrankheit" den „ganzen" Tod als Besiegelung der absoluten Sinnlosigkeit des Daseins.

In dieser geistigen Verfassung beginnt Hebbel das Studium der Schellingschen Theosophie. In den *Untersuchungen über das Wesen der menschlichen Freiheit* fand er die ihm aus seiner Frühzeit geläufige Anschauung wieder, daß der Mensch die Durchgangsstufe der Natur zu Gott sei. Schubert hatte es so formuliert: „Es greift nur zu offenbar, auch bei dem

Menschen, in das jetzige unvollkommenere Dasein schon die Anlage eines künftigen, höheren ein."[28]) Schelling verstand den menschlichen Geist als den Mittler zwischen Natur und Gott. Auch für Feuerbach ist das Erwachen der Natur zum Geist, das heißt zum Selbstbewußtsein des Menschen, der höchste Gipfel der Natur; dieser Gipfelpunkt bezeichnet aber auch ihr äußerstes Ende, über das sie nicht mehr hinaus kann und will. „Es ist vollbracht, bis hierher und nicht weiter",[29]) läßt er die Natur ausrufen, als sie beim Menschen angelangt ist. Der Geist ist die äußerste Grenze der Natur, er ist darum auch der Grund des Todes. Der Mensch ist ein Ende, aber kein neuer Anfang.

Es sind diese Ideen, die den Hintergrund des seltsamen, viel umrätselten und nie in seiner Beziehungsfülle und seinem eigentlichen Sinn verstandenen Gedichts „Was ist die Welt?" bilden. Mit weltschmerzlich gewendeten Argumenten Feuerbachs begegnet Hebbel der neu auf ihn eindringenden Wucht der Schellingschen Freiheitsphilosophie, die den Menschen als Brücke zu Gott, ja als Partner Gottes in der Entfaltung der Welt verstand. Nur an Hand des Wortlauts kann die durchgehende Beziehung der Hebbelschen Ideenführung auf die Gedankenreihen Schellings und Feuerbachs verdeutlicht werden:

> Was ist die Welt? Der Schößling böser Säfte,
> Die aus sich selbst die Gottheit einst ergoß,
> Als sie, ausscheidend alle dunklen Kräfte,
> In sich selbstsüchtig sich zusammenschloß.
> Die steigen nun in grimmigem Geschäfte
> Zu ihr empor und fordern ihren Schoß.
> Umsonst. Sie dürfen tobend sich empören,
> Doch nur, damit sie so sich selbst zerstören.

Schelling hatte unter den Möglichkeiten, die Entfernung der Dinge aus Gott und die Entstehung des Bösen zu erklären, auch die eines willkürlichen Ausstoßens der Dinge „von seiten Gottes" erwogen: „So sind sie durch Gott in den Zustand der Unseligkeit und Bosheit verstoßen, Gott also ist Urheber dieses Zustandes."[30]) Diese von Schelling *ausgeschlossene* Möglichkeit griff Hebbel auf, um aus ihr Zug um Zug das Gegenbild der Schellingschen Kosmogonie zu entwickeln. Nicht wie bei Schelling dehnt sich der ewige Geist „von der Liebe bewogen"[31]) in die Schöpfung aus — „selbstsüchtig" vielmehr zieht sich die Gottheit in sich selbst zusammen, „ausscheidend" alle dunklen Kräfte, womit die Scheidung der dunklen und der lichten Kräfte, mit der Schelling die Schöpfung beginnen ließ, nachklingt. Die in der Natur wirksamen dunklen Kräfte streben nun nicht wie bei Schelling sehnsüchtig zur göttlichen Lichtheimat zurück, sondern in „grimmigem Geschäfte" empören sie sich und fordern den Anteil am Göttlichen, ihr Recht auf unsterbliches Leben zurück. Selbstzerstörung ist ihr unausweichliches Los, während bei Schelling der Partikularwille durch die demütige Rückkehr ins göttliche „Zentrum" der eigenen „Zerrüttung" zu entgehen vermag.[32])

> Was ist der Mensch? Er ist die morsche Brücke
> Von der Natur zu Gott, die kühn und frei
> Ihr Geist beschreitet, ob die innre Lücke
> Denn nicht von oben her zu stopfen sei.
> Vergebens! Denn im rechten Augenblicke
> Bricht unter ihm sein Werkzeug stets entzwei,
> Damit den Stolzen noch das Wissen quäle,
> Daß ihm nichts Großes, nur das Kleinste fehle.

Schelling hatte in der *Philosophie der Freiheit* den Menschen als Mittler zwischen Natur und Gott verstanden. Wie die Entwicklung der Natur auf den Menschen hinzielt, so zielt dieser, im erwachenden Geist das Reich der Freiheit betretend, auf Gott. Der Mensch gilt ihm als „der Erlöser der Natur, auf den alle Vorbilder [Vordeutungen] zielen" und „durch welchen als Mittler . . . Gott auch die Natur annimmt".[33])

Auch Hebbel versteht die Schöpfung des Menschen als den Versuch der Natur, über sich selbst hinauszugelangen, aber als mißlungenen. Auch er sieht den Menschen die Brücke zu Gott beschreiten, „kühn und frei", denn im Menschen macht sie den Versuch, das Reich der Naturgebundenheit hinter sich zu lassen, und, wie Schelling es dargestellt hatte, in das Reich der Freiheit einzutreten. Im Namen des aus der Notwendigkeit der Natur zur Freiheit erwachten Menschen erhebt der Dichter den Anspruch auf Anteil am ewigen Seinsgrund, am *ewigen Leben*. Denn die „innere Lücke", die die Natur im Menschen „von oben her zu stopfen sucht", ist — der Tod. Diese seltsame Bezeichnung des Todes als „innere Lücke" hat sich Hebbel aus Feuerbach zu eigen gemacht.[34])

Feuerbach hatte ausführlich dargelegt, wie der konventionelle Unsterblichkeitsglaube sich das persönliche Weiterleben nach dem Tode in „sinnlichen" beschränkten Begriffen vorstelle als Weiterleben in einem immer noch zeiträumlich vorgestellten Jenseits; wie also der Abstand von Natur und Mensch einerseits und Gott andererseits als räumliche Distanz, als „Lücke" gedacht werde, die im Tode sozusagen „ausgefüllt" wird. Der Unsterblichkeitsglaube als Überbrückung jener Lücke gilt ihm als Illusion, als „die Eselsbrücke der Zukunft".[35])

„Die Eselsbrücke der Zukunft" — dieses Bild steht deutlich hinter Hebbels Vision von der „morschen Brücke", die die Natur im Menschen vergeblich über die innere Lücke zwischen sich und Gott zu schlagen sucht. Diese Lücke ist nicht eine äußere, quantitative, sondern eine innere qualitative; sie bedeutet die qualitative Verschiedenheit von Gott und Mensch. Über diese „innere Lücke" kommt die Natur nicht hinweg. Ihr „Werkzeug", der Mensch, aus schlechtem Material geschaffen, ein Schößling böser Säfte, bricht im entscheidenden Moment „stets entzwei". Großes zwar hat die Natur im Geist, im Menschen, geschaffen; gottähnlich ragt er in das Reich der Freiheit auf, nur ein Kleines scheint ihn von Gott zu trennen, aber dieses Kleinste reicht aus, um ihn immer wieder in die Gottverlorenheit der menschlichen Existenz, in das Grauen des Todes hinabstürzen zu lassen.

> Was ist das Ende aller dieser Kämpfe?
> Ermattung gänzliche im kranken Sein!
> Am Abschluß der verworrnen Lebenskrämpfe
> Stellt zur Verzweiflung sich die Ohnmacht ein.
> Von oben dann, daß er das Grauen dämpfe,
> Ein Gnadenstrahl, wie Leichenkerzenschein.
> Der Wesen letztes wird nicht mehr geboren,
> Im Schoß der Mutter stirbt es, weltverloren!

Schelling hatte in der Idee des „menschlich leidenden Gottes"[36]) den Schöpfer selbst noch in den Schmerzensweg der Schöpfung mit einbezogen; in Hebbels Heidelberger Kosmogonie lastet die Tragik auf der Welt allein. Das „kranke Sein" endet in der gänzlichen Vernichtung. Auch Schelling vergleicht die Wirkung des Bösen in der Welt mit der Krankheit, aber diese gilt ihm als heilbar.[37]) Am Ziel der Entwicklung wird die Entzweiung von Schöpfer und Geschöpf in der absoluten Identität, deren Wesen als Liebe verstanden wird, aufgehoben werden. Für Hebbel dagegen ist diese schlechteste aller Welten durch die Schuld eines grausamen Schöpfers dem Bösen und der Vernichtung anheimgegeben. Sie teilt das Los, das Schelling dem Bösen für das Ende der Tage voraussagt, nämlich „auf ewig in das Nichtsein verstoßen zu werden".[38]) Sie erstickt in jener „himmelschreienden Lücke" der Schöpfung, wie sie Feuerbach, von dem Hebbel die Farben der Schlußstrophe nahm, beschrieben hatte.

Der Zustand, den Hebbel bei Beschreibung seiner Heidelberger Krise „Erlösungsdrang ohne Hoffnung und darum Qual ohne Ende" nannte, hat in dieser Anklage Gottes und seiner Schöpfung seinen dichterischen

Niederschlag gefunden. Die Grundlinien der Theodizee Schellings werden von dem umdüsterten Gemüt des Dichters zu einer leidenschaftlichen
Antitheodizee umgeformt. Sehr bald folgt der pathetischen Anklage die
elegische Klage. In dem Gedicht „Jetzt ist die Nacht gekommen"[39]) ist
der Grundriß des Schellingschen Weltbildes, das eben noch leidenschaftlich
parodiert wurde, als metaphysische Voraussetzung hingenommen. Die
kosmische Problematik wird auf die persönliche Lage des Dichters bezogen. Der titanische Trotz weicht der schwermütigen Klage über das
eigene individuelle Los, über die Machtlosigkeit des Dichters, sein Schicksal aus sich selbst heraus zu gestalten. Die Frage, ob er selbst oder die
widrigen Verhältnisse an seiner inneren und äußeren Bedrücktheit die
Schuld tragen, hat Hebbel seine ganze Jugendzeit hindurch gequält. „Ach,
es liegt so unendlich viel Zweideutiges in unserer Natur, und ich bin so
zusammengequetscht, daß ich nicht weiß, was ich meinem eigenen Ich,
und was ich meinen Verhältnissen zurechnen muß,[40]) schreibt er noch aus
München. Aus solcher Gemütslage ist das Gedicht entstanden.

> Jetzt ist die Nacht gekommen,
> Die mich geboren hat,
> Ich fühle es beklommen,
> Die ernste Stunde naht.
> Jetzt will ich mich versenken
> Tief in mein eigen Herz,
> Zugleich mit Ehrfurcht lenken
> Die Blicke himmelwärts.
>
> Die mich den Finsternissen
> Der uralt-ew'gen Kraft
> Als Kreatur entrissen,
> Die selber steht und schafft:
> Die Stunde, oder keine,
> Erhellt den Traum der Zeit,
> In dem ich knirsch' und weine,
> Mit Licht der Ewigkeit.

Der Beginn des Gedichts bezieht sich auf die Finsternis des Urgrundes,
„der tiefen Nacht", aus der der Mensch nach Schelling „ans Dasein gehoben worden".[41]) Der Dichter forscht nach der durch die intelligible Tat
der Individuation bestimmten Idea seines Selbst.[42]) In den Grund des
„eignen Herzens" sowohl wie „himmelswärts", zur intelligiblen Heimat
seiner Idea, blickt er. Von der Stunde,[43]) die ihn der Nacht des Urgrundes „als Kreatur entrissen", erwartet er Erhellung seines empirischen

Seins. Denn die *menschliche* Kreatur hat nach Schelling Teil am Dunkel wie am Licht, an der Natur wie an Gott, an der Notwendigkeit wie an der Freiheit. Sie ist, wie Hebbel es ausdrückt, zwar „Kreatur", aber eine solche, „die selber steht und schafft". Den Ring des empirischen Bewußt- seins[44]) aber, „den Traum der Zeit" nennt es Hebbel, durchbricht kein Licht von oben:

> Doch nur vergebens ranke
> Ich mich empor, es sprengt
> Von oben kein Gedanke
> Den Ring, der mich beengt.
> Da fühl' ich denn mich schauernd,
> Wie niemals noch allein,
> Und der ich bin, grüßt trauernd
> Den, der ich könnte sein!

> Ich will nicht lange fragen:
> Warum, als ich begann,
> Mir Licht und Luft versagen?
> Umsonst nur fragt' ich an.
> Stolz aber darf ich sprechen:
> Versagte Gott mir 's nicht,
> So konnt' ich manches brechen,
> Was jetzt mich selber bricht.

Seiner „ehrfürchtigen" Frage wird so wenig Antwort, wie der ehr- furchtlosen in der Kosmogie „Was ist die Welt?". Die Frage, warum es ihm nicht vergönnt ist, sein Idee-Individuum, „den, der ich könnte sein", zu verwirklichen, d. h. in Schellings Worten „der inneren Stimme seines eignen besseren Wesens..., der anfänglichen Idea Genüge"[45]) zu tun, stößt ins Leere. So beantwortet er sie selbst: Gottes Schuld ist es, daß die Welt ihm „Licht und Luft" versagt und die Betätigung seines schöp- ferischen Wesens lähmt, daß nicht er die äußeren Bedingungen, sondern diese ihn zerbrechen. Die nächsten Strophen zeigen, wie die Freiheit zur zermürbenden Qual wird, in der der im „Kerker", in der Gebundenheit des eigenen Daseins Eingeschlossene „sein eigner Feind", d. h. der Feind seines Idee-Ich wird, für dessen Realisation er sich innerlich aufreibt.

Es ist deutlich, daß in dieser Klage des im Kerker des empirischen Einzeldaseins Gefangenen[46]) das Weltbild Schellings einschließlich der Idee der intelligiblen Freiheit objektiv bejaht, aber subjektiv ins Licht der eigenen pessimistischen Lebenserfahrung gestellt wird. Nicht mehr ein genereller metaphysischer Protest wird erhoben, sondern die persönliche

Klage über die bittere Rolle, die dem Dichter selbst im Weltgeschehen von Gott zugeteilt ist, spricht sich aus. Der Schlußvers mit dem „menschlich milden" Wunsche, „daß keiner sich erkenne in diesem dunklen Bild", das nur „die eigne Qual", sein eigenes „Kämpfen um eine Grabschrift" ausspreche, macht das vollends deutlich.

In „Was ist die Welt?" hatte der Dichter in den Urgrund der objektiven Welt geschaut, aber er war ihm zum Abgrund der Vernichtung geworden. In „Jetzt ist die Nacht gekommen" versenkt er sich in den Grund des subjektiven Ich, um, der Wegweisung Schellings folgend, das Wesen des empirischen Ich von dem des intelligiblen her zu verstehen. Wiederum wird ihm der Weg in den Grund zum Abgrund — zum Abgrund des eigenen Ich, dessen Ängste er noch in München durchkämpfen und in Judiths Selbstschau dichterisch gestalten wird.

„Lebensmomente" hat Hebbel den Zyklus überschrieben, dem er beide Gedichte bei ihrer ersten Veröffentlichung einordnete. Denn nicht als endgültigen Ausdruck seines Weltbegreifens wollte er sie verstanden wissen, nur als Momente eines Spannungserlebnisses, in dem, gemäß der allem lebendigen Sein innewohnenden Dialektik, die Betonung der Spannungspole von Ich und Welt abwechselt. In diesem Lichte blickte er 1842 auf die Heidelberger Krisis zurück:

> Zwei Pole sind 's, die hin und wieder stoßen,
> Und gleich dem Pendel, dessen ew'ges Schweben
> Nie ruht im Schwerpunkt, schwankt und schweift das
> Leben.[47])

Der Versuch, sich durch die Versenkung ins eigene Ich des Seinsgrundes selbst zu vergewissern, hatte den Dichter die Grenzen der Individualität nur um so bitterer erleben lassen. Bei weiterem Eindringen in die Ideenwelt Schellings aber eröffnet ihm grade der von Schelling gewiesene Weg ins Innre des schöpferischen Ich den Zugang zum Seinsgrund und damit zum Ineinsleben der Spannung von Ich und Welt in neuen „Lebensmomenten". In Schellings Begriff der „intellektuellen Anschauung" war die mystische cognitio intuitiva als Organ philosophischer Erkenntnis spekulativ neu begründet worden. Die Grenzen des empirischen Ich, der „relativen Ichheit" durchstoßend, glaubte der Philosoph, in der intellektuellen Anschauung zur „absoluten Ichheit" vordringen zu können, in der die Dinge „nicht für die Erscheinung", sondern „dem ewigen Charakter" nach erkannt werden.[48]) Schelling selbst hatte die ästhetische Anschauung als die objektiv gewordene intellektuelle Anschauung[49]) verstanden. Was Schelling für die intellektuelle Anschauung des Philosophen, das nahm Hebbel für die innere Schau des Künstlers in Anspruch. Sie ist es, die den Ring des empirischen Bewußtseins sprengt. Der Gedanke hatte sich bei Hebbel lange vorbereitet. Seit der Zeit, da er in Schuberts *Ansichten* und *Symbolik* die Phänomene des Somnambulismus studiert und in seinen frühen Dichtungen genutzt hatte, galten ihm somnambule Schau und dichterisches Schaffen als nahe verwandt. Beide bedeuteten ihm die Wiedereinfügung des Einzel-Ich in das „allgemeine Leben", in den kosmischen Allzusammenhang. Noch in München notiert er im Tagebuch: „Gewiß ist der somnambule Zustand mit der Begeisterung des Dichters nahe verwandt."[50]) Auch der Artikel „Somnambulismus" des Konversationslexikons, das ihm in Mohrs Bibliothek in Wesselburen zur Verfügung stand, brachte Somnambulismus und Poesie in nahen Zusammenhang. Hier fand er auch Verstand und Vernunft als „Erkenntnisvermögen" den Seelenkräften des Gefühls und der Phantasie als „Ahnungsvermögen" gegenübergestellt. Diese Auffassung spiegelt sich noch in der Münchener Tagebuchstelle, daß ihm nämlich nicht das „Talent des Denkens", aber die „Ahnung desselben" gegeben sei.[51]) Jenes Ahnungsvermögen fand er in dem Enzyklopädieartikel ausdrücklich als „Vermögen der Gefühlsanschauung" bezeichnet.[52]) Dieser Begriff ist es, der der frühen Hamburger Tagebuchnotiz zugrunde liegt, in der Hebbel zum ersten Male das Verfahren des Denkers und des Dichters unterscheidet, ein Problem, das er weiterhin wieder und wieder umkreisen wird. Es heißt da: „Ich fühle noch, daß ich über diesen Gegenstand klarer denke als spreche; wenn ich aber den Unterschied, der mir obschwebt, angeben soll, so muß ich ihn darin setzen, daß der Dichter seine Gedanken durch Gefühlsanschauung, der Denker durch seinen Verstand erlangt."[53]) Noch in Heidelberg wird der Ausdruck für die höchste Wirkung der Musik angewandt, die „die Gottheit zur Gefühlsanschauung bringt".[54]) Unter der Einwirkung der Schellingschen Lehre von der intellektuellen Anschauung, in der die Dinge „dem ewigen Charakter nach" gesehen werden, hat sich Hebbel der Begriff der Gefühlsanschauung philosophisch geklärt und metaphysisch geweitet. Hier schon hat sich die Grundanschauung ausgebildet, von der aus Hebbel im Vorwort zur „Maria Magdalena" gegen Hegel den Vorrang der Kunst über die Philosophie verfechten wird. „Erleuchtung" ist das Gedicht überschrieben, das die Merkmale der intellektuellen Anschauung des Philosophen auf die Gefühlsanschauung des Dichters überträgt.

Die Vorstellung, daß die Sprache des Unbewußten, wie sie im Traum und auf höherer Stufe in der Poesie Gestalt gewinnt, der Nachklang ursprunghafter Einheit von Natur und Gott sei, war eine jener frühen

Grundüberzeugungen, die Hebbel sich in Wesselburen unter der Einwirkung der Schubertschen Ideenwelt zu eigen gemacht hatte. Schon damals galt ihm der Dichter als der bevorzugte Mensch, in dem sich die
allverbindende und allbeseelende Kraft des göttlichen Lebensgeistes unmittelbar ausspricht. Poetisches Zeugnis dessen ist vor allem das Gedicht
„Proteus", das die proteisch wandelbare Erlebniskraft des Dichters als
Organ „des höchsten Lebendigen" inmitten einer zum leblosen Nebeneinander erstarrten Welt auffaßt.[55] Jugendliche „Ahnungen", wie er
späterhin die in Schuberts Welt gewonnenen Ideen bezeichnete, gewinnen
ihm nun im Lichte Schellings philosophische Begründung und metaphysische Vertiefung. Die Schlußzeilen des Gedichts „Erleuchtung"[56] spiegeln die Terminologie der romantischen Ich-Philosophie Schellingscher
Prägung wieder:

> Und ins Unendliche verschweben
> Kann leicht, wer es im Ich genoß.

Im Ich erlebt der Dichter die Begnadung der Erleuchtung durch den
„Geist des Weltalls":

> In unermeßlich tiefen Stunden
> Hast du, in ahnungsvollem Schmerz,
> Den Geist des Weltalls nie empfunden,
> Der niederflammte in dein Herz?

Die folgende Strophe spricht von dem Erlebnis der Begnadung des Endlichen durch das Unendliche; die Schellingsche Idee von der Selbstentfaltung Gottes in der Welt klingt auf. Das Organ, in dem der Mensch und
Gott sich verbinden, ist die „Gefühlsanschauung":

> Jedwedes Dasein zu ergänzen
> Durch ein Gefühl, das ihn umfaßt,
> Schließt er sich in die engen Grenzen
> Der Sterblichkeit als reichster Gast.

Die beiden letzten Strophen gestalten dann, das Licht-Dunkel-Motiv
Schellings aufnehmend, das letzten Endes mystische Grunderlebnis Schellings wie Hebbels, das der cognitio intuitiva. In der Selbstschau des Ich
ist dem Künstler ein Organ metaphysischer Wesensschau gegeben, das
ihn unmittelbar mit dem Absoluten verbindet. Sie bedeutet, wie es Schelling in den *Bruno*-Gesprächen ausdrückt, den „Einschlagpunkt des Unendlichen in das Endliche":[57]

> Da tust du in die dunklen Risse
> Des Unerforschten einen Blick
> Und nimmst in deine Finsternisse
> Ein leuchtend Bild der Welt zurück.

Schon dem Wesselburener Schubertadepten galt die „fromme" Seele des Dichters als Organ des allgemeinen, überindividuellen Lebens. Die Gegenüberstellung der Schlußzeilen des Proteusgedichts und der Heidelberger „Erleuchtung" lassen bis in die Wortgebung hinein die Überblendung des alten Schubertschen Gedankens durch die neue Ideenwelt Schellings erkennen. Hieß es dort von der Seele des Dichters in ihrem Verhältnis zum „Höchsten Lebendigen", dem Inbegriff des „allgemeinen Lebens":

> Die Fromme des Dichters nur ist's, die mich hält,
> Ihr geb ich ein volles Empfinden der Welt,

so spricht sich hier das gleiche Erlebnis in der Denkform Schellings aus, der in der intellektuellen Versenkung ins Ich zum Ewigen vordrang:

> Du trinkst das allgemeine Leben,
> Nicht mehr den Tropfen, der dir floß,
> Und ins Unendliche verschweben
> Kann leicht, wer es im Ich genoß.

Es ist deutlich, wie die frühe Wesselburener „Ahnung" Hebbels unter dem unmittelbaren Einfluß Schellings weltanschaulich fester umrissene Form gefunden hat. Deutlich aber wird auch, was die an Schelling geklärten und bestätigten Ideen vom Wesen des Dichtertums für Hebbel persönlich bedeuteten. Sie brachten ihm Befreiung von der metaphysischen Todeskrankheit, die ihn zum Ankläger Gottes gemacht hatte. Aus dem Schuldverweigerer der Antitheodizee „Was ist die Welt?" ist in „Erleuchtung" der Schuldner Gottes geworden.

Der Schöpfungsakt des Künstlers, den schon der Wesselburener Dichter mit Schubert als den „kosmischen Moment" des Geistes erkannt hatte,[58]) tritt ihm in Heidelberg unter die Bestimmungen der intellektuellen Anschauung. Schellings *Bruno* hatte sie als „die Einheit des Denkens mit dem Sein" formuliert.[59]) Auf diese sich in der denkenden Versenkung in das Sein vollziehende unio mystica zielt der Heidelberger Achtzeiler, der der Weltverlorenheit der Antitheodizee die Gottgeborgenheit mystischen Welterlebens entgegenstellt. Der Pendel des „schweifenden Lebens"

hat in der Abfolge der „Lebensmomente" den Pol des Universums
berührt:

> Nicht darf der Staub noch klagen,
> Der glühend und bewußt
> Die ganze Welt getragen
> In eigner enger Brust;
> Worin ich mich versenke,
> Das wird mit mir zu Eins;
> Ich bin, wenn ich ihn denke,
> Wie Gott, der Quell des Seins.

Die Überkreuzung Schellingscher und Feuerbachscher Ideenführung
wird hier wiederum bis in die Diktion des Gedichts hinein deutlich. Die
theosophische Einsicht Schellings und die Mystik Feuerbachs, von plato-
nischem Ideengut durchtränkt, wie sie beide waren, fließen in Hebbels
Erleben in eins zusammen. „Das Höchste, was Du als Individuum erreichen kannst", hatte er bei Feuerbach gelesen, „ist die Anschauung und
Versenkung in Gott."[60])

In der Schilderung seiner Heidelberger Todeskrankheit hatte Hebbel
Anklage gegen Gott erhoben: „sei er nun über den Sternen oder im
Mittelpunkt meines Ich." In „Was ist die Welt?" sah er den Menschen
bei dem Versuch, die Brücke zu einem transzendent gedachten Gott zu
schlagen, scheitern, in „Nicht darf der Staub noch klagen" erlebt er den
Gott, der im Mittelpunkt des zeitlichen Ich zeitlos west. Im Grunde des
Ich erschließt sich ihm das Universum.

Die ständige Bedrückung, das Gefühl der Nichtigkeit, des Staubes,
das Hebbel von früh auf vor der Übergewalt des Universums empfand,
löst und lindert sich ihm durch die Versenkung ins innere Universum,
ins Ich. In dem frühen Prosastück „Des Greises Traum" von 1830 wurde
der Held beim Anblick des gestirnten Himmelsgewölbes von der eigenen
Kleinheit, „von dem zernichtenden Gefühl dieses Gedankens durchdrungen".[61]) Noch in Heidelberg notiert er: „Wie der Sternenhimmel die
Menschenbrust weit machen kann, begreife ich nicht; mir löst er das
Gefühl der Persönlichkeit auf."[62]) Im „Nachtlied"[63]) haben solche Stimmungen damals bewegenden Ausdruck gefunden. Aber auch in Heidelberg „schweift und schwankt das Leben" in ihm, dem Pendel gleich,
vom Spannungspol des Individuums zu dem des Universums hinüber.
In dem Gedicht „Das Sein"[64]) offenbart sich dem Dichter das „Geheimnis, wunderbar wie keins, des In- und Durcheinanderseins", die Einheit
von Individuum und Universum. Sinnenhaft fühlt er die Kräfte des Universums durch sich strömen:

> Der fernen Sonne ew'ge Glut
> Durchdringt belebend mir das Blut,
> Was in dem Schoß der Erde gor,
> Rankt sich als Wein zu mir empor.
> Und was nicht in die Sinne fällt,
> Hält ahnungsvoll das Herz geschwellt.

Fühlte er sich im „Nachtlied" beim Anblick des Universums bedrückend auf die Grenzen der eigenen Individualität zurückgeworfen und durch die Übergewalt des All bedroht:

> Herz in der Brust wird beengt,
> Steigendes, neigendes Leben,
> Riesenhaft fühle ich's weben,
> Welches das meine verdrängt.

so wird ihm in dem wenig späteren Hymnus auf das Sein „ahnungsvoll das Herz geschwellt". Das Geheimnis der Einheit alles Seins, wie es Feuerbach und Schelling gleicherweise gepriesen hatten, erschließt ihm die Einsicht,

> ... daß das ungeheure All
> Sich umwälzt in dem kleinsten Ball.

Er weiß,

> ... daß selbst Gott mich nur erdrückt,
> Damit er mich mir selbst entrückt.

Die Grenzen der Individualität weiten sich auf. In der Entrückung aus sich selbst erlebt er im Anblick des All ahnungsvoll die unio mystica mit Gott; als Gnadengeschenk des Universellen empfindet er die Form der eigenen Individualität:

> Daß alle Form nur Grenzen steckt,
> Damit sie Eigenstes erweckt.

Im „Eigensten", im Individuellen, erlebt er zugleich die Tiefe des Universellen.

Als das Eigenste seiner Individualität erlebte Hebbel sein Dichtertum: „Von meiner Poesie hängt mein Ich ab; ist jene ein Irrtum, so bin ich selbst einer."[65] An der Wende des Jahres 1836, das ihm die „Erleuchtung" in Heidelberg gebracht hatte, legt er rückschauend als „eine Erfahrung von Bedeutung" fest: „Ebenfalls fühle ich mich jetzt — das war früher nicht der Fall — vom Innersten heraus zum Dichter bestimmt."[66]

Am 12. Mai 1837 schreibt er an Elise: „Ich fühle mich selbst in meiner Würde und meiner Kraft, ich erkenne, daß meine größten Schmerzen nur die Geburtswehen meiner höchsten Genüsse sind ... ich lebe (dies ist bei mir seit einem Jahr kein leeres Wort mehr) schon im Weltall."[67]

Ihm von Schubert her vertraute Ideen treten nun in das Licht der Heidelberger „Erleuchtung" durch Schelling. „Alles Dichten aber ist Offenbarung", oder: „Die begeisternde Stunde ... bringt dem Genius den Schlüssel zum Weltall, nun kann er eintreten, wo er will."[68] Der Dichter gilt ihm als Repräsentant der Weltseele, in dem sich zugleich Schöpfung und Schöpfungskraft abspiegeln sollen[69]), oder: „So setzt der Künstler den Schöpfungsakt im höchsten Sinne fort, ohne ihn begreifen zu können."[70] Selbst noch die Tagebuchnotiz: „Der Mensch ist die Kontinuation des Schöpfungsaktes, eine ewig werdende, nie fertige Schöpfung", die Hebbel ein gutes Jahr später in einer Randbemerkung als „die tiefste Bemerkung im ganzen Buch" bezeichnet, stellt sich als Ausführung eines Gedankens aus Schellings „Vorlesungen über die Methode des akademischen Studiums" dar.[71]

Die reale wie die ideale Seite des Selbstentfaltungsprozesses Gottes spiegeln sich im Dichter ab. Das Wort im Sinne des Logos, das *Schöpfungswort,* ist ihm anvertraut. Noch in der Hamburger „Offenbarung" vom August 1835 hatte Hebbel die Seele einer verstorbenen Freundin beschworen, die „der Dinge Ziel und Grund an Gottes Thron durchschaut" hatte und sich von ihr im Traum verkünden lassen, was ihr „der Tod vertraut". Aber das große „Lösungswort", so sagt das Gedicht, war mit dem Traum entschwunden, wenn es auch „im Tiefsten" fortwirkte, „gewaltig, unerkannt".[72] Ein Jahr später wird ihm in schöpferischer Schau der Logos, „das Wort des Rätsels", wie Schelling es nennt,[73] gegeben. Daß ihm „das Wort" gegeben war, das Dichterwort, das wesenhaft identisch mit dem Schöpfungswort Gottes und darum voll des Lebens war, das spricht sein Heidelberger Abschiedsgedicht vom 5. September 1836 aus:

> Mir ward das Wort gegeben,
> Daß ich's gebrauche frei,
> Und zeige, wieviel Leben
> Drin eingeschlossen sei.[74]

Vier Jahre später spricht er es im Hamburger Tagebuch ähnlich aus: „Darstellen heißt nachschaffen, Leben packen und formen. Darstellen ist im Gebiet des Geistes vom Wort abhängig. Das Wort finden, heißt also die Dinge selbst finden."[75]

Nur dem begnadeten Menschen, nur dem Künstler ist es vergönnt, das „Wort" zu finden, die „Rätselfrage der unsterblichen Sphinx", der Natur, zu lösen. „Mitten unter den ungeheuersten Kräften, die ihn um- brausen, mit verbundenen Augen allein zu stehen und doch das lösende Zauberwort auf der Lippe zu fühlen, das ist des Menschen schweres Los",[76]) so beschreibt Hebbel in Heidelberg das allgemeine Geschick des Menschen. Im Hochbewußtsein, im Besitz des „lösenden Zauberwortes" zu sein, verläßt er die Stadt seiner Erleuchtung. In der ersten Münchener Jahresrückschau bekennt er: „Ich bin der Natur um tausend Schritte näher gekommen; ich habe sie im letzten Sommer vielleicht zum ersten Male ... genossen, und dafür hat sie mir denn — so gewiß ist's, daß nur Genuß zum Verständnis führt — manches vertraut."[77]) Die meta- physische Taubheit des Durchschnittsmenschen ist von ihm gewichen, als Dichter versteht er nun die Sprache der Natur. Der Taube ist hörend, die Stumme ist sprechend geworden. Ohne seine Kunst, schreibt er da- mals Emil Rousseau, dem Freunde, mit dem er in Heidelberg bezeich- nende Diskussionen über den Vorrang der Kunst vor der Philosophie geführt hatte, würde er sich „als einen geistig Taubstummen betrachten müssen".[78]) In diesen Gedankengängen deutet sich der seelische Ent- stehungprozeß eines der tiefsten und vollendetsten Gedichte der Mün- chener Periode Hebbels an: Es ist das mystisch visionäre Gedicht „Zwei Wanderer",[79]) dessen bisher unerschlossener Tiefsinn sich aus Schellings Wort und Geist erklärt: Die Wanderer, die, von Gott selbst auf den Weg gebracht, einander fremd, der eine stumm, der andere taub, die Welt durchziehen, sind Natur und Geist. Erst am Ziel der Tage werden sie sich in ihrer ursprünglichen Einheit erkennen, wenn die im Zuge der Selbstentwicklung Gottes notwendige Trennung von Natur und Geist in der endlich vollendeten göttlichen Identität aufgehoben wird.

Die „Romanze" Hebbels bildet den Abschluß einer langen geistes- geschichtlichen Ideenreihe, die mit Hamanns Sprachphilosophie anhebt. Die Auffassung der Natur als ursprünglicher Gestaltensprache Gottes, die der ihm entfremdeten Menschheit zur Hieroglyphe und damit auch zur Deutungsaufgabe geworden ist, war Gemeingut der deutschen Ro- mantik.[80]) Hebbel war dieser Gedankenkomplex seit seinen Anfängen aus den Schriften Schuberts bekannt, der in den *Ansichten* seinem „Mit- wanderer" die alten „Hieroglyphen" der stummen Natur zu deuten versucht hatte. Bei Schelling fand Hebbel verwandte Ideen wieder. In den *Untersuchungen über das Wesen der menschlichen Freiheit*, dem Buche, das Hebbel zu einem der Geheimbücher seiner Weltdeutung ge- worden war, hatte Schelling die Natur „als ein dunkles prophetisches,

noch nicht völlig ausgesprochenes Wort" bezeichnet. „Daher die Vor-
bedeutungen, die in ihr selbst keine Auslegung haben und erst durch den
Menschen erklärt werden." Was in der Natur in dunkler Vorausahnung
angedeutet ist, wird im Bereich des Geistes „im Menschen erfüllt". Ausdrücklich bezeichnet Schelling in diesem Sinne den Menschen als „Erlöser
der Natur", als den „Mittler", durch den „Gott nach der letzten Scheidung auch die Natur annimmt und zu sich macht".[81]) Wir haben damit
die wesentlichsten Elemente für die Deutung des bisher unverstandenen
Gedichts beisammen:

> Ein Stummer zieht durch die Lande,
> Gott hat ihm ein Wort vertraut,
> Das kann er nicht ergründen,
> Nur einem darf er's künden,
> Den er noch nie geschaut.

> Ein Tauber zieht durch die Lande,
> Gott selber hieß ihn gehn,
> Dem hat er das Ohr verriegelt
> Und jenem die Lippe versiegelt,
> Bis sie einander sehn.

Der Stumme, dem Gott ein Wort vertraut hat, das jener nicht ergründen kann (das „dunkle prophetische, noch nicht völlig ausgesprochene Wort" bei Schelling), ist die unbewußte Natur. Den einen aber,
dem sie es verkünden dürfte, hat sie „noch nie geschaut"; denn die
unbewußte Natur kann ihren erlösenden Mittler, den Menschen, vor
„der letzten Scheidung" nicht erkennen. Der Taube ist der Mensch, „Gott
selber hieß ihn gehn", d. h. er hat ihn auf den Weg zum Geist, zur Freiheit gebracht. Er ist, wie es der Dichter in seinem Gedicht „Jetzt ist die
Nacht gekommen" ausgedrückt hatte, zwar „Kreatur ... aber eine, die
selber steht und schafft", oder wie es Hebbel in München sagt: „Gott
will nicht Krücke des Menschen sein, darum hat er ihm Beine gegeben."[82]) Noch aber ist der Mensch ins Kreatürliche verwoben, vor
der „letzten Scheidung" ist er noch nicht zur vollen Erkenntnis erwacht,
so daß er das in der Natur „noch nicht völlig ausgesprochene Wort"
nicht verstehen kann. Einst aber, wenn im Prozeß der Selbstentwicklung
Gottes die „Scheidung" von Natur und Geist vollendet sein wird, dann
wird der Mensch das Zauberwort, das die Natur erlöst, das Rätselwort
der Sphinx, wie er es in Heidelberg genannt hatte, ergründet haben,
dann werden sie sich in ihrer wesenhaften Einheit erkennen,

> Dann wird der Stumme reden,
> Der Taube vernimmt das Wort,
> Er wird sie gleich entziffern,
> Die dunklen göttlichen Chiffern,
> Dann ziehn sie gen Morgen fort.

Dann wird die Natur sprechend, der Mensch hörend geworden sein. Dann wird sich der Geist in der Natur selbst als werdende Freiheit erkannt haben, wie es Schelling in Anlehnung an Kant formuliert hatte: „Die Auslegung ihrer Chiffernschrift gibt uns die Erscheinung der Freiheit in uns."[83])

In den *Vorlesungen zur Methode des akademischen Studiums*, die Hebbel in München las, hatte Schelling die Natur als einen „uralten Autor" bezeichnet, „der in Hieroglyphen geschrieben hat",[84]) und im *System des transzendentalen Idealismus* hatte er erklärt: „Was wir Natur nennen, ist ein Gedicht, das in geheimer wunderbarer Schrift verschlossen liegt. Doch könnte das Rätsel sich enthüllen, würden wir die Odyssee des Geistes darin erkennen, der, wunderbar getäuscht, sich selber suchend, sich selber flieht."[85]) Diese Odyssee des Geistes im Verlauf des göttlichen Selbstentfaltungsprozesses schildert Hebbel im Lichte der theosophischen Identitätslehre Schellings. Wenn der Mensch „die dunklen göttlichen Chiffern", wie Hebbel die Natur mit Schelling nennt, „entziffert" haben wird, dann wird durch ihn „als den Erlöser der Natur" auch die Natur aus dem Banne der Notwendigkeit zur Feiheit entzaubert sein.

„Nach Morgen" ziehen die beiden Wanderer fort, nachdem sie sich als wesenhaft identisch erkannt haben, d. h. sie ziehen dem aufgehenden Licht der göttlichen Identität, dem Ziel des Weltprozesses entgegen. Denn Natur und Geist sind Mitwanderer, ja Partner Gottes. Aus der Indifferenz der unbewußten Identität führt der Weg seiner Selbstbewußtwerdung in die „Scheidung" von Natur und Geist, um auf der dritten Stufe, in der bewußten Identität des Idealen und des Realen, ans Ziel der Weltentwicklung und damit zu sich selbst zu kommen:

> Daß sich die beiden finden,
> Ihr Menschen betet viel:
> Wenn, die jetzt einsam wandern,
> Treffen einer den andern,
> Ist alle Welt am Ziel.

Nach der bisiherigen Deutung des Gedichts — wenn eine solche überhaupt ernsthaft versucht wurde — wurden die beiden Wanderer als die

Menschen im allgemeinen verstanden, die stumm und taub, ohne sich gegenseitig verstehen zu können, aneinander vorbeiziehen. Gelänge es ihnen, gemeinschaftlich die göttlichen Rätsel zu lösen, so wäre alle Welt am Ziel.[86]) Es ist deutlich, daß der metaphysische Sinn des Gedichts damit verfehlt wird. Erst im Lichte der Schelling-Hebbelschen Theosophie erschließt sich sein Sinn ohne Zwang im einzelnen wie im ganzen. Das Gedicht ist zugleich Weltdeutung und Glaubensbekenntnis, ein Bekenntnis zum guten Sinn der Welt und keineswegs in seinem Kern pessimistisch zu verstehen.[87]) Das ex oriente lux, das in der letzten Strophe aufleuchtet, stellt das Ganze in das Licht eines sich in der Welt vollziehenden göttlichen Heilsprozesses. Wohl hat Hebbel den „Schleier der Schwermut, der über die ganze Natur ausgebreitet ist, die tiefe Melancholie alles Lebens", von der Schelling in der *Philosophie der Freiheit* gesprochen hatte,[88]) auch über sein Gedicht gebreitet. Der Kern des Gedichts aber ruht durchaus in dem Anliegen, diese Melancholie des Daseins als letzten Endes notwendig und sinnvoll zu begreifen.

Mit der Romanze „Zwei Wanderer" hat Hebbel ein großartiges und unmittelbar wirkendes Symbol des Weltgeheimnisses geschaffen. So richtig es ist, daß sein letzter Sinn sich nur bei Kenntnis der ideellen Grundlage erschließt, so übt es doch auf den Unbefangenen durch sich selbst seine irrationale Wirkung aus. Das Geheimnis, das Weg und Sinn der beiden mythischen Wanderer umgibt, macht einen Teil der vom Dichter beabsichtigten Wirkung aus. Er selbst erlebte hier den besonderen Reiz, eine dichterische Schöpfung zu gestalten, die wie der Schellingsche „Urgrund" der Schöpfung selbst unergründlich schien. „Die höchste Wirkung der Kunst", schreibt er 1838 an Rousseau, „tritt nur dann ein, wenn sie nicht *fertig* wird; ein Geheimnis muß immer übrig bleiben, und läge das Geheimnis auch nur in der dunklen Kraft des *entziffernden* Worts. Im Lyrischen ist das offenbar; was ist eine Romanze, ein Gedicht, wenn es nicht unermeßlich ist, wenn nicht aus jeder Auflösung des Rätsels ein neues Rätsel hervorgeht?"[89]) Aus der billigen Frage, ob das dichterische Symbol allgemein und leichthin verständlich sein müsse, machte sich der Dichter kein Gewissen. In dem Epigramm „Gewissensfrage" beantwortet er sie so:

> Machte der Künstler ein Bild und wüßte, es dauere ewig,
> Aber ein einziger Zug, tief wie kein and'rer versteckt,
> Werde von keinem erkannt der jetz'gen und künftigen
> Menschen,
> Bis ans Ende der Zeit, glaubt ihr, er ließe ihn weg?[90])

Die Enträtselung der Romanze „Zwei Wanderer" erlaubt uns nun auch den Sinn der wenige Monate später entstandenen Romanze „Der Königssohn"[91]) aus dem Schubert-Schellingschen Ideenkreise zu verstehen. Auch hier wird die „Odyssee"des Geistes in der Schöpfung dargestellt:

> Ein Königssohn, verlassen
> Irrt in der Fremde allein.
> Was möchte er dort umfassen?
> Er will beim Vater sein.
>
> Der Vater, voll Verlangen,
> Sieht längst schon nach ihm aus;
> Er möchte ihn gern empfangen
> Im reichgeschmückten Haus.

Die drei Stadien des Zusichselbstkommens Gottes sind damit symbolisch umschrieben. Von Gott, dem Schöpferkönig, nimmt der Königssohn, der Geist, den Ausgang. Gott, der Vater, entfaltet sich in der Schöpfung, um sich selbst zu erkennen, sich selbst zu finden. Schöpfer und Geschöpf, Vater und Sohn harren sehnsüchtig der Zeit ihrer Wiedervereinigung entgegen in der endlich verwirklichten Identität, „im reich geschmückten Haus". Gipfelpunkt der Schöpfung ist der Mensch, in dem der in der Natur werdende Geist das Reich der Freiheit betritt:

> Doch ach, er weiß es nimmer,
> Wer und von wann er sei,
> Und dennoch fühlt er sich immer
> So königlich stolz und frei.

Es ist sein Los, das „lösende Zauberwort auf der Lippe zu fühlen", aber es nicht aussprechen zu können, wie es schon die Heidelberger Tagebuchnotiz ausdrückte.[76])

> Auch fühlt er's, das Wort der Worte,
> Das mir mich selbst erschließt,
> Das sprengt die metall'ne Pforte,
> Dahinter das Leben sprießt.

Wie in der Romanze von den zwei Wanderern bedeutet „das Wort der Worte" im Schubert-Schellingschen Sinne das Schöpfungswort Gottes, die Natur als der werdende Geist. Vermöchte der Geist seine Wesensverwandtschaft mit der Natur zu erkennen, so würde er das „Rätselwort" aussprechen können, das ihm sich selbst erschließt, er würde wissen, „wer und von wann er sei". Der „Ring" des Bewußtseins,[44]), der den individualisierten Geist vom allgemeinen Leben abschließt, würde gesprengt werden, die metallene Pforte würde sich auftun, hinter der das göttliche Alleben sprießt. Er würde sich als der „rechte", als der Königssohn des göttlichen Vaters erkennen:

> Nur einmal dürft' er sagen:
> „Ich bin der rechte Sohn",
> Da würde er schnell getragen,
> Hinauf zu des Vaters Thron.

In solchem Ineinsleben des Geistes und der Natur, des Subjektiven und des Objektiven, würde das empirische Ich des Menschen aufgehoben werden in „jenes absolute Erkennen, das absolute Ich", das in Schellings *Bruno* als der „dem Absoluten eingeborene Sohn" bezeichnet war, „gleich ewig mit ihm, nicht verschieden von seinem Wesen, sondern eins. Wer also diesen besitzt, besitzt auch den Vater, nur durch ihn gelangt man zu jenem.[92]) Er würde der rechte Sohn geworden sein, der in der ewigen Sohnschaft des absoluten Erkennens zum Vater hinaufgetragen würde. Noch aber ist die Welt nicht „am Ziel"; der göttliche Vater wartet noch auf die Rückkehr des Sohnes, des Geistes:

> Wann naht er aufs neu den Räumen,
> die er schon einst beschritt?

Nur in der Ahnung, die ihm des Dichters Schau vermittelt, vermag „der Arme" die heimatlichen Räume seines Ursprungs zu betreten. Die sogenannte Traumsprache der Poesie galt Hebbel mit Schubert als die Sprache der wahren Wirklichkeit; der Mensch aber nimmt den Raum der Wahrheit für einen unwirklichen Traum:

> Der Arme wähnt zu träumen,
> Wenn ahnend sein Geist sie betritt.

Die bisherige Interpretation des Gedichts sah in ihm ein unwesentliches Kostümspiel in Uhlandscher Motivik oder wollte es gar als biographische Selbstbespiegelung des Dichters verstehen, als eines „im Reiche der Poesie zum Herrschen Berufenen, dem ein hämisches Schicksal sein rechtmäßiges Erbe vorenthielt".[93]) Wiederum wird deutlich, daß sich der tiefere Gehalt des Gedichtes erst aus der recht verstandenen Symbolsprache des Dichters erschließt. Im Lichte der Schubert-Schellingschen Ideenwelt erst, an der Hebbel seine Symbolsprache gewonnen hat, beginnt das Geschick des in der Fremde irrenden Königssohnes im Sinn dichterischer Weltdeutung zu transzendieren.

Nicht zufällig hat Hebbel in der Gesamtausgabe seiner Gedichte „Zwei Wanderer" zwischen „Proteus" und „Erleuchtung" angeordnet. Was er in der Vision von den zwei Wanderern als Entwicklungsphasen des Gott-Welt-Prozesses darstellte, dessen Sinn sich dem Menschen erst am Ziel der Weltentwicklung enthüllen wird, das war, glaubte er, schon jetzt der Wesensschau des Dichters als des „Repräsentanten der Weltseele" im Symbol zu gestalten vergönnt. Zu Beginn seines Münchener Aufenthalts umschreibt er — in einem Briefe an Rousseau — das Wesen der Dichtkunst: „Ich erachte sie für einen Geist, der in jede *Form* der Existenz und in jeden *Zustand* des Existierenden hinuntersteigen und von jener die *Bedingnisse,* von diesem die *Grundfäden* erfassen und zur Anschauung bringen soll. Sie erlöse die Natur zu *selbsteigenem,* die Menschheit zu *freiestem* und die uns in ihrer Unendlichkeit unerfaßbare Gottheit zu *notwendigem* Leben."[94]) Der Briefschreiber hält diese Gedanken für wichtig genug, sie im Tagebuch festzuhalten. Denn wieder hatten sich ihm jugendliche „Ahnungen", einst in der Welt Schuberts konzipiert, durch Schelling bestätigt und metaphysisch vertieft. Schon im „Proteus" hatte er den Dichter als Organ der göttlichen Lebenskraft verstanden, das die im Einzeldasein erstarrten Formen des Daseins wieder in den Erlebnisbereich ursprunghafter Einheit erhebt. Es ist eben diese Vorstellung, die sich nunmehr mit verwandtem Schellingschen Ideengut verbindet. Die Schellingsche Idee vom Menschen als dem Erlöser der Natur wird auf den auserwählten Menschen, den Dichter, übertragen und in Schellingscher Terminologie ausgeführt. Das Erlösungswerk des Dichters begreift nun nicht nur Natur und Menschheit, sondern auch Gott. Beachtenswert sind die feinen, durchaus im Schellingschen Sinne gehaltenen Abstufungen des Ausdrucks bei der Charakterisierung der Freiheit der Natur und der des Menschen. Die Natur, die bei Schelling als „Vorbedeutung" auf die Freiheit des Menschen hinwies, wird zwar im Sinne des Gedichtes „Zwei Wanderer" in ihrem *„selbsteigenen"* Leben verstanden und damit erlöst, aber nicht zu freiem Leben. Solches bleibt mit Schelling dem intelligiblen Wesen des Menschen vorbehalten, den der Dichter daher zu *„freiestem"* Leben erlöst. Aber selbst die Gottheit noch — und dies ist der auf den ersten Blick merkwürdigste Gedanke — wird erlöst und zwar zu *„notwendigem"* Leben. Daß Gott „kein System, sondern ein Leben"[95]) sei, hatte Hebbel mit Schelling erfahren. Die Notwendigkeit der lebendigen Gestaltwerdung der Gottheit im Prozeß der realen Welt, Gottes Sicheinschließen in die Sphäre des dem Gesetz der Notwendigkeit unterworfenen Endlichen als ihr „reichster Gast", wie es Hebbel in „Erleuchtung" ausgedrückt hatte — eben die Notwendigkeit dieses Erlösungsweges Gottes, der erst durch die „Selbstzersplitterung" zu sich selbst kommt, stellt der Dichter dar im Symbol des Kunstwerks, der objektiv gewordenen intellektuellen Anschauung. So erlöst er die unendliche Gottheit zu „notwendigem Leben". Hebbels Erstlingsdrama „Judith" wird in diesem Sinne einen Teil der Menschheitsgeschichte ins Licht dieses theogonischen Prozesses stellen.

Es ist deutlich, wie tief Hebbel bereits zu Beginn seines Münchener Aufenthalts, der ihn mit dem Universitätslehrer Schelling bekannt macht, in Geist und Schriften des Philosophen eingedrungen war. Freilich ist die Krise der metaphysischen Todeskrankheit, die ihm in Heidelberg die Beschäftigung mit Schellings Schriften heilen half, nicht abgeschlossen; sie kehrt periodisch wieder und kreist um dieselben Probleme und Spannungen.

Hart und schnell wechseln die Erlebnisgegensätze in Hebbels Münchener Bildungsperiode. Nur einiges besonders Symptomatisches sei hier herausgegriffen. Das am 5. Februar 1837 geschriebene Gedicht „Es grüßt dich wohl ein Augenblick..."[96]) wirkt mit seinen düsteren Schlußzeilen: „Zieht Gottes Hauch durch unser Sein / So fühlen wir uns doppelt Staub", als Rückfall aus dem Erlebnis von der Erhebung des Staubes zu Gott, wie es in „Erleuchtung" und „Nicht darf der Staub noch klagen" in Heidelberg gestaltet war. Aber kurze Zeit später, am 12. Februar, legt Hebbel in einem Brief an Elise ein in Schellingschem Geiste gehaltenes Glaubensbekenntnis ab: „Die Natur strebt nach einem Gipfel, und da der Mensch fühlt, daß er dieser Gipfel nicht ist, so muß es ein ihm korrespondierendes Wesen geben, in dem das Weltall zusammenläuft und von dem es auch ausgeht. Dies Wesen ist Gott."[97]) Das Folgende bringt dann eine für Hebbel überaus charakteristische Einfärbung der Schellingschen Freiheitslehre: „Ich beuge mich jedem Höheren und gewiß dem Höchsten. Aber nur dadurch, daß ich ihn möglichst zu *entbehren* suche, kann ich mich in ein würdiges Verhältnis zu ihm setzen. Er will nicht die Krücke des Menschen sein, darum hat er ihm Beine gegeben." „Beine" zum Selbstgehen hat Gott dem Menschen gegeben, das heißt, der Mensch ist in die Freiheit gestellt. Weiterhin wird dann jenes Motiv der Gefangenschaft der Seele im Kerker des individuellen Daseins, das er in Heidelberg negativ behandelt hatte, mit Schelling ins Positive des Freiheitserlebnisses gewendet: „In jedem Fall soll ich alles aufbieten, was an

Kraft in mich gelegt ist; diese Kraft macht mich gewiß frei, ist es nicht nach *außen*, indem sie das Hindernis überwältigt [die äußeren Umstände, die damals in Heidelberg verantwortlich gemacht wurden], so ist es nach *innen*, in dem sie die Körperketten zerreißt."

Einen Monat später aber erfährt er einen Rückfall in die Heidelberger Krise, die er Elise in brieflicher Rückschau beschreibt. Die pessimistischen und hohnvollen Stimmungen, denen das Gedicht „Was ist die Welt" entsprang, begehren — teils in wörtlichem Nachklang — wieder auf, die Empörung über den Gott, der jenseits der Weltnot in selbstsüchtiger Seligkeit thront: „Die Idee der Gottheit reicht nicht mehr aus, denn der Mensch hat in Demut erkannt oder geahnt, daß Gott ohne Schwanz, das heißt ohne eine Menschheit, die er wiegen, säugen und selig machen muß, Gott und selig sein kann; die Natur steht zum Menschen wie das Thema zur Variation; das Leben ist ein Krampf, ein Rausch oder eine Opium-Ohnmacht."[98]) Oben Gott in seliger Freiheit, hier der Mensch, eine Variation der Natur, im Kreislauf der Notwendigkeit.

Wieder einen Monat später ist die Nachkrankheit überwunden, und Hebbel erklärt Elise, daß „seine größten Schmerzen nur die Geburtswehen" seiner „höchsten Genüsse" seien und fügt jenes schon angeführte stolze und glückliche Wort hinzu, das er schon seit einem Jahre „im Welt-All" lebe. Er hatte Fuß gefaßt im Weltbild des objektiven Idealismus in der Prägung der Schellingschen Freiheitsphilosophie. Dieses System kam den tiefsten Rechtsansprüchen seines individuellen Würdebewußtseins entgegen, das auch Gott gegenüber nicht schwieg, indem es die Rechte und Pflichten Gottes zugleich mit denen des Individuums sicherstellte. Dem Individuum wurde Würde und Freiheit belassen und damit Selbstverantwortung, aber auch die Last der Schuld. Den Dichter als Repräsentanten der Weltseele, als welchen ihn Hebbel nunmehr sieht, läßt er im Schöpfungsakt wie Gott verfahren: „Er gibt seine poetischen Gestalten frei, wie Gott die Menschen."[99])

Am deutlichsten und ergreifendsten kommt die Klärung der inneren Kämpfe Hebbels, sein Selbstbewußtsein in das rechte Verhältnis zu seinem Gottesbewußtsein zu setzen, in seiner Deutung des „Vaterunser" zum Ausdruck. Es ist bezeichnenderweise die fünfte Bitte „Und vergib uns unsre Schuld", auf die er allein eingeht. Derselbe Hebbel, der noch in den Tagen der Nachkrise vom Beginn des Jahres 37 das Christentum im Geiste des jungen Feuerbach das „Blatterngift der Menschheit", „christliche Sünde... ein Unding, christliche Demut die einzige mögliche menschliche Sünde, und christliche Gnade... eine Sünde Gottes" genannt hatte,[100]) bekennt knapp zwei Jahre später: „Das Gebet des Herrn ist himmlisch. Es ist aus dem innersten Zustande des Menschen, aus seinem schwankenden Verhältnis zwischen eigener Kraft, die angestrengt sein will und zwischen einer höheren Macht, die durch erhobenes Gefühl herbeigezogen werden muß, geschöpft. Wie hoch, wie göttlich hoch steht der Mensch, wenn er betet: Vergib uns, wie wir vergeben unsern Schuldigern; selbständig, frei steht er der Gottheit gegenüber und öffnet sich mit eigener Hand Himmel und Hölle. Und wie herrlich ist es, daß diese stolzeste Empfindung nichts gebiert, als den reinsten Seufzer der Demut: führe uns nicht in Versuchung."[101]) Hier geht das Autonomiebewußtsein des Menschen von der Nebenordnung von Gott und Mensch in der gegenseitigen Freiheit unmerklich über in das Gefühl religiöser Abhängigkeit — die Gnade Gottes hat der menschlichen Freiheit zu Hilfe zu kommen.

In der Würde seiner eigenen Person steht der Mensch der Gottheit selbständig und frei gegenüber, frei — und doch unter Gott. Wieder hat sich ein für Hebbel konstitutives Jugenderlebnis denkerisch und erlebnismäßig geklärt, wenn es auch noch vielen Erschütterungen ausgesetzt sein wird. Das Bewußtsein seiner personellen Menschenwürde, in dem er sich in Wesselburen als mißbrauchter Amtsschreiber so bitter verletzt fühlte, hatte sich unter dem Druck der Verhältnisse je länger je mehr zu rücksichtslosem Selbstbehauptungswillen ausgewachsen. Im Bewußtsein der Unverletzlichkeit seines Selbst wurde er der Verletzung des andern Selbst schuldig:

> Ist dir der andere erst Sache, bald wirst du dir selber zur Sache,
> Und um den edelsten Preis kaufst du das niedrigste Gut.[102])

Und „Weh denen, die sich der Gewalt bedienen, die sie über ein Herz haben", notiert er in München am 1. Januar 1837 aus Goethes *Werther*.[103]) Die anschließenden Bemerkungen über seine schroffe Behandlung „Nah- und Nächstgestellter" zielen deutlich auf sein Verhältnis zu Elise, seinen Freund Rousseau und seine Münchener Liebste Beppi. Es sind die Nachklänge des dichterischen Gerichts, das Hebbel in der Neujahrsnacht 1837 in dem Gedicht „Höchstes Gebot" über sich selbst gehalten hatte:[104])

> Hab' Achtung vor dem Menschenbild,
> Und denke, daß, wie auch verborgen,
> Darin für irgendeinen Morgen
> Der Keim zu allem Höchsten schwillt![105])

Ausdrücklich verleibt er das Gedicht seinem Tagebuch ein mit der Begründung: „Weil es für mich im Sittlichen eine Epoche bildet. Es ist der Maßstab, nach dem ich mich richten werde. Aber was hilft's, sich selbst einen Sünder nennen, wenn man nicht zu sündigen aufhört, und das ist mein Fall."[106])

In „Höchstes Gebot" entlädt sich der Druck der Verschuldung, die Hebbel seiner Umwelt gegenüber fühlt. Sein Verhältnis zu Elise ist nur der bezeichnende Zentralfall, in dem das Hin-und-Her zwischen Schuldbewußtsein und Schuldflucht exemplarisch deutlich wird. Wir wissen aus vielen seiner Selbstbekenntnisse, wie sehr Hebbel Menschen brauchte, im doppelten Sinne des Nötighabens und des Verbrauchens, des „Menschenfressens", wie er es einmal ausgedrückt hat.[107])

Wir blicken hier in den Mittelpunkt der sittlichen Problematik hinein, in der der Mensch Hebbel steht und die der Dichter gestaltet, in das Keimerlebnis seiner Tragödiendichtung. Denn nicht das Verhältnis der Geschlechter zueinander ist, wie man gemeint hat, das zentrale Problem in der Tragödie Hebbels, sondern die Nichtachtung des Heiligkeitsrechts der Person. Nur vorzugsweise formt sich dieses, Hebbels menschlichen Erfahrungen gemäß, als Schuldigwerden am Personenrecht der Frau. Es steht im Zentrum des tragischen Geschicks von Judith, Genoveva, Mariamne, Rhodope und Brunhild; aber auch in den Geschicken Kriemhilds, Agnes', Herzog Ernsts und Albrechts, im *Demetrius* und in komischer Abwandlung im *Diamant* kehrt es wieder, und selbst im *Trauerspiel in Sicilien* und in der *Julia* klingt es in merkwürdigen Abwandlungen auf.

Wenige Monate vor der Gestaltung von Judiths Geschick, die als erste seiner Helden die Entwürdigung ihrer Person zur Sache erleben muß, notiert Hebbel im Hamburger Tagebuch: „Einen Menschen zum bloßen Mittel herabwürdigen: ärgste Sünde."[108]) Die Menschheit in der Person niemals als Mittel zu gebrauchen, hatte Kant als praktischen Grundsatz des kategorischen Imperativs aufgestellt. Aber es wäre abwegig, Hebbel hier auf dem Wege zu Kants Idealismus der Freiheit zu sehen. Schelling hatte in seiner Freiheitstheosophie Kants Lehre vom intelligiblen Charakter des Menschen in den Bau seines objektiven Idealismus als tragendes Glied eingefügt, und wir sind daher nicht erstaunt, Hebbel in seiner Theorie vom Gewissen die gleichen Wege gehen zu sehen. Er zeigt dabei eine in München erlernte bemerkenswerte Geschicklichkeit, sich mit einer gewissen Selbständigkeit in Terminologie und Ideenverknüpfung auszudrücken.

Das Gewissen gilt ihm als „das Organ der inneren Freiheit in der äußeren Gebundenheit".[109]) Noch dem reifen Dichter wird die „Unbegreiflichkeit" des Schellingschen „Urgrundes" sittlich greifbar in der menschlichen Brust: „Einen Ort gibt's, wo der unnahbare Urgrund der

Welt... sich deutlich vernehmen läßt, und das ist die menschliche Brust."[110]) Die Schubert-Schellingsche Methode, die Natur als „Vordeutung" auf den Menschen zu verstehen, nutzt er, wenn er im Hamburger Tagebuch den Samen im „physischen" Menschen mit dem Gewissen im „psychischen" vergleicht und den Schluß zieht: „In jenem beginnt die Welt, in diesem Gott."[111]) Für Hebbel bedient sich der göttliche Urgrund zweier Wege, zweier im Grunde identischer Organe, durch die er zum individuellen Menschen und, durch besonders bevorzugte Individuen, zur Menschheit spricht: „Die Tatsache der Poesie im Makrokosmus entspricht durchaus der Tatsache des Gewissens im Mikrokosmus; sie deutet auf dasselbe Bedürfnis und hat denselben Zweck."[112]) Eben darum kann Hebbel die Kunst, und damit den Dichter als das „Gewissen der Menschheit bezeichnen".[113]) Wie das Gewissen des Menschen über den Mikrokosmus seiner eigenen privaten Person richtet, so richtet der repräsentative Mensch, der Dichter, über den Makrokosmus der Menschheit. Da aber der Dichter nach Hebbels eigener Überzeugung immer nur sich selbst, „seinen eigenen Lebensprozeß"[114]) objektivieren kann, so ist das Gericht, das er über den Makrokosmus hält, zugleich Gerichtstaghalten über sein eigenes Ich. Die ganze geistvoll aus Gedanken Schellings zusammengetragene Konstruktion wurzelt nicht nur im Sendungsbewußtsein des Dichters Hebbel, sondern auch im Schuldbewußtsein des Menschen Hebbel. Von hier aus erhält sein eingangs angeführtes Wort persönliche Bedeutung: „Das böse Gewissen des Menschen hat die Tragödie erfunden." Holofernes und Golo, Herodes, Kandaules und Gyges zeugen davon. Der Dichter beichtet, wo der Mensch im Wirbel des Schulderlebnisses verstummt.

„Das Gewissen ist die Wunde, die nie heilt, und an der keiner stirbt",[115]) schreibt der Dichter am 21. Januar 1840 in Hamburg nieder. Es ist die Wunde, die zurückblieb, als das Einzelwesen sich vom All trennte. Tragödien des Gewissens sind die ersten beiden Dramen *Judith* und *Genoveva*, die nach der Rückkehr des Dichters nach Hamburg entstehen. In Hamburg hat Hebbel sein intensives Schellingstudium fortgesetzt. Seine Tagebuchnotizen, die Ideenführung seiner Dramen und die Gedankenlyrik dieser Zeit sind reich an identifizierbarem Schellingschem Ideengut. Kurz vor Beginn der *Judith* notiert er die Grundidee der Schellingschen Theosophie: „Gott war sich vor der Schöpfung selbst ein Geheimnis, er mußte schaffen, um sich selbst kennenzulernen."[116]) Aus der Fülle der Beziehungen kann hier nur das Wesentlichste berührt werden.

Man hat diese Periode als die der „Hegelschen Hochblüte" bei Hebbel in Anspruch nehmen wollen,[117]) übersah aber, daß Schelling und Hegel kraft ihres gemeinsamen Ausgangspunktes wesentliche Elemente gemeinsam sind. Man muß ein Ohr haben für die sprachlichen Unterschiede, vor allem für die dichterische Diktion Schellings, die Hebbel faszinierte, um Schellings Ideengut bei Hebbel nicht mit dem Hegels zu verwechseln.

Es sind vor allem Schellings Anschauungen von der Geschichte als „dieses großen Spiegels des Weltgeistes",[118]) mit denen sich Hebbel kurz vor und während der Abfassung der *Judith*, seines ersten „historischen" Dramas, beschäftigt. Die die Geschichte behandelnden Abschnitte in Schellings *System des transzendentalen Idealismus* und in den *Vorlesungen über die Methode des akademischen Studiums,* besonders die letzten, haben Hebbel tief beeindruckt. Zwei Gedanken Schellings sind es, die ihn nicht wieder loslassen werden. Der eine ist die Idee der Kunst (das heißt für Schelling wie für Hebbel: der Dichtkunst) als höchster Geschichtsschreibung. Der andere ist die Idee der Immanenz des Universellen im Individuellen; es ist der tiefsinnige, Freiheit und Notwendigkeit, Einzelwillen und Allwillen auf eine Einheit bringende Gedanke, daß sich in allem individuellen Handeln eine höhere Notwendigkeit auswirke. Es ist derselbe Gedanke, der — schon bei Kant vorbereitet — von Hegel später in seinen *Vorlesungen über die Philosophie der Geschichte* als die „List der Vernunft" bezeichnet wurde. Hebbel fand ihn in den genannten Schriften Schellings bereits vor Hegel eingehend erörtert und formuliert vor. Im Judithdrama erscheint er als der dunkle mysteriöse Hintergrund göttlicher Zielsetzung und Leitung allen individuellen Handelns.

Der Gedanke von der Kunst als eigentlicher Erfüllung der Geschichtsschreibung, wie ihn Schelling in der fünften Vorlesung zur *Methode des akademischen Studiums* ausgesprochen hatte, wird die Grundlage abgeben für Hebbels Darlegungen in seinen beiden philosophisch-dramaturgischen Schriften, deren erste noch am Ende dieser Hamburger Periode verfaßt wird. Der Dramatiker Hebbel fühlte sich persönlich angerufen, wenn er in Schellings Gedanken zur Geschichte las: „Auch die wahre Historie beruht auf einer Synthese des Gegebenen und Wirklichen mit dem Idealen, aber nicht durch Philosophie... Dieses ist nirgends als in der Kunst möglich, welche das Wirkliche ganz bestehen läßt, wie die Bühne reale Begebenheiten oder Geschichten, aber in einer Vollendung und Einheit darstellt, wodurch sie Ausdruck der höchsten Ideen werden."[119]) Dem entspricht Hebbels Tagebucheintrag vom 13. August 1840: „Die Dichtkunst ist die höchste, ist die eigentliche Geschichtsschreibung, die das Resultat der historischen Prozesse faßt und in unvergleichlichen Bildern festhält."[120])

Im *Transzendentalen Idealismus* hatte Schelling die den werdenden Dramatiker faszinierende Vision der Geschichte als eines Schauspiels umrissen, dessen Dichter der göttliche Weltenlenker selber ist: „Wenn wir uns die Geschichte als ein Schauspiel denken, in welchem jeder, der daran teilhat, ganz frei und nach Gutdünken seine Rolle spielt, so läßt sich eine vernünftige Entwicklung dieses verworrenen Spieles nur dadurch denken, daß es ein Geist ist, der in allen dichtet, und daß der Dichter, dessen bloße Bruchstücke (disjecti membra poetae) die einzelnen Schauspieler sind, den objektiven Erfolg des Ganzen mit dem freien Spiel aller einzelnen schon im voraus so in Harmonie gesetzt hat, daß am Ende wirklich etwas Vernünftiges herauskommen muß."[121]) Die Schauspieler in diesem Drama der Geschichte, die Menschen, sind nach Schelling Teile, aber eben nur Teile des göttlichen Dichters. Sie sind Gedanken Gottes, „Gott-Gedanken", wie Hebbel sie bezeichnet;[122]) der Künstler aber als Repräsentant des Weltgeistes denkt sie nach und deutet ihre Schicksale im Sinne des göttlichen Weltenplanes. Der Prolog zu „Diamant" spricht es aus:

> Und dämmernd über den Gestalten
> Will ich ein wunderbares Walten,
> Drin, wenn auch ganz von fern, der Geist,
> Der alle Welten lenkt, sich weist.[123])

Die Idee der Identität von Freiheit und Notwendigkeit als die des immanenten Wirkens des Absoluten in der für das Bewußtsein des Individuums freien Handlung hatte Schelling im *Transzendentalen Idealismus* entwickelt. Hier fand Hebbel die Grundidee der tragischen Paradoxie, die Judith durchlebt, vorgezeichnet: „Durch die Freiheit selbst, und indem ich frei zu handeln glaube, soll bewußtlos, das heißt ohne mein Zutun, entstehen, was ich nicht beabsichtigte...: der bewußten, also jener freibestimmenden Tätigkeit... soll eine bewußtlose entgegenstehen, durch welche der uneingeschränktesten Äußerung der Freiheit unerachtet etwas ganz unwillkürlich, und vielleicht selbst wider den Willen des Handelnden, entsteht, was er selbst durch sein Wollen nie hätte realisieren können."[124]) In der zehnten Vorlesung zur *Methode des akademischen Studiums* (der Hauptquelle für Hebbels Geschichtsauffassung) hatte Schelling diesem Gedanken eine Formulierung gegeben, die den werdenden Dichter der *Judith* schon in München gefesselt hatte. In Schellings Schrift heißt es: „Erst dann erhält die Geschichte ihre Vollendung für die Vernunft, wenn die empirischen Ursachen, in dem sie den Verstand befriedigen, als Werkzeuge und Mittel der Erscheinung einer höheren Notwendigkeit gebraucht werden. In solcher Darstellung kann die Geschichte die Wirkung des größten und erstaunungswürdigsten Dramas nicht verfehlen, das nur in einem unendlichen Geiste gedichtet sein kann."[125])

Wie hat Hebbel in *Judith* sich bemüht, die Tat der Heldin gleichzeitig als historisch bedeutsam, im Plane der göttlichen Vorsehung beschlossen und doch als in den „empirischen Ursachen" ihrer individuellen Seele kausal bedingt darzustellen, das heißt die Schellingsche „Synthese des Gegebenen und Wirklichen mit dem Idealen" zu erfüllen. In welche Komplikationen der individuellen Psychologie, in der sich Geltungsbedürfnis, Ruhmsucht, religiöse Sehnsucht und die Getriebenheit unbefriedigten Weibtums unlöslich aber wirklichkeitswahr verschlingen, ist er hinabgestiegen, um in Schellings Sinne, den „Verstand" durch Aufzeigen „der empirischen Ursachen" zu befriedigen und Judith gleichzeitig als „Werkzeug und Mittel der Erscheinung einer höheren Notwendigkeit" zu begreifen!

So bis ins einzelne hinein hatte er die empirische Motivierung seiner Heldin durchgeführt, daß er sich im Tagebuch während der Arbeit besorgt fragt, „ob Judith nicht hierdurch ihre symbolische Bedeutung verliert, ob sie nicht zur bloßen Exegese eines dunklen Menschencharakters herabsinkt".[126]) Durchaus wollte sie Hebbel als „Werkzeug und Mittel einer höheren Notwendigkeit" verstanden wissen. Denn „was diese [die Kunst] darstellt", las er bei Schelling, „ist immer eine Identität der Notwendigkeit und Freiheit, und diese Erscheinung, vornehmlich in der Tragödie, ist der eigentliche Gegenstand unserer Bewunderung".[127]) Schon in München, als Hebbel noch nach einem großen dramatischen Stoff Umschau hielt und in diesem Zusammenhang das Schicksal der Jungfrau von Orleans erwog, nimmt er in einer Tagebucheintragung die Problematik der *Judith* zum Teil vorweg: „Die Gottheit selbst, wenn sie zur Erreichung großer Zwecke auf ein Individuum unmittelbar einwirkt und sich dadurch einen willkürlichen Eingriff ... ins Weltgetriebe erlaubt, kann ihr Werkzeug vor der Zermalmung durch dasselbe Rad, das es einen Augenblick aufhielt oder anders lenkte, nicht schützen ... Eine Tragödie, welche diese Idee abspiegelte, würde einen großen Eindruck hervorbringen durch den Blick in die ewige Ordnung der Natur, die die Gottheit selbst nicht stören darf, ohne es büßen zu müssen. (Besser auszuführen.)"[128]) Die Schellingsche Idee, daß das Individuum als „Werkzeug" der göttlichen Notwendigkeit gebraucht werde, liegt hier deutlich zugrunde; aber noch zwei weitere in diesem Zusammenhang zunächst als neu auffallende Momente weisen in den Kreis des Schellingschen Denkens und sind später in *Judith* verwirklicht worden. Das erste ist das Motiv eines unmittelbaren Einwirkens der Gottheit auf ein besonderes Individuum. Das zweite ist die Idee, daß die Gottheit ihr Werkzeug nicht schützen kann, ohne es selbst zu büßen.

„Ein solches Eingreifen einer verborgenen Notwendigkeit in die menschliche Freiheit" hatte Schelling im *Transzendentalen Idealismus* als Wesen der „tragischen Kunst" bezeichnet, „deren ganze Existenz auf jener Voraussetzung beruht".[129]) Hebbel baute den „Eingriff" Gottes, gemäß der Schellingschen Weisung, die „empirischen Ursachen" als „Werkzeuge einer höheren Notwendigkeit" zu begreifen, in das unbewußte Seelenleben Judiths ein. Judiths Handeln, so frei sie sich auch, hier aus überindividuellen, da aus individuellen Motiven, zu entscheiden scheint, trägt durchaus den Charakter der Getriebenheit. In ihrer individuellen Freiheit wirkt sich die geheimnisvolle Gewalt der universellen Notwendigkeit aus. Zu jenen „empirischen Ursachen", die gleichzeitig als „Werkzeuge einer höheren Notwendigkeit" zu begreifen sind, gehört das Geheimnis, mit dem der Dichter Judiths Hochzeitsnacht umgibt, und das sie in die Mitte zwischen Frau und Jungfrau stellt. Hierher gehört vor allem der Traum, in dem Judith ihre Berufung, zugleich aber auch die tragische Verschlingung von Freiheit und Notwendigkeit im voraus erlebt. Schubertsche und Schellingsche Ideen und Motive durchdringen sich in ihm. „Wenn der Mensch im Schlaf liegt, aufgelöst, nicht mehr zusammengehalten durch das Bewußtsein seiner selbst, dann verdrängt ein Gefühl der Zukunft alle Gedanken und Bilder der Gegenwart, und die Dinge, die kommen sollen, gleiten als Schatten durch die Seele, vorbereitend, warnend, tröstend",[130]) erklärt Judith. Im Schlaf und im somnambulen Zustand, im Traum, so hatte Schubert den Dichter gelehrt, kehrt das individuelle Bewußtsein in das „allgemeine Leben", in den göttlichen Allzusammenhang zurück, traumhaft nimmt es teil an der Voraussicht Gottes: „Die Reihe unserer Lebensbegegnisse scheint sich nämlich ohngefähr nach einer ähnlichen Ideenassoziation des Schicksals zusammenzufügen, als die Bilder im Traume; mit andern Worten: die Aufeinanderfolge des Geschehenen und Geschehenden, in und außer uns, deren innere Gesetzmäßigkeit uns so vielfältig unbemerkbar und dunkel bleibt, redet dieselbe Sprache, wie unsre Seele im Traume."[131]) Eben das erlebt Judith in jenem Traum, mit dessen Schilderung der Dichter seine Heldin einführt. Die Anregung dazu hat Hebbel dem Geist und dem Wortlaut nach aus einer Stelle in Schellings *Philosophie der Freiheit* geschöpft.

Judith erzählt: „Plötzlich stand ich auf einem hohen Berg, mir schwindelte, dann ward ich stolz, die Sonne war mir so nah', ich nickte ihr zu und sah immer hinauf. Mit einmal bemerkt' ich einen Abgrund zu meinen Füßen, wenige Schritte vor mir, dunkel, unabsehlich, voll Rauch und Qualm. Und ich vermochte nicht zurückzugehen, noch still zu stehen, ich taumelte vorwärts; Gott! Gott! rief ich in meiner Angst — hie bin ich! tönte es aus dem Abgrund herauf, freundlich süß: ich sprang, weiche Arme fingen mich auf, ich glaubte einem an der Brust zu ruhen, den ich nicht sah, und mir ward unsäglich wohl, aber ich war zu schwer, er konnte mich nicht halten, ich sank, ich sank, ich hört' ihn weinen, und wie glühende Tränen träufelte es auf meine Wangen."[132])

Der „Urgrund" oder „Ungrund" des Absoluten, in dem der Entfaltungsprozeß Gottes in Schellings Theosophie[133]) anhebt, wird hier in dichterischer Schau zum dunklen unabsehlichen Abgrund. Mit dem Urgrund, dem Abgrund, hat es aber bei Schelling wie bei Hebbel seine besondere Bewandtnis. Gott hat nach Schelling „in sich einen inneren Grund seiner Existenz, der insofern ihm als Existierenden vorangeht".[134]) Das ist der Abgrund, in dem Gott in Judiths Traum lebt. In diesem Urgrund Gottes, das heißt in dem, „was in Gott nicht *Er Selbst* ist", sondern „was Grund seiner Existenz ist", haben die Einzeldinge ihren Grund.[135]) In jenem „Ungrund" also, den Hebbel in Judiths Traum als „unabsehlich, voll Rauch und Qualm" bezeichnet, sind gleichzeitig zwei Prinzipien tätig: „Gottes Wille ist, alles zu universalieren ... der Wille des Grundes aber, alles zu particularisieren."[136]) Im Untergrunde des stolzen Freiheitsbewußtseins des Menschen gähnt daher der Abgrund des irrationalen Urgrundes in der Spannung der gegensätzlichen Prinzipien. Auf dem Gipfel der Freiheit fühlt sich der Mensch wie Judith, die im Anfang ihres Traumes auf einem hohen Berg steht: „Mir schwindelte, dann ward ich stolz, die Sonne war mir so nah', ich nickte ihr zu und sah immer hinauf." So sieht sich auch bei Schelling die Freiheit des Menschen plötzlich vor dem schwindelerregenden Abgrund — ich zitiere nun wörtlich Schelling — „wie den, welchen auf einem hohen und jähen Gipfel Schwindel erfaßt, gleichsam eine geheime Stimme zu rufen scheint, daß er herabstürze, oder wie nach der alten Fabel unwiderstehlicher Sirenengesang aus der Tiefe erschallt, um den Hindurchschiffenden in den Strudel hinabzuziehen".[137]) Wir haben hier alles zusammen, um die Quelle des Traumes Judiths mit Sicherheit erkennen zu können: den Gipfelstolz, den Schwindel, den Abgrund, die süße Stimme aus dem Abgrund und den Ideenzusammenhang, der die tiefere Erklärung dieser immer als dunkle und phantastische Erfindung Hebbelscher Einbildungskraft verstandenen Stelle.

„Gott konnte mich nicht halten, ich sank, sank", sagt Judith, denn im Urgrunde, dem auch Gott verbunden ist, wirkt der dunkle Grund, das heißt das, „was in Gott nicht *Er selbst*" ist, das Prinzip des Partikularwillens; Judiths tragisches Geschick wird es sein, aus der Umarmung Gottes, in den sie „wie eine Verzweifelte in tiefes Wasser" hineingesprungen ist,[138])wieder in den Eigenwillen zurückzufallen; wenngleich die Gottheit doch wieder nur durch Judiths Eigenwillen im Sinne der Schellingschen Theorie ihre notwendige Aufgabe im Plane Gottes erfüllen kann. Gott also kann sein „Werkzeug" vor der inneren „Zermalmung" nicht schützen, wie es in der angeführten Münchener Tagebuchstelle hieß. Und Gott leidet darunter: „Ich hörte ihn weinen", sagt Judith, „und wie glühende Tränen träufelte es auf meine Wangen." Denn Judiths Schicksal ist Teil des Schicksals Gottes. „Weil Gott ein Leben ist, nicht bloß ein Sein", wie es bei Schelling heißt. „Alles Leben aber hat ein Schicksal und ist dem Leiden und Werden untertan. Auch diesem also hat sich Gott freiwillig unterworfen."[139]) Schon im *Transzendentalen Idealismus* hatte Schelling den alten Gedanken aus der deutschen Mystik des siebzehnten Jahrhunderts neu formuliert in der Idee, daß Gott „nicht unabhängig von uns" sei, daß ohne unsere Freiheit „auch er selbst nicht wäre".[140])

Der Abgrund, in den Judith im Traum stürzt, ist von der Philosophie des Absoluten und im besonderen von Schellings Theosophie her gesehen zugleich der Abgrund des eigenen Ich. Denn in der Analyse des Icherlebnisses erschließt der Philosoph die metaphysischen Tiefen der Weltstruktur. In diesem Sinne heißt es in Hebbels Romanfragment „Ein Leiden unserer Zeit": „Oh, eine Unendlichkeit dämmert einem jeden entgegen, der in seine Brust hinabzuschauen versteht; eine Unendlichkeit, ganz so groß, ganz so wahr und wirklich, wie die äußere, sichtbare, in der wir umhergetrieben werden."[141]) Der Grund des Ich reicht in den Urgrund der Welt hinab. Chaotisch, wie dieser uranfänglich war, ist auch der Abgrund des Ich. Das Grauen des eigenen, ihm von Schelling erschlossenen Abgrundes hat der Dichter in München in den immer wiederkehrenden Anfällen seiner „Todeskrankheit" durchlebt. Damals erfährt er selbst den Wirbel des „Nichts", in den er Judith später stellen wird.[142]) Die Tagebucheintragung vom 27. November 1838 „Alles kann man sich denken: Gott, den Tod, nur nicht das Nichts. Hier ist für mich der einzige Wirbel".[143]) Und die weiteren Ausführungen über die Undenkbarkeit des absoluten Nichts reflektieren bis in den Wortlaut den 159sten der Schellingschen *Aphorismen zur Einleitung in die Naturphilosophie*. Hier diskutiert Schelling „die

Frage, die der am Abgrund der Unendlichkeit schwindelnde Verstand aufwirft: Warum ist nicht Nichts, warum ist überhaupt Etwas?"[144]) „Mein Hirn löst sich in Rauch auf", sagt Judith, „ich fühl' mich wie ein Auge, das nach innen gerichtet ist. Und wie ich mich so scharf betrachte, werd' ich immer kleiner, immer kleiner, noch kleiner; ich muß aufhören, sonst verschwind' ich ganz ins Nichts."[145])

Mit deutlicher Anspielung auf den Weg, den die absolute Philosophie mit der Romantik ins Ich, in den inneren Abgrund genommen hatte, schreibt Hebbel am 27. November 1838: „Unser Leben ist innerlich geworden ... Dies stete Bespiegeln und Auskundschaften unserer selbst: wohin führt es? Nicht einmal zum Irrtum, höchstens zu einer verzweiflungsvollen Ahnung unsrer eigenen schauerlichen Unendlichkeit, zu einem Punkt, wo uns das eigene Ich als das furchtbarste Gespenst gegenübertritt ... Man kann sich selbst fremd werden, das ist der umgekehrte Wahnsinn und der letzte, das heißt tiefste Abgrund, in den man stürzen kann."[146]) So wird Judith, nachdem sie in den Abgrund ihres Selbst geblickt hat, sich selbst fremd. Als Mirza sie mit Namen anruft, wehrt sie ab: „Au, mein Name tut mir weh", und Mirza fürchtet: „Gott, sie wird wahnsinnig."[147]) Judith bettelt „um den Wahnsinn", denn mit dem Verstand kann sie den „Wirbel" nicht lösen: „In meinem Kopf sind tausend Maulwurfslöcher, doch sind sie alle für meinen großen, dicken Verstand zu klein, er sucht umsonst hineinzukriechen."

Aus dieser ihm selbst vertrauten Wirrnis läßt der Dichter seine Heldin wenigstens zur Ahnung des überindividuellen Sinnes ihres individuellen Schicksals erwachen. Fühlt sich Judith nach ihrer Tat noch „wie ein Werkzeug, das der Herr verworfen hat",[148]) so spricht sie, zu ihrem befreiten Volke zurückgekehrt, die Hoffnung aus, daß Gott ihr „gnädig" sein und die Tat ihrer Selbstheit annehmen möge: „Mich trieb's, die Tat zu tun; an euch ist's, sie zu rechtfertigen. Werdet alle heilig und rein, dann kann ich sie verantworten."[149]) So hatte es Schelling in seinen *Vorlesungen über die Methode des akademischen Studiums* ausgesprochen: „... daß das Individuum von dem, was vorherbestimmt und notwendig ist, dieses Bestimmte grade zu seiner Tat macht; übrigens aber, und was den Erfolg betrifft, ist es, im Guten wie im Bösen, Werkzeug der absoluten Notwendigkeit"[150]) oder, um es mit Hebbels eigenen, auf diesen Anschauungen basierten Worten zu sagen: „Aber es liegt alles daran, daß das, was als Sünde in die Welt eintritt und was in bezug auf diejenigen, die es zunächst veranlaßten, auch immerhin Sünde bleiben mag, von höherer Hand die Taufe der Notwendigkeit erhalte; es liegt daran, daß das Schicksal die Tat blinder Leidenschaft adoptiere."[151])

Auch die Auffassung des Gegenspielers Judiths, Holofernes, ist von Schellingschen Ideen her konzipiert. Auch für ihn hat man frühzeitig irrtümlicherweise Hegelschen Einfluß angenommen.[152]) Hebbel selbst hat das Bamberg gegenüber abgeleugnet.[153]) So wenig Hebbels eigene Ableugnung bei seiner durchgehenden Abneigung, die Benutzung fremden Ideengutes anzuerkennen, bedeuten mag, in diesem Falle war er im Recht; nur daß er vergaß, hinzuzufügen, daß Holofernes sein geistiges Gesicht einer von ihm adaptierten und vielfach poetisch dargestellten Grundidee der Schellingschen Theogonie verdankt. In Schellings Vorlesungen über die *Philosophie der Mythologie*, die Hebbel als Münchner Student gehört hatte, heißt es, die Philosophie der Mythologie habe „eine große Tatsache gewonnen, die Existenz eines theogonischen Prozesses im Bewußtsein der ursprünglichen Menschheit".[154])

Holofernes verhöhnt den Befehl des Nebukadnezar, ihn als Gott zu verehren, und fährt dann fort: „Wohl fühlt' ich's längst: die Menschheit hat nur einen großen Zweck, einen Gott aus sich zu gebären; und der Gott, den sie gebiert, wie will er zeigen, daß er's ist, als dadurch, daß er sich ihr zum ewigen Kampf gegenüberstellt."[154a]) Er glaubt selbst, dieser Gott zu sein, und fordert Judith auf: „Stürz' hin und bete mich an!"[155]) Von Holofernes sagt Hebbel selbst: „Er faßt in seiner Kraftfülle die letzten Ideen der Geschichte, die Idee einer aus dem Schoß der Menschheit zu gebärenden Gottheit, aber er legt seinen Gedanken eine demiurgische Macht bei, er glaubt zu sein, was er denkt."[156]) Schon der Ausdruck „gebären" weist unverkennbar auf Schelling; auch diesem war, wie Hegel, Denken und Sein im göttlichen Wesen identisch, aber das Denken Gottes nahm bei Schelling, zumal in seiner theosophischen Periode, viel stärker als bei Hegel anthropomorphen Charakter an. In mythisch dichterischer Vision erschaut er den denkenden Gott als Handelnden: „Wollen wir uns dieses Wesen menschlich näher bringen", heißt es in der *Philosophie der Freiheit*, „so können wir sagen: es sei die Sehnsucht, die das ewige Eine empfindet, sich selbst zu gebären ... Sie will Gott, d. h. die unergründliche Einheit gebären."[157]) Schon in der Heidelberger Periode hatten wir Hebbel die Idee der Identität von Denken und Sein von Gott auf das menschliche Bewußtsein übertragen sehen: „Ich bin, wenn ich ihn denke, wie Gott der Quell des Seins." Geschah es damals in der demütigen Haltung des „Staubes", der sich in der intuitiven Anschauung des Künstlers beseligt mit dem Urquell des Seins identifiziert, so wird dieselbe Idee hier in Holofernes in ihrer Umkehrung gesehen. Er „glaubt zu sein, was er denkt", er usurpiert als Partikularwille göttliche Schöpferkraft und erhöht sich selbst zum Zerrbild des Universalwillens, zur „unerreichbaren, schreckenumgürteten Gottheit".[158]) Er verkörpert den radikalen Emanzipationsversuch des Partikularwillens, der, „indem er das Band der Kreatürlichkeit vernichtet, ... aus Übermut alles zu sein, ins Nichtsein fällt".[159]) Wie später Golo, so scheitert Holofernes an dem Versuch, sich im Endlichen zu verselbständigen. Es ist die Hybris des Endlichen, die sich dem Heilsplan des Unendlichen in den Weg stellt und, wie Hebbel es ausdrückt, „das Volk der Verheißung, von dem die Erlösung des ganzen Menschengeschlechts ausgehen sollte, zu erdrücken droht".[160])

Judith aber steht schaudernd vor der Rolle, die sie in dem Plan des göttlichen Weltschauspiels gespielt hat, und „erbebt, ja erstarrt ... vor dem Unbegreiflichen, das von ihr ausgegangen ist".[161]) Wie auf etwas Fremdes schaut sie auf den Erfolg ihrer eigenen, in rächender Verteidigung ihres Personenrechts begangenen Tat, die nun doch zu dem gleichen Ziel geführt hat, zu dem sie, vor ihrem Absinken aus Gott, als Gottesstreiterin ausgezogen war. „Mein Volk ist erlöst, doch wenn ein Stein den Holofernes zerschmettert hätte — es wäre dem Stein mehr Dank schuldig als mir."[162]) In diesem Wirbel des Schulderlebens nimmt Judith das Herausfallen aus der Umarmung Gottes als ihre persönliche Schuld auf sich. Ihr letztes Wort ist an Gott gerichtet: „Vielleicht ist er mir gnädig." Keine Anklage Gottes klingt auf. Sie weiß, daß Gott allein der Herr ist. Aber die Tragik des endlichen Daseins, des Partikularwillens, der sich nicht im „Zentrum" Gottes halten kann, überschattet ihr Dasein. In seiner nächsten Tragödie wird Hebbel in den Rasereien Golos, der sich zum „Weltmörder" und „Gottesmörder" verselbständigen möchte, die Gottesanklage stärker und bewußter auftönen lassen. Schuldbewußtsein und Entschuldungsdrang, wie sie der Dichter selbst erlebte, werden noch qualvoller miteinander ringen, um schließlich zum gleichen Ergebnis, zur Anerkennung Gottes als des alleinigen Herrn, zu führen. In diesem Sinne sind schon die frühen Tragödien Hebbels keineswegs ohne Versöhnung, wenn diese auch vom Schelling-Hebbelschen Weltleid überschattet wird. Nur in der Haltung Genovevas, der Heiligen, hat er jene letzte Synthese von Freiheit und Notwendigkeit, jenen Frieden zu gestalten versucht, der höher ist denn alle Vernunft: „Sie war in Gott gebunden, nicht durch mich."[163])

Die Genovevatragödie ist die dichterische Beichte der Gewissensnöte, in die sich der Dichter durch die aufflammende Leidenschaft zu Emma Schröder verstrickt sah. Erst durch dieses persönliche Erlebnis des Schuldigwerdens an Elise wurde der ihm schon in München vertraute Stoff reif zur Gestaltung. In solcher Schuldverstrickung fühlt der Dichter

sich wie von dämonischen Mächten gepackt: „Oh, es ist oft eine solche
Verwirrung in meiner Natur, daß mein besseres Ich ängstlich und schüch-
tern zwischen diesen chaotischen Strömen von Blut und Leidenschaft,
die durcheinanderstürzen, umherirrt, der Mund ist dann im Solde der
dämonischen Gewalten, die sich zum Herren über mich gemacht haben,
und ganz bis ins Innerste zurückgedrängt sitzt meine Seele, wie ein Kind,
das vor Tränen und Schauder nicht zu reden vermag.[164]) Wie Hebbel hier
dem Rasen des Dämons in sich selbst zuschaut, so spricht Golo mit dem
Bösen in sich als einer Person. „Wer spricht aus mir? Ich nicht! Schweig,
böser Geist!"[165]) In Schellings *Philosophie der Freiheit* liest es sich so: „Es
ist im strengsten Verstande wahr, daß, wie der Mensch überhaupt
beschaffen ist, nicht er selbst, sondern entweder der gute oder der böse
Geist in ihm handelt; und dennoch tut dies der Freiheit keinen Eintrag. Denn eben das In-sich-handeln-Lassen des guten oder bösen Prinzips
ist die Folge der intelligiblen Tat, wodurch sein Wesen und Leben bestimmt ist."[166])

Um den Ursprung des Bösen kreisten Hebbels Gedanken seit langem.
In der zweiten Hamburger Periode hat er sich nach Ausweis zahlreicher
Tagebucheintragungen wieder ausgiebig mit dem Problem des Bösen bei
Schelling beschäftigt. Nach Schelling sind die beiden Prinzipien des
Dunklen und Lichten eine ursprüngliche Einheit, das heißt Gut und Böse
haben in Gott keine reale Existenz; nur im Menschen sind sie getrennt,
nur durch die Trennung existieren sie. „Wäre nun im Geist des Menschen die Identität beider Prinzipien ebenso unauflöslich als in Gott, so
wäre kein Unterschied." Es würde „der Mensch von Gott gar nicht
unterschieden sein; er ginge in Gott auf",[167]) heißt es in der *Philosophie
der Freiheit*. An diesen Gedanken lehnt sich die folgende, aus der Zeit
der Arbeit an der *Genoveva* stammende Tagebucheintragung Hebbels
aufs engste an: „Das Böse steht als Schranke zwischen Gott und dem
Menschen, aber als solche Schranke, die dem Menschen allein individuellen Bestand gibt. Wäre es nicht so, so würde der Mensch mit Gott
eins."[168])

Das Böse ist es, das dem Menschen „allein individuellen Bestand" gibt.
Es verdichtet sich bei Hebbel wie bei Schelling, wenigstens im Bereich des
Empirischen, zu einer realen personellen Macht. Das Böse wird zu dem
Bösen, zum Teufel, den der Dichter im Spiegelbild der Hexenküche höchst
persönlich in das Drama seiner Goloqualen hineingrinsen läßt. Vom Teufel
heißt es da, daß er „Gott Leiber macht, und in den Leibern seine Geister
fängt".[169]) Auch so noch wird der Teufel im Dienste Gottes, also als relative Macht, gesehen; das Böse wird nicht als Grund, aber als potentielle

Bedingung menschlicher Existenz erkannt. Die mythische Einkleidung des teuflischen Geschäfts entnahm der Dichter wiederum einem von Schelling vorgetragenen Gedanken. In der Schrift *Philosophie und Religion*, aus der Hebbel auch sonst geschöpft hat, hatte Schelling auf die „alte, heilige Lehre" hingewiesen, „daß die Seelen aus der Intellektualwelt in die Sinnenwelt herabsteigen, wo sie zur Strafe ihrer Selbstheit ... an den Leib wie an einen Kerker sich gefesselt finden".[170])

Von einer dämonischen Kraft, die ihm die persönliche Schuld mehr antut, als daß er sie selbst täte, fühlt sich der Hebbelsche Mensch bedroht. Wie Golo, so wird auch noch Herodes mit seinem „Dämon"[171]) zu kämpfen haben, und von dämonischen Gewalten fühlte sich Hebbel selbst in dem angeführten Brief an Elise überwältigt. Sosehr er auch mit Schelling anerkennt, daß das Böse keine Existenz im Absoluten habe, sosehr sieht er sich doch im realen Dasein seiner Macht ausgeliefert. An diesem Punkt, an der Existenz des Bösen im Relativen, setzt der Entschuldungsdrang des „bösen Gewissens" ein, das die subjektive Schuld auf eine äußere Macht, auf die Weltordnung, abzuschieben sucht.

So wird das Genovevadrama zur Tragödie Golos, zur Tragödie des „bösen Gewissens", das nach allen deterministischen Fluchtversuchen bekennen muß: „Gott tat mir recht, und Gott allein hat recht."[172]) Mit diesem Bekenntnis Golos findet die Theodizeefrage, um die wir Hebbel seit den Heidelberger Tagen ringen sahen, vom ethischen Bereich her ihre positive Beantwortung.

Der Dualismus von Gut und Böse fällt im Sinne der Schellingschen Freiheitsphilosophie nicht Gott, sondern dem Menschen zur Last. Der vielberufene „Dualismus" Hebbels ist nicht, wie man ihn oft verstanden hat, ein absoluter, sondern ein realiver. Bei Schubert, Feuerbach und Schelling hatte er den Dualismus als durchgehendes Gesetz der Erscheinungswelt kennengelernt: „die allumfassende Bedeutung jenes Gesetzes des Dualismus, dem wir in den einzelnsten Erscheinungen ebenso bestimmt als im Ganzen der Welt begegnen".[173]) Während der Arbeit an *Genoveva* gibt Hebbel dann diesem Gedanken die bekannte Formulierung: „Der Dualismus geht durch alle unsere Anschauungen und Gedanken, durch jedes einzelne Moment unseres Seins hindurch, und er selbst ist unsre letzte, höchste Idee. Wir haben ganz und gar außer ihm keine Grundidee. Leben und Tod, Krankheit und Gesundheit, Zeit und Ewigkeit, wie eins sich gegen das andre abschattet, können wir uns denken und vorstellen, aber nicht was als Gemeinsames, Lösendes und Versöhnendes hinter diesen gespaltenen Zweiheiten liegt."[174])

Der Schlußsatz macht es deutlich, daß die Existenz dessen, was als

„Gemeinsames" hinter den „Zweiheiten" liegt, nicht geleugnet, daß es
nur als rational unerkennbar erachtet wird. Schelling hatte den konsequenten metaphysischen Dualismus als ein „System der Selbstzerreißung
und Verzweiflung"[175]) bezeichnet, den Dualismus aber als durchgehendes
Prinzip in der Erscheinungswelt erkannt. Sorgfältig hatte er sich bemüht,
die Einheit des Urgrundes als Indifferenz, die des vollendeten Prozesses
als Identität zu begreifen, die dualistischen Scheidungen aber nicht dem
Sein, sondern der Notwendigkeit des Werdens zuzuteilen. Nicht über
diese Grundkonzeption haderte Hebbel mit Schelling, wenn er ihm vorwirft, daß er mit seiner Idee, von dem Hervortreten des Sohnes aus Gott
dem Vater „die Fundamentalidee des menschlichen Geistes" zerspalte
und „Gott zur Wurzel der Weltentzweiung"[176]) mache, sondern nur über
die folgerichtige Durchführung der Idee; gerade die Grundkonzeption
Schellings sucht er gegen vermeintliche logische Entgleisungen Schellings
zu schützen. Schelling selbst hatte Mühe genug gehabt, in einer Schöpfung,
die als notwendige Stufe des zu-sich-selbst-kommenden Gottes verstanden wurde, die Herkunft des gottfeindlichen Prinzips, des Bösen, zu
erklären. Hier lag der schwächste Punkt seiner Deduktion. Hebbel erkannte
ihn mit der Gefühlssicherheit dessen, der sich in der Frage nach der Herkunft des Bösen zur Verteidigung seiner Selbst und der Menschheit aufgerufen sah. Seine erste leidenschaftliche Stellungnahme zu Schelling in
Heidelberg sahen wir von dieser Fragestellung bewegt. Das Problem
wird ihn nicht loslassen; noch der Nibelungendichter diskutiert es mit
Schelling in ähnlicher Weise wie der Schöpfer Golos.[177])

Grundsätzlich hat auch für Hebbel die Idee des Dualismus nur für die
Erscheinungswelt ihre Geltung, nur daß er die Tragik des empirischen
Dualismus härter erlebte als Schelling. Stärker als bei diesem drängen sich
innerhalb des idealistischen Einheitsweltbildes die naturalistisch deterministischen Elemente in den Vordergrund, wenn nicht des Denkens, so
doch des Erlebens. Theoretisch sah er wie Schelling das Wesen des Bösen
als ein „Unwesen" an. Der Feststellung Schellings in der *Philosophie der
Freiheit:* „Das Böse aber ist kein Wesen, sondern ein Unwesen, das nur
im Gegensatz eine Realität ist, nicht an sich",[178]) entspricht Hebbels Be-
teuerung vom Jahre 1840: „Die Sünde hat große Macht, aber die Macht,
sich als selbständigen Gegensatz der Tugend hinzustellen und diese in
freiem Haß zu befehden, hat sie nicht."[179]) Schelling hatte prinzipiell an
dem bloß potentiellen Charakter des Bösen festgehalten, das erst durch
die Freiheit des Menschen, sich zu verselbsten, zur Aktualität werde.
Aber auch er hatte von der praktischen Unmöglichkeit des Nicht-
Schuldigwerdens und der allgemeinen „Notwendigkeit der Sünde und

des Todes" gesprochen.[180]) Hebbel unterstreicht den Gedanken von der Notwendigkeit des Schuldigwerdens. In *Mein Wort über das Drama,* das die Schellingsche Theorie des Bösen auf das Problem der tragischen Schuld bezieht, heißt es, „daß das Leben als Vereinzelung, die nicht Maß zu halten weiß, die Schuld nicht bloß zufällig erzeugt, sondern sie notwendig und wesentlich mit einschließt und bedingt".[181]) Aber auch hier ist es nicht das Leben an sich, sondern nur „als Vereinzelung, die nicht Maß zu halten weiß", die die Schuld notwendig erzeugt, womit nun doch wieder wie bei Schelling nicht die Vereinzelung *an* sich, sondern erst die Vereinzelung *für* sich, die Verselbstung, für die Aktualisierung des Bösen verantwortlich gemacht wird. Grundsätzliche theoretische Verschiedenheiten zwischen Hebbel und Schelling bestehen auch in diesem Punkte nicht; nur daß der Tragiker Hebbel auch bei Schelling vorhandene pessimistische Ansätze graduell verstärkt.

Kann der einheitliche Grund des Daseins nach Hebbel auch nicht theoretisch erkannt werden, so wird er doch im Gewissen erlebt und vom Künstler erschaut. Über alle Bedrückungen des empirisch durchlittenen Dualismus hinaus, wahrt sich Hebbel diese Gewißheit schon in dieser Periode: „Wie die Luft uns die physischen Lebensstoffe zuführt, so atmet und webt der Geist in Gott; es ist eine Torheit, sich von ihm losmachen zu wollen. Sündigen ist nichts weiter, als was das mutwillige Anhalten des Atmens physisch ist, die Luft bricht sich selbst wieder Bahn."[182]) Gerade in dem Vermögen des Negierens enthüllt sich ihm, wie er es im Sinne der Schellingschen Freiheitsphilosophie ausdrückt, die „letzte Zuflucht der nicht ganz in der Schöpfung aufgegangenen ewigen Freiheit".[183])

Noch im sittlichen Negieren, im Vermögen zur Sünde, bestätigt der Mensch das Vermögen seiner Freiheit. Dies ist der Zirkel, in dem die tragische Raserei Golos abläuft: „Ich fürcht mich selbst", sagt er, „drum wend' ich mich an Dich", an Gott. Aus der eigenen Freiheit flieht er in die Notwendigkeit:

> Brech ich nicht Hals und Bein zu dieser Stund',
> So leg ich's aus; ich soll ein Schurke sein.[184])

Die Last der eigenen Entscheidung, die Last der Schuld schiebt er auf die göttliche Weltordnung. Selbst als Genoveva ihn auf das wesenhaft Menschliche, das Vermögen sittlicher Wahl hinweist,[185]) beruft er sich auf sein „Schurkenrecht".[186]) Er verkennt den Augenblick, „in dem der Lenker seines Sterns ihm selbst die Zügel übergibt", wie es später in ähnlicher Lage Herodes geschieht.[187]) Golo ist der Mensch, der der Aufgabe der eigenen Freiheit nicht gewachsen ist, der daher in die Triebgebundenheit des Kreatürlichen zurückstrebt. Die heilige Genoveva spricht es aus:

> Gott lenkt den Trieb des Tieres, wie er will,
> Doch nicht des Menschen widerspenstig Herz.[188])

So hatte es Schelling in der *Philosophie der Freiheit* dargestellt: „Nie kann das Tier aus der Einheit heraustreten, anstatt daß der Mensch das ewige Band der Kräfte willkürlich zerreißen kann."[189])

Es heißt den Dichter völlig mißverstehen, wenn man Charakter und Handlungsweise Golos im Sinne des ethischen Determinismus erklärt. Ein Wort, das Hebbel in den „Genovevabrocken" notiert: „Was einer werden kann, das ist er schon",[190]) scheint auf den ersten Blick solcher Deutung recht zu geben. Man durchdenke aber auch die anschließenden Bemerkungen, die erst die ganze in Schelling wurzelnde Hintergründigkeit der in der Form echt Hebbelschen Paradoxie aufschließen: „Gott wird nicht auf die Sünden sündiger Individuen gegeneinander das entscheidende Gewicht legen, sondern nur auf die Sünden gegen die Idee selbst, und da sind wirkliche und bloß mögliche völlig eins." Nicht auf der Tat, sondern auf der Gesinnung liegt das Gewicht,[191]) das heißt auf dem Charakter. Ob die Versündigung gegen den Mitmenschen wirklich wird, bleibt unwesentlich, schon die im Charakter wurzelnde sündige Neigung ist Versündigung und zwar höchste Versündigung gegen die Idee selbst, ist Charakterschuld. Hier legt sich der Kern des Schuldnerlebens Hebbels frei. Noch für den eigenen Charakter fühlt sich der Hebbelsche Mensch persönlich und sittlich verantwortlich.

Bis in die Struktur des individuellen Charakters hinein hatte Schelling das Prinzip der intelligiblen Freiheit verfolgt. „Das Wesen des Menschen", sagt er in der *Philosophie der Freiheit*, „ist wesentlich seine eigene Tat." Wäre ihm sein Wesen bloß gegeben, so wäre „die Zurechnungsfähigkeit und alle Freiheit aufgehoben". „Es ist reales Selbstsetzen, es ist ein Ur- und Grundwollen, das sich selbst zu etwas macht."[192]) Die dann folgenden Ausführungen enthüllen deutlich, daß wir hier die Quelle des Hebbelschen Gedankens zu suchen haben. Ich hebe nur die entscheidenden Stellen aus: „So unfaßlich diese Idee der gemeinen Denkweise vorkommen mag, so ist doch in jedem Menschen ein mit derselben übereinstimmendes Gefühl, als sei er, *was er ist, von aller Ewigkeit schon gewesen* und keineswegs in der Zeit erst geworden. Daher ... der Böse zum Beispiel sich doch nichts weniger als gezwungen vorkommt ..., sondern seine Handlungen mit Willen nicht gegen seinen Willen tut."[193]) Hier ist die

Flucht Golos vor der Freiheit vorausbeschrieben, daß „derjenige, welcher etwa, um eine unrechte Handlung zu entschuldigen, sagt: so bin ich nun einmal, doch sich bewußt ist, daß er durch seine Schuld so ist, so sehr er auch recht hat, daß es ihm unmöglich gewesen, anders zu handeln". Den Einwand, daß die Anschauung von der uranfänglichen Selbstbestimmtheit des Individuums „alle Umwendung des Menschen vom Bösen zum Guten und umgekehrt für dieses Leben wenigstens abschneide",[194] beantwortet Schelling mit einem Gedanken, der Hebbel schon in Heidelberg angerührt hatte[195] und der in Hamburg die Quelle für eine Tagebucheintragung wurde. Schelling schreibt: „Das In-sich-handeln-Lassen... des guten oder bösen Prinzips ist die Folge der intelligiblen Tat." „Das gute Prinzip" sei daher nicht völlig für den Sünder erstorben, die innere Stimme seines eigenen „besseren Wesens" höre nie auf, ihn zum Guten aufzufordern, „so wie er erst durch die wirkliche und entschiedene Umwendung den Frieden in seinem eigenen Innern, und, als wäre jetzt erst der *anfänglichen Idea Genüge getan*, sich als versöhnt mit seinem Schutzgeist findet."[196] Hebbel notiert am 2. Mai 1839: „Es liegt in der Beichte ein echt menschliches Element. Eine Tat bekannt, ist verziehen; das Bekenntnis ist die *Satisfaktion der beleidigten Idee*."[197] Die Übereinstimmung des Zusammenhanges der von mir herausgehobenen Worte erweist die Herkunft der Hebbelschen Notiz. Sie beweist auch, zusammen mit dem früher Angeführten, wie tief Hebbel während seines zweiten Hamburger Aufenthalts in Schellings *Philosophie der Freiheit* eingedrungen war.[198] Sie gibt ihm die prinzipielle ethische Grundlage für die Beichte, die er selbst mit der Gestaltung von Golos Sünde und Buße im Genovevadrama ablegte. Diese dramatische Beichte bedeutete für ihn die Satisfaktion der von ihm beleidigten Idee seines „besseren Selbst". Sie war ein Bekenntnis, in dem er, mit seinem Beichtiger Schelling zu sprechen, um „den Frieden in seinem eigenen Innern" rang und seiner „anfänglichen Idea Genüge" tat.

In Schellings Ideenkreis bewegt sich auch die in dieser Zeit entstandene Komödie *Der Diamant*, nur daß sie den tragischen Wirbel des Seins ins Komische umsetzt. Das Spiel der menschlichen Egoismen, durch das hindurch „der Geist, der alle Welten lenkt, sich weist,[199] führt schließlich zum guten Ende. Die Prinzessin, die wie ihr Dichter am „Weltweh", am Schauder vor dem eigenen Ich leidet,[200] wird durch das freundliche Wirken der Hebbel-Schellingschen höheren Notwendigkeit innerhalb der menschlichen Freiheit kuriert. Auch hier geht, wie in *Judith*, der Weg zur Realisierung des Weltenplans durch die Sünde der menschlichen Werkzeuge; aber die „Sündengeburt" bedingt hier nicht den „Sündentod"[201], sondern bewirkt nur die lächerliche Bloßstellung der jämmerlichen Charaktere in ihrer Selbstsucht. Hebbel versucht hier über die Krämpfe des eigenen Weltleids zu lachen und sich sub specie aeternitatis über sie zu erheben. Aber sein Lachen noch trägt den Krampf in sich.

Betont die Hebbelsche Tragödie als Wesensprojektion ihres Dichters die tragische Gottferne des Menschen, so öffnet sich der Dichter in der Lyrik, als Sehnsuchtsprojektion seines Selbst, der beseligenden Nähe Gottes. Hier wird der Allerfernste zum Allernächsten, zum einhüllenden Element. Wieder sind es Schellingsche Töne, die die Sehnsuchtsmelodie Hebbels begleiten. Wenige Monate nach dem Abschluß der *Judith* entsteht das Gedicht „An meine Seele",[202] das nun die Idee vom Hinuntergezogenwerden in den Urgrund des Seins ins Positive wendet. Die Anklänge an Judiths Traum sind deutlich: „Bist Du in die Umarmung der Welt eingefroren zu fest? Löse Dich! Löse Dich!"; und die Seele wird aufgefordert, sich in die „innere Nacht" des eigenen Selbst zu vertiefen. Dort, im Schlaf — ein ihm früh von Schubert vermittelter Gedanke, der durch Schelling metaphysisch erweitert wird —, wird sie die umschließende Form zersprengen, die sie „sondert vom All":

> Dann ergreift es Dich, wie ein Arm,
> Und Du fühlst es mit süßer Angst,
> Daß es still Dich hinunterzieht
> In den Urgrund des Seins, in Gott.

Das Grauen vor dem Abgrund ist geschwunden, nur die süße Stimme Gottes spricht noch aus dem Urgrund, der sich im Ich erschließt. Mensch und Gott ruhen in seliger Umarmung.[203]

Aber auch die helle Welt des Tages, den Blick in die unendliche Weite des Äthers, erlebt der Dichter nun als andachtsvoller Beter. Die Bedrückung vor der Übergewalt des Universums ist dem Erlebnis demütiger Ehrfurcht gewichen. Wieder sind es Ideen der Schellingschen Naturphilosophie, die den Dichter in dem Sonett „An den Äther"[204] bewegen. Schelling hatte in der Schrift *Von der Weltseele* ausgeführt, daß „der grobe Stoff, ehe er in einzelne Materien überging, durch den Weltraum gleichförmig verbreitet und im Äther (als dem menstruum universale) aufgelöst war, so mußte alle Materie in ihm sich ursprünglich durchdringen".[205] Die grobe Masse der „heterogenen Materien" sind nur der Niederschlag der „gemeinschaftlichen Solution" des Äthers, die die Kraft gegenseitiger Durchdringung verloren haben. Für den Äther „aber müssen alle Materien noch jetzt in hohem Grade durchdringlich, ja sogar durch

fortwährende Aktion auflöslich sein".[206]) Den Äther erlebt Hebbel mit
Schelling als das das erstarrte Einzelsein geheimnisvoll durchdringende
und aus der Isolierung der Vielfalt zur Einheit erlösende Element. Er ist
der höchste sichtbare Vertreter der urgründlichen Einheit Gottes, die, dem
blöden Auge unerkannt, in allen Dingen ätherisch gegenwärtig ist. So
hatte es Schelling in der zweiten Auflage der *Ideen* formuliert: „Wenn
nun der im Universum ausgegossene Äther die absolute Identität aller
Dinge selber ist, so hebt sich in ihm Nähe und Ferne vollends auf, da in
ihm alle Dinge als Ein Ding und er selbst an sich und wesentlich Eines
ist":[207]) Idee und Diktion des Hebbelschen Sonetts wurzeln in diesem
Ideengrund:

> Allewiger und unbegrenzter Äther,
> Durch's Engste, wie durch's Weiteste Ergoßner!
> Von keinem Ring des Daseins Ausgeschloßner!
> Von jedem Hauch des Lebens still Durchwehter!
>
> Des Unerforschten einziger Vertreter!
> Sein erster und sein würdigster Entsproßner!
> Von ihm allein in tiefster Ruh' Umfloßner!
> Dir gegenüber werd' auch ich ein Beter!

Im Gebet des Dichters ist das allverbindende, das göttliche Element
selbst wirksam: „Wenn der Mensch betet, so atmet der Gott in ihm
auf."[208]) Der Äther nimmt nunmehr die Stelle ein, die in Hebbels Frühzeit die proteisch wandelbare und zum allgemeinen Leben erlösende Kraft
des Weltgeistes im Proteusgedicht innehatte. Aber gefaßter, gehaltener
und bescheidener als der Wesselburener Schubertadept erlebt der in Schellings Ideenwelt gereifte Dichter die urgründliche Einheit des Seins. Nicht
die Gottheit selbst umfaßt er, nicht wird er selbst wie noch in Heidelberg
„wie Gott der Quell des Seins"; im Begreifen des Äthers stößt er bis zu
dem letzten sinnenhaften Grenzerlebnis vor, hinter dem sich die Gottheit
verbirgt, als die tiefste Ruhe der göttlichen Identität, die, unfaßbar dem
menschlichen Geist, wiewohl diesen selbst umfassend, noch den Äther
selbst umfließt:

> Mein schweifend Auge, das dich gern umspannte,
> Schließt sich vor dir in Ehrfurcht, eh' es scheitert,
> Denn nichts ermißt der Blick, als seine Schranken.
>
> So auch mein Geist vor Gott, denn er erkannte,
> Daß er, umfaßt, sich nie so sehr erweitert,
> Den Allumfasser wieder zu umranken.

Dem Äther ist die Atmosphäre, die Luft, nahe verwandt. In ihr symbolisiert sich für Schelling das „positive Prinzip des Lebens", das was „keinem Individuum eigentümlich" ist. „Es ist durch die ganze Schöpfung verbreitet und durchdringt jedes einzelne Wesen als der gemeinschaftliche Atem der Natur."[209] „Einen Menschen, den man atmen hört, hört man *leben*, Leben einziehen",[210] notiert Hebbel im zweiten Hamburger Tagebuch, und am Tage der Entstehung des Sonetts „An den Äther" schreibt er: „Schöne Zeit der entwickelten Kraft, wie bald gehst Du vielleicht vorüber! Wie die Luft uns die physischen Lebensstoffe zuführt, so atmet und webt der Geist in Gott, jeder Gedanke, jedes Gefühl, das ihm kommt, ist ein Odemzug, es ist eine Torheit, daß man glaubt, man könne sich von ihm losmachen. Sündigen ist nichts weiter, als was das mutwillige Anhalten des Atems physisch ist, die Luft bricht sich von selbst wieder Bahn."[211]

In diesen Hamburger Tagen der strömenden dichterischen Produktion, die ihm die eigene „innere Lücke" füllt, hat Hebbel seinen festen Standpunkt gegenüber der Fragwürdigkeit des Daseins gefunden. „Das Dasein, die holde Möglichkeit des Glücks ... hat an sich einen hohen, unverlierbaren Wert",[212] schreibt er zur selben Zeit an einen Freund. Es lebt aus dem Odem Gottes; der Mensch weiß daher um seinen guten Sinn. Die Tragödie Golos, der sich vergeblich von Gott loszumachen versucht, bedeutete eine Theodizee vom Negativen her; in den Gedichten dieser Zeit folgt die positive Theodizee.

Nun finden auch die beiden aus der ersten Proteststimmung gegen Schelling entstandenen Heidelberger Gedichte, die Antitheodizee „Was ist die Welt" und die Klage des im Kerker des eigenen empirischen Daseins Gefangenen „Nun ist die Nacht gekommen", ihre ausdrückliche poetische Widerrufung. In dem Sonett „Das Element des Lebens"[213] bekennt er:

> Du schiltst die Welt ...
> Aus meinem Mund ist in verfloßnen Stunden
> Ich will's gesteh'n, das Gleiche oft erschollen,
> Ich aber hörte lange auf zu grollen.

Der Dichter fühlt sich nicht mehr im Kampf mit den äußeren Widerständen auch „im Innersten gebunden". Erschien ihm früher die Welt als „Schößling böser Säfte, die aus sich selbst die Gottheit einst ergoß", so erkennt er nun:

> In die entriegelte Pandorabüchse
> Das Widerstrebende zurückzufluchen,
> Heißt auf des Lebens Element verzichten.

Die Spannung zwischen Ich und Welt wird als sinnvoll, als „Element des Lebens" empfunden. Die Welt selbst gilt dem Ich als „der Marmorblock, an dem wir uns versuchen", das heißt als sittliche Aufgabe. Gebundenheit ist notwendig, damit ihr Gegensatz, die Freiheit, sein kann.

Die Grundspannung Hebbelschen Erlebens aber bricht auch in dieser Zeit der beginnenden Festigung die gewonnene Synthese augenblicksweise auf. Heißt es im Tagebuch vom 13. August 1840: „Was ist das? Sobald der Mensch sich fühlt und sich aufrichtet, empfindet er etwas wie einen Druck von oben, und doch lebt er nur so weit, als er sich fühlt. Es ist, als ob er sich aus einem Abgrund erhöbe und von unbekannter Hand immer wieder hineingestoßen würde",[214]) so spricht die Aufzeichnung vom 13. März 1841 von dem Gefühl des Hinaufgezogenwerdens in den göttlichen Atem des allgemeinen Lebens, wie es das Äthergedicht ausdrückt: „Ein Atmen über mir, als ob's mich einziehen will."[215]) Unmittelbar neben diesem von ganymedischer Hingabe erfüllten Ausspruch steht die prometheisch trotzige Erklärung: „Alles Leben ist Raub des einen am andern." Die dominierende Linie der Lyrik dieser Zeit aber ist durchaus auf eine Synthese der dualistischen Elemente des Lebens ausgerichtet. Sie spricht aus dem vielleicht bedeutendsten, jedenfalls charakteristischsten Gedicht dieser Periode der inneren Festigung. „Unergründlicher Schmerz"[216]) beginnt es, und es endet mit der Erhebung des Dichters zum „Urquell des Lichts".

Hebbels „Philosophie des Schmerzes" ist in ihren Anfängen durchaus von Feuerbachs Gedanken durchtränkt, dem sich im Schmerz die Nichtigkeit des Individuums offenbarte. „Die letzten Seufzer der Sterbenden" galten Feuerbach „als die Siegesgesänge der Gattung".[217]) Die Weltschmerzgedichte der Heidelberger Zeit, in der Hebbel mit dem Freunde Rousseau, nach eigenem Geständnis, das „Bacchanal des Schmerzes"[218]) feierte, sind, weit entfernt, Siegesgesänge der Gattung zu sein, vielmehr Schmerzgesänge individueller Nichtigkeit. Sie verwirklichen in pessimistischer Einseitigkeit die Feuerbachsche Einsicht: „Du philosophierst dann allein, wenn Du vor Schmerzen stöhnst und schreist."[219]) Hörte Hebbel in den grellen Tiraden der Feuerbachschen Philosophie des Schmerzes, sehr gegen Absicht und Geist des Verfassers, vor allem nur das Nein, so gewinnt er bei weiterem Eindringen in Schellings Metaphysik eine positivere Bewertung des Schmerzes. „Schmerz ist etwas Positives", lautet die lapidare Tagebucheintragung vom 17. Februar 1840. Wo immer vom Schmerz als konstitutivem Weltprinzip die Rede ist, klingen Ideen und Wortfügungen Schellings an. Langsam wächst in Hebbel die Gewißheit, daß der Schmerz in den Abgrund des Weltmysteriums hinabreicht. „Dem

Schmerz zu zeigen, daß er sich nicht selbst versteht", so schreibt er 1839, heißt „am Abgrund nachweisen, daß er tiefer ist, als man glaubt."[220]) Der Schmerz wird zum mystischen Organ des Weltengrundes: „er deutet auf den Bronnen".[221]) Im Schmerz ist der Mensch „gegen das gemeine Leid der Erde . . . geschützt", schreibt er damals an einen jungen Dichter, „und im Abgrund oder nirgends muß man den Schlüssel zum Himmel finden".[222])

Im Abgrund des Seins hatte Hebbel mit Schelling „den Schlüssel zum Himmel", zur Verwandlung des Schmerzes in eine positive Kraft gefunden. Denn aus dem „unergründlichen Abgrund" des an sich einheitlichen Weltengrundes stammt der „unergründliche Schmerz"; er ist im wörtlichsten Sinne „Weltschmerz", jedoch im aufbauenden und nicht mehr im auflösenden Sinne. Er ist es, der den Menschen an seine Herkunft aus dem „Grunde" des All erinnert, er ist Trennungsschmerz. So versteht sich Hebbels Tagebucheintragung im Entstehungsjahr des Gedichtes: „Unser Leben ist der aufzuckende Schmerz einer Wunde",[223]) oder das spätere Wort, das das gleiche Verhältnis von Gott her sieht: „Die Welt: die große Wunde Gottes."[224])

Schmerz, so hatte es Schelling gesehen, entsteht durch Absonderung des Einzelwillens vom Allwillen, so wie „im lebendigen Organismus das einzelne Glied . . ., sobald es aus dem Ganzen gewichen ist", vom Fieber entzündet wird.[225]) Diese ihm aus Schellings *Philosophie der Freiheit* vertraute Formulierung hat Hebbel wieder und wieder abgewandelt.[226]) Der Schmerz der Absonderung war Schelling gleichbedeutend mit dem Schmerz der Sünde. Auch bei Hebbel vertieft sich die Idee ins Religiöse, in das „Geheimnis"[227]) des göttlichen Weltengrundes:

> Wie der Schmerz entsteht? Nicht anders, mein Freund, als das Leben:
> Tut der Finger dir weh, schied er vom Leibe sich ab,
> Und die Säfte beginnen im Gliede gesondert zu kreisen;
> Aber so ist auch der Mensch, fürcht' ich, ein Schmerz nur in Gott.

„Dem Schmerz sein Recht" hat Hebbel den Zyklus überschrieben, in den er das Gedicht „Unergründlicher Schmerz" in der endgültigen Ausgabe seiner Gedichte einordnete. Der echte Schmerz ist das Vorrecht der Auserwählten, der Dichter: „Die Edelsten leiden den meisten Schmerz. Auch der Schmerz wählt den besten Boden."[228]) Eine Analyse des Gedichts im Zusammenhang mit der Schellingschen Ideenwelt zeigt beispielhaft, wie Weltbild und Gedankenmotive Schellings in Hebbels Erlebnis einschmelzen und in selbständiger Gestalt zu eigenem Leben gelangen.

Unergründlicher Schmerz!
Knirscht' ich in vorigen Stunden:
Jetzt, mit noch blutenden Wunden,
Segnet und preist dich mein Herz.

Die Strophe spiegelt die oben verfolgte Entwicklung des Dichters von subjektiver negativ weltschmerzlicher Haltung zu positiver Wertung des Schmerzes als objektiver Daseinsbedingung. Die Absonderung des bewußten individuellen Lebens vom allgemeinen ist Folge der Selbstentfaltung Gottes, ist Notwendigkeit. Diese Absonderung aber stellt den Menschen in die Freiheit; in ihrem Zeichen, und damit im Zeichen der Schuld, erscheint das Einzeldasein in der folgenden Strophe:

Alles Leben ist Raub;
Funken, die Sonnen entstammen,
Lodern, das All zu durchflammen,
Da verschluckt sie der Staub.

Wiederum hat Hebbel hier einem Feuerbachschen Gedanken eine Schellingsche Wendung gegeben. Bei Feuerbach hatte er gelesen: „Denke Dir das Sein als ein Gemeingut Deiner wie aller Dinge und Wesen außer Dir ... so wirst Du erkennen ..., daß jedes Ding, das ist, Dich gleichsam um eine Portion Sein brachte, und eine ... Beraubung Deines Daseins ist."[229]) Der Gedanke spiegelt sich in Hebbels Tagebuchnotiz vom 13. März 1841 wider: „Alles Leben ist Raub des Einen am Andern."[230]) Wenig früher begegnet derselbe Gedanke von der Schellingschen Weltsicht her gesehen: „Leben ist der Versuch des trotzig widerspenstigen Teils, sich vom Ganzen loszureißen und für sich zu existieren, ein Versuch, der so lange glückt, als die dem Ganzen durch die individuelle Absonderung geraubte Kraft ausreicht."[231]) Der Raub wird hier nicht, wie bei Feuerbach, als Raub des einen Einzelwesens am andern, sondern als Beraubung des „Ganzen" durch das Einzelne schlechthin gedacht. Individuation ist Raub, ist Schuld. Schelling selbst hatte es ausgesprochen, daß „die einzige und eigentliche Sünde eben die Existenz selbst ist",[232]) und Hebbel hat diese Idee in seiner tragischen Theorie vielfältig variiert. Wie diese „Sünde" aber eben „mit dem Leben selbst gesetzt" ist, so bedeutet der Gedanke nichts anderes, als daß Leben an sich Spannung zwischen dem Teil und dem Ganzen ist.

Dieses Prinzip der dem Leben wesenhaften Spannung sieht der Dichter durchaus im Sinne der Schellingschen Naturphilosophie, in der Entstehung des Weltalls schöpferisch wirksam. Für einen Augenblick eröffnet er uns den Blick in eine jener kosmologischen Landschaften, wie er sie, seit er mit Schubert die Weiten des gestirnten Himmels durchwandert hatte, liebte („Die drei großen Tage"; „Gott über der Welt"). Schelling hatte in den *Ideen zu einer Philosophie der Natur* in dem vom Licht handelnden Kapitel eine Theorie vom Entstehen der Weltkörper geboten, die erfüllt war von metaphysischer Symbolik: Ursprünglich war das Weltall von einem feurigen Nebel erfüllt, der dem Gesetz der Schwere noch nicht völlig unterworfen war. Zeugnis dessen sind noch heute die Kometen, die Schelling als „werdende Weltkörper"[233]) versteht. Nach dem Gesetz der Anziehungskraft bilden sich aus diesem Feuernebel die einzelnen Weltkörper. Das Besondere trennt sich vom Allgemeinen; die Weltkörper und die Körperwelt entstehen. Das „tätige", „zeugende" Prinzip des Lichts, das Göttliche in der Natur, wird von der Schwere, dem Existenzgrund der Körper umfangen.[234]) So entsteht Materie. Beachten wir, daß der „Staub" in Hebbels Symbolsprache, im Sinne Schuberts und Schellings, das im Einzeldasein Gebundene bedeutet, so gewinnt die kosmische Vision Hebbels ihre Tiefentransparenz im Lichte der kosmogonischen Symbolik Schellings:

> Funken, die Sonnen entstammen,
> Lodern, das All zu durchflammen,
> Da verschluckt sie der Staub.

In allem Einzeldasein ist daher die Spannung zwischen dem „höchsten" Prinzip des Lichts und dem „tiefsten" der Schwere gegenwärtig.

> Nun ein heiliger Krieg!
> Höchste und tiefste Gewalten
> Drängen in allen Gestalten:
> Trotze, so bleibt dir der Sieg!

Heilig ist dieser Krieg, denn der Kampf zwischen dem Einzelnen und dem Ganzen ist gottgesetzt, ja er bezeichnet den Weg der lebendigen Gottheit zu sich selbst. „Wo nicht Kampf ist, da ist nicht Leben", hatte auch Schelling verkündet.[325]) Darum „trotze", kämpfe den „heiligen Krieg", betätige die dir eingebildete Kraft deiner *Idea*, wie es Schelling genannt hatte. Tust du ihr, das hieß für den Dichter, deinem Künstlertum, genug, so werden die Götter dich erheben in der Erhobenheit der dichterischen Schau:

> Tatst du in Qual und in Angst
> Erst genug für dein Leben,
> Werden sie selbst dich erheben,
> Wie du es hoffst und verlangst.

In dem Ringen um gestalterische Deutung des Daseins kämpft der Dichter als „Kontinuation des Schöpfungsaktes" den Kampf der Gottheit selbst. Darum sind ihm „die Götter verschuldet":

> Greife in's All nun hinein:
> Wie du gekämpft und geduldet,
> Sind dir die Götter verschuldet,
> Nimm dir, denn alles ist dein.

Die letzte Zeile bedeutet Höhe- und Wendepunkt des Gedichts. „Alles ist dein." Der Dichter, der Auserwählte der Götter, lebt im Ganzen. Er ist es, der die grausame Erstarrung des Staubes im Einzelsein aufhebt, der, sich selbst proteisch in die Vielfalt der Erscheinungen wandelnd, ihre urgründliche Identität offenbart; ihm also ist das Leben nicht mehr Raub am Ganzen, denn er lebt, erhoben von den Göttern, im Ganzen: Alles ist sein.

Die im dichterischen Erlebnis ideell verwirklichte Einheit ist Vorwegnahme des Todes, der realen Vereinigung des Einzelwesens mit dem Seinsgrund, dem Urquell des Lichts. Das Licht gilt Schelling als „die lebendige Form der Einbildung des Endlichen ins Unendliche",[236] der absoluten Identität selbst. Die Sonne, die Schelling ausdrücklich in den *Ideen* als den „Urquell, aus dem das Licht ausströmt", bezeichnet hatte, gehört, wie er es ausdrückt, zu jenen selbstleuchtenden Weltkörpern, die „in dem organischen Leib des Universums die höheren Sensoria der absoluten Identität" darstellen.[237] Der Geweihte des Lichts harrt der endgültigen Vereinigung mit seinem Ursprung entgegen:

> Nun versagen sie nichts
> Als den letzten der Sterne,
> Der dich in dämmernder Ferne
> Knüpft an den Urquell des Lichts.

Bis in den poetischen Wortlaut hinein führt diese Strophe auf Schelling zurück. Dieser hatte in den *Ideen zu einer Philosophie der Natur* am Beginn des sechsten Kapitels einen Hymnus auf das Licht gesungen.[238] Das Licht als solches, führt er aus, rührt nicht den gewöhnlichen, an den

Boden gefesselten Menschen, sondern nur das geistige Organ der Edleren. Diesem erhöhten Menschen, der seine Augen zum Licht kehrt, las Hebbel bei Schelling, bereitet „dieses Element des Himmels Schauspiele, für die der Mensch, dessen Sinn zur Erde sich kehrt, keine Empfänglichkeit hat". Und Schelling beschreibt ein solches Schauspiel: „Aus weiter Ferne erscheint uns das jugendliche Licht der Gestirne und knüpft unser Dasein an die Existenz einer Welt an, die für die Einbildungskraft unerreichbar, doch dem Auge nicht ganz verschlossen ist"; wenige Zeilen später begegnen wir dann auch der mit der Idee einer „verfeinerten Religion" verknüpften Vorstellung vom „Urquell des Lichts", wie Schelling wörtlich sagt. Der Zusammenhang der Hebbelschen Gedankenfolge mit dem himmlischen Schauspiel, das Schelling schildert, ist deutlich. Der Künstlermensch richtet sich auf und erblickt das Licht. In „dämmernder Ferne" (bei Schelling: „für die Einbildungskraft unerreichbar, doch dem Auge nicht ganz verschlossen") erscheint „der letzte der Sterne" (bei Schelling: „das jugendliche Licht der Gestirne"), „der dich knüpft... an den Urquell des Lichts" (bei Schelling: das „Licht der Gestirne *knüpft* unser Dasein an die Existenz einer Welt an", die im religiösen Sinnbild als „Urquell des Lichts" verstanden wird).

In der letzten Strophe:

> Ihm entlocke den Blitz,
> Der dich, dein Ird'sches verzehrend,
> Und dich mit Feuer verklärend,
> Löst für den ewigen Sitz!

spiegeln sich Ideen aus Schellings Ausführungen über den Verbrennungsprozeß. „Die Alten haben unter dem Namen der Vesta die allgemeine Substanz und diese selbst unter dem Sinnbild des Feuers verehrt."[239] Im „vollkommensten Verbrennungsprozeß" wird „der Streit des Allgemeinen und Besonderen vollkommen ausgeglichen".[240] Besondere Bedeutung kommt auch im Zusammenhang des Hebbel-Schellingschen Ideenkreises dem Ausdruck „ewiger Sitz" zu. Schelling hatte in den *Ideen* die Sonne als den „ersten Sitz des Lichts"[241] bezeichnet, im *Bruno* hatte er das Licht als „die Idee aller Dinge" verstanden, die sich „durch die himmlische Kunst" in der Sonne darstellt, als „der Herd der Welt" und „die heilige Wache des Zeus".[242] Dem entspricht bei Hebbel „der ewige Sitz", der auch von ihm als Sitz des Blitze schleudernden Göttervaters gedacht wird. So faßt sich in der letzten Strophe die Antithese, die das ganze Gedicht durchzieht, die Spannung zwischen dem titanischen Prometheus-

raub des göttlichen Funkens und der ganymedischen Hingabe an den göttlichen Urquell zusammen in der Haltung des Dichters, der den Blitz des
Göttervaters in trotziger Sehnsucht, in selbstbewußter Selbstäußerung
herausfordert, um in feuriger Verklärung unter die Götter, in die göttliche Identität, die urbildliche Heimat seiner Idea, aufgenommen zu
werden.

„Das Göttliche lehnt sich gegen Gott auf, weil es seinesgleichen ist",[243]
hatte Hebbel 1839 notiert. Ein seltsames Wort, das nun seinen Sinn
erschließt. Im Zusammenhang der inneren Entwicklung des Dichters hat
es rückwärts- und vorwärtsschauende Bedeutung. Es blickt zurück auf
jene Heidelberger Kosmogonie, die den Titanenanspruch des Menschen,
am göttlichen Leben teilzuhaben, in ohnmächtiger Selbstzerstörung enden
ließ; es weist voraus auf den Dichter des „unergründlichen Schmerzes",
der, im Bewußtsein seiner selbst, den Kampf mit dem göttlichen Allwillen aufgenommen hat, sich aber noch zutiefst als ein Teil von ihm
weiß. So bedeutet dieses Gedicht für Hebbel den Abschluß der mit den
Wirrnissen der Heidelberger Krise einsetzenden Periode des Haderns mit
sich, der Welt und Gott. Wie in den Münchener Vaterunser-Betrachtungen
steht der Dichter stark und frei und doch mit letzter Demut vor der
ewigen Macht, der er sich verantwortlich fühlt. Es bezeichnet das schwer
erkämpfte und innerlich gefestigte Erlebnis von der Identität von Freiheit und Notwendigkeit. Es bezeichnet in der Einheit von innerer und
äußerer Form einen Höhepunkt Hebbelscher Lyrik; es zeigt aber auch
im ideellen Gehalt und bis in die Bild- und Sprachform hinein, was der
Dichter dem Philosophen des objektiven Idealismus der Freiheit zu
danken hatte.

Wie tief sich Schellings Gedankenwelt in Hebbels persönliches Erleben
eingewebt hat, wie sie ihm letzten Halt in Stunden tiefster Verzweiflung
gibt, das wird deutlich in den Tagen der menschlichen und metaphysischen Krise, die ihn in Paris nach dem Tode seines Söhnchens überkommt.
Als sich der innere Aufruhr zu klären beginnt, da geschieht es in der
Kraft Schellingscher Weltdeutung. Hatte Schelling in den Münchener Vorlesungen über die *Darstellung des philosophischen Empirismus* die trost-
reiche Wirkung der Philosophie so beschrieben: „Wer wird sich noch über
die gemeinen und gewöhnlichen Unfälle des Lebens betrüben, der den
Schmerz des allgemeinen Daseins und das große Schicksal des Ganzen
erfaßt hat",[244] so schreibt Hebbel an Elise, mehr sich selbst als die
gebeugte Mutter tröstend: „Das ungeheure Weh der Welt muß Euch gar
nicht berühren, denn so groß könnte der Schmerz um das *Einzelne* gar
nicht werden, wenn Ihr irgendeinen Schmerz um das *Ganze* hättet."[245]

In der Kosmogonie in Terzinen „Das abgeschiedene Kind an seine Mutter"[246]) legt er damals ein Glaubensbekenntnis durchaus Schellingscher Prägung ab. Noch 1857 hat er es als erstes Stück dem Zyklus „Das Testament des Dichters" eingefügt. Zeile für Zeile könnten wir, wenn es der Raum erlaubte, die Nachwirkung Schellingscher Ideen aufweisen. Hier werden Welt und Mensch als Durchgangsstufe im Prozeß des Zusichselbstkommens Gottes verstanden:

> So daß die Welt, trotz ihrer finstern Spuren
> Ihm Fackel war, sein Inn'res aufzuhellen,
> Und daß nicht uns're Schuld, nur sein Bedürfen
> Den Gegensatz, dem Trotz und Haß entquellen,
> Hervorrief, der nach mystischen Entwürfen
> Uns, die wir leiden, quält, als ob wir täten ...

Wieder wird hier das Tun als Leiden, die Schuld als notwendiges Schicksal der Erscheinungswelt verstanden, hinter der sich die Silhouette der werdenden Gottheit abzeichnet. Dieses Schicksal aber wird angenommen, die Schuld wird als der Preis gesehen, den der Mensch zahlt für sein Teilhaben am Leben Gottes. Schicksal des Menschen ist es, der Schauplatz zu sein, auf dem jener „Gegensatz, dem Trotz und Haß entquellen", ausgetragen wird:

> Um so, indem wir all sein Bitt'res schlürfen,
> In uns ihn bis zur Wurzel auszujäten,
> Und das Geheimnis erst zu offenbaren,
> Wenn wir in ihn, den Urgrund treten
> Und wieder werden, was wir einst schon waren ...

Mit dieser Pariser Kosmogonie, die an visionärer Wucht die früheren ihr verwandten Dichtungen nicht erreicht — nicht überall geht hier Schellingsches Gedankengut zwanglos in der künstlerischen Gestalt auf —, ist Hebbels Weltbild in seinen wesentlichen Zügen abgeschlossen. Wenn auch später hegelianische Lichter die geschichtliche Welt seiner Tragödie — nicht zum Vorteil ihrer inneren Einheitlichkeit — überspielen werden, die helldunkle Melodie Schellings wird die Grundmelodie seiner Kunst bleiben.

Es war in den vorstehenden Ausführungen unser Anliegen, die inneren Gründe aufzuzeigen, die Hebbel in den Ideenkreis Schellings führten. Die als Schuld erlebte Spannung von Ich und Welt löste sich ihm in Schellings Deutung der Welt als einer urgründlichen Einheit, die nur in der Spannung der Gegensätze erlebte Gestalt finden kann. Der wechselnde Blick auf die Einheit des Seinsgrundes und die Zweiheit des

Daseins stellt den Dichter in den Wechsel des Erlebens von Gottnähe und Gottferne. Das Erlebnis der Gottferne bestimmt daher nur die eine, durch das Gewicht seiner Tragödien in den Vordergrund gerückte Seite seiner Weltsicht. Erst der Blick auf das Ganze seines Schaffens, der auch das Erlebnis der Gottnähe in der Lyrik umfaßt, kann der inneren Einheit seines Werkes gerecht werden.

Es scheint an der Zeit, Hebbel aus der Belichtung des gut geprägten, aber nur halbwahren Schlagworts vom „Pantragismus" herauszurücken. „Nur die Halben", spottet er selber, „schlachten ihrem sogenannten Ideal den Gegensatz".[247] Der weltanschaulichen Einheit seines vielschichtigen Gesamtwerkes war sich Hebbel klar bewußt. „Jedes Kunstwerk", schreibt er 1850, „wie umfassend und reich es immer sei, gibt nur ein Segment des Kreises, der die Weltanschauung des Dichters abspiegelt, nicht den Kreis selbst. Dieser umfaßt vielmehr alle Segmente und bedingt und beschränkt sie, setzt zur Relativität herab, was sich an seinem Ort für absolut zu geben schien. Wer daher den Dichter ergründen will, der muß sich auf einen Standpunkt zu stellen wissen, auf dem alle seine Werke als Ringe erscheinen, die genau miteinander zusammenhängen und eine Kette bilden."[248]

Als Ring in einer größeren Kette läßt unsere Darstellung Hebbels Werk auch in geistesgeschichtlicher Sicht erscheinen. Wie es die Wirklichkeit als einen letztes Endes sinnvollen und in der symbolisierenden Anschauung der Kunst transzendierenden ideellen Zusammenhang begreift, so erscheint Hebbel als der letzte große Ausläufer des deutschen Idealismus romantischer Prägung. Zu einer Zeit, da mit Junghegelianismus und Jungdeutschland der Neurationalismus des neunzehnten Jahrhunderts auf den Plan tritt, gewinnt in Hebbels Dichtung das Erbe der deutschen Mystik von neuem gelebte Gestalt.

ANMERKUNGEN

Ich zitiere Hebbel nach: Friedrich Hebbel, *Sämtliche Werke,* besorgt von R. M. Werner, Berlin, 1904 ff. Abkürzungen: W. = Werke; T. = Tagebücher; B. = Briefe.

[1]) T. II, 2509.

[2]) W. IX, 5.

[3]) T. IV, 5611.

[4]) Vgl. dazu auch: Rudolf Unger, *Weltanschauung und Dichtung,* Zürich 1917, S. 68 f.

[5]) W. XI, 3 f.

[6]) W. VII, 187.

[7]) T. II, 2664.

[8]) W. XII, 328 f.

[9]) W. VI, 187.

[10]) T. I, 1347.

[11]) T. II, 2223.

[12]) Arno Scheunert, *Der Pantragismus als System der Weltanschauung und Ästhetik Friedrich Hebbels,* Hamburg und Leipzig, 1903 (Beiträge zur Ästhetik VIII), S. 13.

[13]) André Tibal, *Hebbel. Sa vie et ses oeuvres de 1813 à 1845,* Paris 1911, S. 99.

[14]) Erste Mitteilungen und Nachweise über die Schubertstudien des Wesselburener Hebbel und die Durchdringung seines frühen dichterischen Werks mit Schubertschem Ideengut habe ich in einem Vortrag auf der 65. Jahrestagung der Modern Language Association of America (Dezember 1950) gebracht. Vgl. jetzt meinen Aufsatz: „Der Schlüssel zum Weltbild Hebbels" in *Monatshefte. A Journal Devoted to the Study of German Language and Literature,* Madison 1951, S. 117 ff.
Ich darf hier auf eine nähere Auseinandersetzung mit der früheren Forschung verzichten, da ihr die direkten Zusammenhänge des Hebbelschen Denkens mit der Philosophie der Zeit, wie sie nunmehr vorliegen, nicht bekannt waren. Einzelhinweise gebe ich in den Anmerkungen.

[15]) B. V, 42.

[16]) B. I, 248.

[16a]) Eine vorläufige Darstellung der Einwirkung des frühen Feuerbach auf den frühen Hebbel gebe ich in: „Hebbel zwischen G. H. Schubert und L. Feuerbach, Studien zur Entstehung seines Weltbildes" in *Deutsche Vierteljahrsschrift für Literaturwissenschaft und Geistesgeschichte,* 26. Jahrgang, 1952.

[16b]) W. X, 194.

[17]) B. I, 191.

[18]) T. III, 3442.

[19]) *Schellings Sämtliche Werke* (weiterhin zitiert als S.), herausgegeben von K. F. Schelling, in zwei Abteilungen, Stuttgart u. Augsburg, 1856 ff. I. VII, 356.

[20]) S. I, VII, 359.

[21]) Ebenda, S. 363.

[22]) Ebenda, S. 364.

[23]) Ebenda, S. 401.

[24]) Ebenda, S. 381 f.

[25]) T. I, 169.

[26]) S. I. VII, 360 f.

27) Ebenda.

28) G. H. Schubert, *Ansichten von der Nachtseite der Naturwissenschaft*, neubearbeitete und wohlfeilere Ausgabe, Dresden, 1818 (Es war diese zweite, im Vergleich zur ersten wesentlich umgearbeitete Ausgabe, die Hebbel benutzte.), S. 309.

29) *Gedanken über Tod und Unsterblichkeit aus den Papieren eines Denkers*, Nürnberg, 1830, S. 77. Anonym veröffentlicht, hier zitiert als *Gedanken*.

30) S. I. VII, 355.

31) Ebenda, S. 361.

32) Ebenda, S. 365.

33) Ebenda, S. 411.

34) *Gedanken*, S. 86.

35) *Gedanken*, S. 11.

36) S. I. VII, 403.

37) Ebenda, S. 366.

38) Ebenda, S. 404.

39) W. VII, 300; XIV, 166; in der endgültigen Fassung gekürzt und mit der 6. Strophe beginnend: „Liegt einer schwer gefangen", vgl. W. VI, 289.

40) B. I, 299.

41) S. I. VII, 360. Diese Stelle hat bereits Ernst Lahnstein (*Das Problem der Tragik in Hebbels Frühzeit*, Stuttgart, 1909, 2. Aufl., Berlin o. J. S. 85) als Nachklang aus Schelling erkannt. Leider hielt er es nicht für geboten, diesen Spuren ernsthaft nachzugehen; vgl. ebenda, S. 88).

42) Über die dem Einzelwesen eingebildete „Idea", vgl. Schelling, *Philosophie der Freiheit*, I. VII, 362 und 389; ferner in den *Aphorismen zur Einleitung in die Naturphilosophie*, aus denen Hebbel auch sonst geschöpft hat: „Jedem Teil der Materie, auch in seinem relativen Leben, ist doch die Idea eingeschaffen; daher er bestrebt ist, die ihm zukommende Gestalt anzunehmen (S. I. VII, 168, Nr. 130)."

43) Nicht die Geburtstagsnacht ist von Hebbel gemeint, sondern die Wiederkehr der nächtlichen Geburtsstunde. Das Gedicht ist am 22. Juni 1836 geschrieben.

44) Über den „Ring" des Bewußtseins vgl. meinen oben angeführten Aufsatz, *Monatshefte*, 1951, S. 124 f.

45) S. I. VII, 389.

46) Schon dem frühen Hebbel war von Schubert her die Auffassung des Leibes als Kerker der Seele vertraut. Unter Schellings Einfluß gewinnt diese Vorstellung bei ihm neuen metaphysischen Gehalt im Sinne der neuplatonischen Ideenlehre, auf die der Philosoph in diesem Zusammenhang besonders in seiner die Philosophie der Freiheit vorbereitenden Schrift *Philosophie und Religion* verwiesen hatte; vgl. S. I. VI, 47.

47) W. VII, 186.

48) So im „Bruno", S. I. IV, 325 f.

49) S. I. III, 625.

50) T. I, 1174.

51) T. I, 1348.

52) *Allgemeine deutsche Real-Encyklopädie für die gebildeten Stände (Conversations-Lexikon*, Leipzig, F. A. Brockhaus, 1830, S. 363.

53) T. I, 41.

54) T. I, 350.

55) Vergleiche meine Analyse in *Monatshefte* 1951, S. 119 ff.

[56]) W. VI, 255.

[57]) S. I. IV, 325.

[58]) Vgl. *Monatshefte* 1951, S. 130.

[59]) S. I. IV, 325.

[60]) *Gedanken*, S. 19.

[61]) Abgedruckt in *Der junge Hebbel*, herausgegeben von Paul Bornstein, Berlin, 1925, Bd. II, 36. Die Anregung entnahm Hebbel einem Gedanken Schuberts in den *Ansichten*.

[62]) T. I, 272.

[63]) W. VI, 143.

[64]) W. VII, 141.

[65]) T. I, 1677.

[66]) T. I, 548.

[67]) B. I, 199.

[68]) B. I, 176 f.

[69]) B. I, 120.

[70]) T. I, 948.

[71]) Vgl. die entsprechenden Ausführungen in S. I. V, 218. Die Übereinstimmung mit Schelling sah schon Paul Sickel, *Friedrich Hebbels Welt- und Lebensanschauung*, Leipzig und Hamburg, 1912, S. 73. Sickel (s. 33) glaubt allerdings, daß Hebbel in München staunend überall die Verwandtschaft von Schellings Philosophie mit seinen eigenen Ansichten entdeckte. Ich suche es dagegen deutlich zu machen, daß Hebbel bereits mit guter Kenntnis des Schellingschen Systems nach München kam und dort nicht die eigenen Ansichten weiter ausbaute, sondern die längst begonnene Assimilierung des Schellingschen Weltbildes fortsetzte.

[72]) W. VI, 205 f.

[73]) S. I. VII, 361.

[74]) W. VII, 144.

[75]) T. II, 1965.

[76]) T. I, 219.

[77]) T. I, 552.

[78]) B. I, 142.

[79]) W. VI, 254.

[80]) Vgl. Eva Fiesel: *Die Sprachphilosophie der deutschen Romantik*, Tübingen, 1927; und Franz Schultz, Klassik und Romantik der Deutschen, I. Teil, Stuttgart 1935, 43 ff.

[81]) S. I. VII, 411.

[82]) B. I, 163.

[83]) S. I. III, 608.

[84]) S. I. V, 246.

[85]) S. I. III, 628.

[86]) So deutet Gustav Pfannmüller, *Die Religion Friedrich Hebbels*, Göttingen 1922, S. 49.

[87]) So verstand es Hermann Krumm, *Friedrich Hebbels Werke*, Leipzig 1913, Bd. 2, S. 244.

[88]) S. I. VII, 399.

[89]) B. I, 282.

[90]) W. VI, 346.

[91]) W. VII, 156.

[92]) S. I. IV, 327.

[93]) So Krumm a. a. O., Bd. 3, S. 372.

[94]) T. I, 538, Sperrungen im Original.

[95]) S. I. VII, 399.

[96]) W. VI, 292.

[97]) B. I, 163.

[98]) B. I., 194 f. Feuerbachsche Ideen, pessimistisch gewendet, klingen hier bis in den Wortlaut hinein wider.

[99]) T. I, 1471.

[100]) B. I. 164.

[101]) T. I, 1334.

[102]) W. VI, 185.

[103]) T. I, 553.

[104]) T. I, 576.

[105]) W. VI, 235.

[106]) T. I, 576.

[107]) B. II, 89.

[108]) T. I, 1611.

[109]) T. II, 3191.

[110]) B. VI, 41.

[111]) T. II, 2494.

[112]) T. II, 3191.

[113]) T. II, 2486.

[114]) W. XI, 9.

[115]) T. II, 2236.

[116]) T. I, 1674.

[117]) So Richard Meszlény, Friedrich *Hebbels Genoveva*, Berlin 1910, Oskar Walzel, *Hebbelprobleme*, Leipzig 1900 und in *Friedrich Hebbel und seine Dramen*, 3. Auflage, Berlin u. Leipzig 1927.

[118]) S. I. V, 309.

[119]) S. I. V, 309 f.

[120]) T. II, 2079.

[121]) S. I. III, 602.

[122]) W. VII, 187.

[123]) W. I, 313.

[124]) S. I. III, 594.

[125]) S. I. V, 310.

[126]) T. I, 1874.

[127]) S. I. V, 310.

[128]) T. I, 1011.

[129]) S. I. III, 595.

[130]) W. I, 15.

131) G. H. Schubert, *Die Symbolik des Traumes,* 2. Auflage, 1821, S. 5. Hebbel benutzte diese Auflage.

132) W. I, 14 f.

133) S. I. VII, 406.

134) Ebenda, S. 358.

135) Ebenda, S. 359.

136) Ebenda, S. 381.

137) Ebenda.

138) W. I, 19.

139) S. I. VII, 403.

140) S. I. III, 602.

141) W. VIII, 200.

142) W. I, 72 f.

143) T. I, 1353.

144) S. I. VII, 174.

145) W. I, 72 f.

146) T. I, 1359.

147) W. I, 73.

148) W. I, 75.

149) W. I, 79.

150) S. I. V, 291.

151) W. X, 354 f.

152) Meszlény, a. a. O., S. 113 ff.

153) B. IV, 153.

154) S. II. I, 229.

154a) W. I, 10.

155) W. I, 65.

156) B. II, 33.

157) S. I. VII, 359.

158) W. I, 64.

159) S. I. VII, 391.

160) B. II, 35.

161) B. II, 36.

162) W. I, 72.

163) W. I, 403.

164) B. II, 95 f.

165) W. I, 102.

166) S. I. VII, 389. Vgl. in diesem Zusammenhange auch Hebbels Gedicht „Stille! Stille!" (W. VII, 154).

167) S. I. VII, 364 u. S. 373.

168) T. II, 2179.

169) W. I, 220.

170) S. I. VI, 47; vgl. oben Anmerkung Nr. 46.

171) W. II, 352.

[172]) W. I, 262.

[173]) S. I. II, 360.

[174]) T. II, 2197.

[175]) S. I. VII, 354.

[176]) T. I, 1546, diese Notiz bezieht sich auf Schelling, I, V, 298.

[177]) T. IV, 5540; vgl. auch T. II, 2216.

[178]) S. I. VII, 409.

[179]) W. X, 398 f.

[180]) S. I. VI, 381.

[181]) W. XI, 4.

[182]) T. II, 2531; vgl. auch das Sonett „Die Freiheit der Sünde" (W. VI, 312).

[183]) W. X, 399.

[184]) W. I, 107.

[185]) W. I, 155.

[186]) W. I, 159.

[187]) W. II, 291.

[188]) W. I, 260.

[189]) S. I. VII, 373.

[190]) T. II, 2290.

[191]) Vgl. dazu auch: T. II, 2653 u. T. III, 4089.

[192]) S. I. VII, 385.

[193]) Ebenda, S. 386; Sperrungen von mir.

[194]) Ebenda, S. 389.

[195]) Vgl. oben Anmerkung Nr. 42.

[196]) S. I. VII, 389.

[197]) T. I, 1574. Schon in Wesselburen, in dem unter Schuberts Einfluß stehenden Märchen *Die einsamen Kinder* (1833), nennt Hebbel „das freie Bekenntnis" den „Auferstehungsengel für die geistigen Toten". Es ist für den Menschen „der reinste Erguß seiner Individualität, der ihm oft das tiefste Bedürfnis sein kann" (Bornstein, Der junge Hebbel, II, 81). Dieses „tiefste Bedürfnis" klärt sich ihm hier in Schellings Metaphysik.

[198]) Die Zurückführung der oben analysierten Tagebuchnotiz auf Schelling entkräftet Walzels Deutung, der sie auf den Hegelschen Begriff der Idee bezog. Vgl. *Hebbel und seine Dramen*, 3. Aufl., S. 60 f.

[199]) W. I., 313.

[200]) W. I., 332 f.

[201]) T. II, 1958.

[202]) Später gekürzt und „Die Weihe der Nacht" benannt. Vgl. W. VI, 285 u. XIV, 164.

[203]) Vgl. auch das Gedicht „Leben" (W. VII, 178): Was sich lange ihm verhehlte, / Wird ihm dann auf einmal klar: / Daß, was ihn im Abgrund quälte, / Eben nur sein Leben war.

[204]) W. VI, 323.

[205]) S. I. II, 485.

[206]) S. I, 98. Ebenda.

[207]) S. I. II, 98.

208) T. II, 2073.

209) S. I. II, 503.

210) T. II, 2083.

211) T. II, 2531.

212) T. II, 2526.

213) W. VII, 186.

214) T. II, 2078.

215) T. II, 2303.

216) W. VI, 293.

217) *Gedanken*, S. 103.

218) B. I, 338.

219) *Gedanken*, S. 103.

220) T. II, 1533.

221) T. II, 1906.

222) B. II, 76.

223) T. II, 2294.

224) T. II, 2663. Vgl. auch T. III, 3736.

225) S. I. VII, 487.

226) T. II, 2566; T. III, 3457; T. III, 4019a).

227) W. VI, 376.

228) T. II, 2082.

229) *Gedanken*, S. 27.

230) T. II, 2303.

231) T. II, 2262.

232) S. I. VII, 196.

233) S. I. II, 103.

234) Ebenda, S. 109.

235) S. I. VII, 400.

236) S. I. II, 110.

237) S. I. II, 111.

238) S. I. II, 167.

239) S. I. II, 82.

240) Ebenda, S. 84.

241) Ebenda, S. 101.

242) S. I. IV, 276.

243) T. I, 1698.

244) S. I. X, 268.

245) B. II, 339.

246) W. VI, 294.

247) T. II, 2946.

248) W. XI, 369.

DIE GOTTESLÄSTERUNG IN DER
NEUEREN DEUTSCHEN LITERATUR

Fritz Richter

NICHT LANGE vor der Wende vom 19. zum 20. Jahrhundert beginnen Gotteslästerungen in der deutschen Literatur aufzutauchen, deren Form und Intensität neu sind. Nicht Redensarten sind gemeint, die das Heilige profanieren, sondern Handlungen, die nur aus dem Zusammenbruch einer gesicherten religiösen Gewißheit zu erklären sind, aber von lebenskräftigen Personen ausgehen, die es zu radikaler Äußerung drängt.

Bei den Gestalten des Naturalismus, der die „niedrige" Sprache um ihrer sozialen Wahrheit willen aufsucht, ist niedriges oder gar gotteslästerliches Reden leicht erklärlich. In verhaltener, aber stechender Form sagt Robert in Gerhardt Hauptmanns „Friedensfest": „Von Gott erlöst sein möchte man lieber!"[1]) Daß dies „Erlöstwerden" nicht kampflos vor sich geht, bezeugt die Haltung der Frau Scholz durch solche Ausbrüche: „Pfui: Das is e Halunke, der das sagt. Ach —: von Gott erlöst sein — da nähm ich mir ne Nadel und stäch mer se — hier — ins Herze — in die Rippen. Wo wär ich bloß geblieben, wenn ich meinen Gott nicht gehabt hätte."[2])

Der Hohn, der in dieser Art des „Gott-habens" liegt, bleibt ihr unbewußt. Sie wird der Unwirklichkeit ihres Gottesbewußtseins nicht gewahr. Zwischen Robert und Frau Scholz bleibt aber das Problem nur angedeutet. Es wird in anderen Gestalten der neueren Literatur an drastischen Handlungen herausgearbeitet.

Die leise Ahnung, der Gott *Anderer* sei unecht, er halte Andere in einer Illusion verstrickt, aus der man sie befreien müsse, kann zum Beginn der ersten eigenen Auflehnung werden. In dem Roman der Schlesierin Ilse Langner „Die purpurne Stadt"[3]) kommt die Heldin nach langen Umwegen zu der Erkenntnis, der Gott ihres Onkels sei unecht. Als Missionar war er nach China gekommen, dort fand er seinen neuen Gott, und eben dieser Gott stürzte ihn unschuldig in den Tod. Ihre eigene Mission, ihn zu retten, war mißlungen. Sie würde ihrem Vater nur berichten können von den in China verkommenen Europäern und von dem Bruder, der durch seinen falschen Gott umkam. Der Augenblick der Einsicht in ihr Scheitern bringt die Heldin an die Schwelle

einer gotteslästernden Handlung, eines rächenden Aktes an der Buddha-
statue, die sie für den Vater mitgenommen hatte: „Hastig und verlegen
packte sie den Buddha wieder ein. Er ruhte plötzlich schwer und lastend
in ihrem Arm. Blitzschnell durchzuckte sie die Möglichkeit, ihn an einer
Straßenecke Schanghais heimlich auszusetzen oder ihn im Wang Pu er-
trinken zu lassen."[4])

Was Gloria noch nicht wagt, tut Jürgen in Ernst Wiecherts „Magd des
Jürgen Doskocil". Er erkennt, daß der Gott des Mormonenpriesters
Maclean ein falscher Gott sei, der die Menschen seiner Heimat verführt,
indem er ihnen die „goldene Stadt" in der Fremde vortäuscht. Er weiß
auch, daß jener Gott seine Geliebte verführen hilft. Er besucht Maclean,
sieht ihn prüfend an, wobei sein Blick das Kruzifix streift, an dessen Fuß
die Bilder verschiedener Mädchen des Dorfes liegen. „Er streckte die
Hand aus. Dies war ein schweres Kruzifix, aus Blei gegossen, und Jürgen
dachte, daß man damit einen Menschen erschlagen könnte, ohne die
Hände um seinen verruchten Körper zu legen. Und während er diesen
Gedanken wie einen bitteren Speichel hinunterwürgte, preßten sich seine
Hände um die beiden Enden des Kruzifixes und bogen es zusammen, daß
im grauen Leibe des Heilands feine Spalten aufbrachen."[5])

Die Zerstörung der Lüge eines fremden Gottes und die Befreiung
anderer aus ihren Verstrickungen besagt noch nichts Entscheidendes
für das Gottesbewußtsein des Zerstörers und Befreiers selbst. Hans
Christoph Kaergel führt in seinem Roman „Des Heilands zweites Gesicht"
die Handlung auf diese letzte Frage zu. Der Sohn Matthaeus Stein erkennt die Niedrigkeit seines Vaters, der Sinnlichkeit, Ehebruch und
brutale Grobheit gegenüber seiner Frau hinter süßlichem Frömmeln
verbirgt. Die Leiden seiner Mutter, das scheinheilige Leben des Vaters
und schließlich der Selbstmord seines Freundes Johannes erwecken in
Matthaeus den Entschluß, den strafenden Gott seines Vaters zu vernichten. Er springt eines Nachts aus seinem Bett, läuft an den Tisch, an dem
er Christus zu sehen glaubt, der ihm zunickt: „Komm nur, komm,
Johannes ist auch schon da! Kommt her, die ihr mühselig und beladen
seid!", und mit geballten Fäusten schreit er ihn an: „Ich erschlag Dich!"[6])
Diese Drohung wird wahr gemacht, als die ganze Gemeinde sich im
Hause des heuchlerischen Vaters versammelt hat. Matthaeus kommt
gerade in dem Augenblick nach Hause, als die Bibelgemeinde sich zur
Abendandacht anschickt. Da packt ihn die Wut: „Matthaeus aber blieb
in derselben starren Haltung. Dann schrie er auf. Das klang wie der
Schrei eines gehetzten Tieres, so daß alle zusammenfuhren: ‚Ich will dir's
sagen, was du mir getan hast! Gemordet hast du mich und meine Mutter!

Hier, ihr Männer und Frauen, das ist euer Heiland!' — Und er zeigte zu dem bunten Bildnis des Herrn: ‚Der hat zugesehen, wie dieser Mann Jahr um Jahr sein Weib betrog und ein Kind zeugte! Das ist dieser Mann, der Vater von der Maria Schubert! Und der hat euch vorgebetet, und der Heiland hat ihn erhört. So sieht euer Heiland aus!' Da gellte ein gurgelnder Schrei durch das Zimmer. Christian stürzte sich auf den Sohn und griff ihn wie ein Wahnsinniger an der Kehle. Aber Matthaeus schüttelte ihn ab, wie man eine stechende Fliege abschüttelt, und dumpf rollte der Körper des Mannes in die Diele und blieb liegen. — Da riß Matthaeus an dem Bild des Herrn. Der Nagel sperrte, und Matthaeus riß mit aller Kraft. Hoch hielt er das Bild vor sich hin, und aller Grimm und Haß stieg in ihm hervor, und der Rausch des Vernichtenkönnens benahm ihm allen Blick. Laut schrie er in die verängstigte Menge: ‚Da habt ihr seinen Abgott!! Hier ist der, der wohl das Unrecht duldet, aber nicht die Gerechtigkeit! Ich sage euch nun, er ist tot! Und zum Zeichen, daß ihr betrogene Betrüger seid, zerschlage ich ihn vor euren Augen!"[7])

Matthaeus hat den Gott der anderen erschlagen, wie Jürgen den der Magd. Sein Handeln als Richter wurde dem Vater zum Anlaß, sich selbst zu richten. Aber die Mutter, um deretwillen er den Heiland zerschlug, sagt zu Jürgen: „Wir haben kein Recht dazu, über den anderen Menschen zu richten. Das habe ich immer dem richtigen Heiland überlassen." Die zerstörerisch nach der Wahrheit greifende Handlung bringt Matthaeus nicht an das Ziel, auf das es in ihm hin will. Aber eines Tages sieht er, wie sich seine gebeugte Mutter des außerehelichen Kindes ihres Mannes annimmt. Nun versteht er, warum sie fähig war, ohne Unwillen und Auflehnung Schläge und Grausamkeiten hinzunehmen. Jetzt erkennt er den wahren Heiland. Er hatte selbst nicht in Frieden mit Gott gelebt, und der Ansturm gegen den Gott seines Vaters, um den allein es ihm zu gehen schien, war zugleich ein unbewußter Aufschrei aus der eigenen Gottferne.

Die „Abrechnung" mit dem eigenen Gott, die notwendig eine Abrechnung des Menschen mit sich selbst ist, verdrängt die Anteilnahme am Gottesbewußtsein der Mitmenschen, sobald sie zum Problem wird: der Zusammenbruch des eigenen Gottesbewußtseins wird zugleich zum Zusammenbruch der eigenen Daseinsmöglichkeit. Der erste, dem wir in einem solchen Zustand begegnen, ist Heinrich Spalding in Conradis „Phrasen". Sein regelloses Leben, von Krankheit und Todesfurcht zerfasert, wird ihm zur Phrase. Gott ist ihm eine Phrase. „Phrasen haben uns aufgezogen, lange Jahre beeinflußt und gebildet — gegen Phrasen ruft uns jedes ertragene Lebensmoment auf den Plan — und schließlich müssen wir gestehen, daß wir selbst doch nur ein höchst problematisches Gemisch von Neigung zur Phrase und Liebe zur Freiheit und Wahrheit darstellen. Das ist unser Elend."[8]) Durch diese Entlarvung aller geglaubten Werte als bloße Phrasen, wird sein Leben leer. Ausschweifungen helfen ihm, sich zu betäuben. Plötzlich scheint es, als werde dieser sich selbst so stark fühlende Mensch in der Leere seiner hohlen Daseinsart von Angst ergriffen. In einem Bordell sieht er über der Kommode einer Dirne das Bild des dornengekrönten Christus, darunter ein bronzenes Kruzifix: "Und so war Heinrich allein mit dem Gekreuzigten. Er betrachtete ihn lange mit brennendem Auge. Und es war ihm zu Sinn, als müßte er in die Knie brechen und die Arme zu dem toten Gotte emporstrecken und den toten Gott um eine wahrhaftige Welterlösung anflehen, die *alle* umfaßte — auch diese armen Kinder der Sünde, auch diese armen, verlorenen Kreaturen! Aber da kam der Geist der frivolen Unnatur der Zeit, der auch in das Mark seiner Seele schon tief die Giftzähne eingeschlagen, über ihn, und er nahm sein Glas, klirrte es gegen die Bronze und rief ‚Prost!' — Da ereignete sich etwas Furchtbares. Der Nagel, an dem das Bild des dornengekrönten Heilands an der Wand hing, mußte sich gelockert haben. In dem Augenblicke, wo das frivol-tiefsinnige ‚Prost!' verklungen, stürzte das Bild krachend von der Wand herab, Heinrich auf den Leib, einen dürftigen Halt am Möbel findend."[9]) Der Lästerung folgt die Antwort auf dem Fuße, dem Verfallen an die „Unnatur" die Gegenbewegung der „Natur". Heinrich preßt die Stirn auf den Rand des alten, verblichenen Bildes und weint bitterlich. Es ist das kindliche Weinen eines, dem zum ersten Male die Tat der Gotteslästerung entgleitet, die ihm als schwere Sünde durch seine Erziehung bekannt ist. Der „Hinkemann" Ernst Tollers dagegen begeht seine Gotteslästerung weitaus gefaßter. Zwischen Conradis Heinrich und Tollers Hinkemann liegt der Weltkrieg. Das Leben Hinkemanns, der durch eine Verwundung entmannt wurde, ist leer. Als er erleben muß, daß seine Frau, zu der er, ein anderer geworden, zurückkam, ihn verlacht, da greift er nach seinem Priapus-Gott und wirft ihn in den Herd. „Du Lügengott", höhnt er, „du armseliger Schlucker!"[10]) In dieser Symbolik löst sich alles in Fragezeichen auf. „Was wissen wir? ... Woher? ... Wohin? ... Jeder Tag kann das Paradies bringen, jede Nacht die Sintflut."[11]) Der Gott ist künstlich und ersetzt, was fehlt. Ist, wo dem Leben so Entscheidendes fehlt, überhaupt ein Gott? Verlangt nicht Wahrhaftigkeit die Zerstörung der allzu durchsichtigen Fiktion?

Eine Frauengestalt von Hermann Stehr, Marie Exner, in dem Roman „Der begrabene Gott" befindet sich auf ähnlichem Wege. Auch sie hatte geduldig alle Schicksalsschläge ertragen, die ihr Gott, wie sie glaubt, gesandt hatte. Nun sieht sie ein, daß er kein Gott der Liebe und Güte ist, sondern ein Quäler, ein falscher Gott. Auf den Befehl ihres Gottes hatte Marie den unglücklichen Krüppel, den „Klumpen", geheiratet. Geliebt hatte sie ihn nie, aber sie wollte ihrem Gott gehorchen. Der bleibt ihr in allem Leide allein Trost. Eines Tages zerschlägt ihr Mann das Muttergottesbild, das auf dem Brett in der Wandecke steht, und sie stammelt nur noch: „Du strafst mich harte. Ich wollte Glück und Geld und a gutes Leben; aber ich wees wohl, durchs Elende kommt ma zur Freude. Zerbrich mich wie ne Schale, bloß über mei Kindla erbarm dich." Aber auch über das Kind erbarmt sich ihr Gott nicht. Es wurde als abschreckender Wechselbalg geboren. Der „Klumpen" gerät in einen langwierigen Prozeß und kommt am Ende ins Gefängnis. Bisher hatte Marie sich in allen Nöten zu ihrem Gott geflüchtet. Jetzt aber betet sie nicht mehr. Sie lästert: „Wenn ihr den Vater in meinem Namen ... haha ... Vater ... ein scheener Vater ... O, du verfluchter Glaube!" Nach diesem Aufschrei hält sie selber Gericht. Das Bild ihres Gottes begräbt sie in dem Schneewall vor dem Hause; sie erstickt ihr Kind, dann schleppt sie Holzscheite herbei und zündet die Wiege an. Das Haus steht alsbald in Flammen, und man vernimmt die Stimme der Mutter, die ein Wiegenlied singt.[12]) Noch ihr Tod ist Auflehnung, denn Gott will den Menschen, wie Angelus Silesius meint, damit Er leben kann. Sich durch Selbstvernichtung ihm entziehen, heißt hier ihn vernichten.

Der Marie Exner ähnlich ist eine Gestalt aus dem Roman „Das einfache Leben" von Ernst Wiechert, die Frau Gruber. Auch sie hat ihren Gott aufgegeben, der ihr den Sohn nahm. Elf Jahre lang lebte sie in der Verdunkelung ihrer Sinne neben ihrem tapferen Manne. Dann aber macht sie sich auf, ihren Gott „beiseite zu schieben".[13]) Mit einem trotzigen Lied auf den Lippen zündet sie die Scheune an und läßt sich von dem einfallenden Dach begraben und vernichten.

Der Pfarrer Agricola in Ernst Wiecherts jüngstem Werk „Die Jerominkinder" quält sich viele leidensschwere Jahre um seinen Gott. Auch er findet ihn nicht und muß ihn vernichten, um seiner ledig zu werden. „Er hatte ihn abgesetzt als einen Gott, der seine Kinder erwürgt hatte, aber der Abgesetzte stand vor seiner Tür. Und er ahnte, daß er dort stand. Er hatte sein Bild zerschlagen und ihm geflucht, weil er ein ganzes Leben lang um seines Namens willen gelitten hatte. Sein Buch war ihm ein Trug und eine große Täuschung, aber er hörte nicht auf, in ihm zu lesen. Er goß seinen Wein über die Blätter mit den heiligen Worten und sprach ihnen Hohn."[14]) Lästerung und Vernichtung des eigenen Gottes aber führen zu nichts, was ihn ersetzen könnte. Die Gottesvernichter erscheinen wie wahnsinnig Gewordene, die gegen eine unübersteigbare Mauer anrennen, dann den Ansturm bereuen oder sich selbst beiseite schaffen, um nicht noch weiter gegen die Mauer anrennen zu müssen. Agricola muß auch einsehen, daß seine Freveltat nichts blieb als Verneinung, also nirgends hinführte: „Vielleicht hat keiner von uns so geglaubt wie er, der nicht glauben wollte. Denn er hat seinen Glauben mit dem Tod besiegelt. Es waren ja nicht die Kinder, für die er den Schlag aufhielt und empfing. Die Kinder waren nur ein Bild, das nicht in Scherben fallen sollte. Hinter dem Bilde aber stand Gott. Der Totgeglaubte war wieder da."[15]) Der Frevler, der sein Bild Gottes zerschlägt, kommt von Gott nicht los. Dieses Unvermögen, von Gott loszukommen, wird noch deutlicher im „Knecht Gottes" von Ernst Wiechert.[16]) Andreas Nyland hatte den Gott seiner Mutter angezweifelt, über den sie ihm vor dem Altar kniend zugeflüstert hatte: „Sieh, das ist der, der alle Tränen abwischen kann. Wenn du ihn hast, dann hast du alles." Angesichts der Qualen der Mutter flucht er dem Gotte: „Mörder, Muttermörder du!" Trotz der Lästerung aber ringt er weiter um diesen Gott. Er will ihn auch zu seinem machen. Mit Macht will er ihn erzwingen. Des Nachts schleicht er in die Kirche und stiehlt den Heiland, um ihn zu besitzen und der todkranken Mutter ans Bett zu bringen. Aber die Mutter stirbt, und Nyland vergräbt den Gott im Zorne. Diese Vernichtung des Gottes der Mutter stürzt ihn in Hoffnungslosigkeit, so tief, als hätte er „eine Hütte verbrannt und die Obdachlosen ins Elend gejagt". Das Leid beginnt, das Leid des, „der seinen Gott begräbt". Zehn Jahre quält Nyland sein Frevel der Heilandsvernichtung. Der Begrabene wollte wieder auferstehen. In seiner eigenen Seele bedroht vor der Auferstehungskraft des Heilands, gibt Nyland den Kampf auf, geht zum Pfarrer und bekennt. Er hatte von Gott eine Antwort auf seine Taten, Diebstahl und Vergrabung, schließlich auch auf sein offenes Bekenntnis erwartet, eine Strafe, in der sich Gott endlich zu erkennen gäbe. Er wollte „die Hände ausstrecken nach den Nägeln und die Stirne nach der Dornenkrone". Aber statt dessen bleibt alles still. Selbst die Strafe von seiten der Menschen bleibt aus: „Es ist alles längst verjährt."

Diese Bilder der Zerstörung des Gottes der anderen und der Vernichtung des eigenen stehen für ein großes, überall tobendes Zerstören. In der Angst, der Begrabene könne wieder auferstehen, sitzen die Zerstörer zitternd auf dem Grab, das sie Gott bereiteten. Sie wälzten Steine über sein Grab, sagt der Dichter, aber manchmal, in der Abenddämmerung, vor der Herdflamme, drehten sie sich schnell um, weil sie ahnten, daß der Tote vor der Türe stand.[17])

Inmitten dieser Verzweiflungssituation bemerkt man eine dritte Art von Gottesvernichtern. Der Hauptmann Henner in Ernst Wiecherts „Wald" hat nach dem Zusammenbruch jeder anderen Gewißheit gelernt, im Wald Gottheit und Lebenserfüllung zu sehen. Aber er sieht auch, daß der Wald der Vernichtung unweigerlich preisgegeben ist. Ist es schon unabänderlich, daß sein Gott zugrunde geht, so will er ihn lieber selber zugrunde richten. Er verbrennt den Wald in einer riesigen Feuersbrunst. So ist er den anderen zuvorgekommen. Er hat alle Lust der Zerstörungswut selber kosten dürfen, und vor seinem Gotte damit gerechtfertigt, daß er aus Furcht vor seiner Niederlage und aus Erbarmen mit ihm so handeln müsse.[18]

Daß Henner im Grunde desselben Geistes war wie die anderen Gottzerstörer, beweisen die Zeilen an den „unbekannten Gott", die nach der Beendigung des „Waldes" geschrieben und dem „Knecht Gottes" vorangestellt wurden: „Ich hab das Schwert auf dich geworfen, — Ich nahm das Kreuz: dein Lächeln blieb. — Mein Haß wie meine Liebe gingen — Durch deine Ferne wie ein Sieb. — Ein Bettler bin ich ganz geworden, — Von keinem Sterne fällt mir Glanz."

Auf der Suche nach einer Lichtung, die sich über jenem düsteren Raum der Vernichtung aufhellen möchte, weist Stefan George mit seinen ahnungsschweren Deutungen weiter. In einem Gedicht des „Neuen Reiches" finden wir eine Szene, die symbolisch die Handlung des Zerbrechens, von der hier die Rede ist, deutet. Der dunkle Lautenspieler zerbricht sein heiliges Instrument: „weil einst ein kostbares gut ihm entging — zerbrach er sein lautenspiel — geduckt die stirn für den lorbeer bestimmt — still wandelnd zwischen den menschen."[19] Ernst Morwitz versteht dieses Zerbrechen der Laute als Antwort auf das Mißlingen des Versuchs, zu der geliebten größeren Seele vorzudringen. Er fügt hinzu: „Unerklärliches Geschehen in einer so wachen, so beredten Zeit — Zeichen dafür, daß das damals meist Gepriesene schon nicht mehr erfüllte und deshalb dem Verfall geweiht war, daß nur das Undeutbare, im Tiefsten Schlafende zeugende Kraft birgt."[20] Der Lautenspieler wird sich von nun an das heilige Instrument versagen, „still wandelnd". Ist nicht im Zerbrechen des eigenen Instruments und in der ihm folgenden Stille des Horchens der Kern der Erfahrung angedeutet, die sich in der Gotteslästerung noch als Verzweiflung ausspricht? Hier aber wird diese Erfahrung durch die Stille des Horchens überwunden.

Die Gotteslästerung in der neueren deutschen Literatur ist ein Ausdruck der Not, die gemeinhin mit dem Wort „Nihilismus" bezeichnet wird. In dem Hohlraum ohnegleichen, der im deutschen geistigen Leben entstanden war, konnten freilich falsche Stimmen zu verführerischer

Macht gelangen. Aber die gleiche Not enthielt auch die Möglichkeit des wartenden Horchens und der Erhörung.

Nur bei russischen Dichtern kam dieselbe geistige Lage mit noch tiefer schürfender Radikalität in der Form der Gotteslästerung zum Ausdruck, und dies vor allem im Werke Dostojewskis. Schon 1846 wurden Bruchstücke der „Armen Leute" in deutscher Übersetzung bekannt, später erschien das „Totenhaus". 1882 begann die Welle der Begeisterung für Dostojewski. W. Henkells Raskolnikow-Übersetzung wurde vor dem Druck vielen deutschen Schriftstellern und Kritikern gesandt, die empfehlend und begeisternd Antwort gaben. Dostojewski war bald einer der gesuchtesten Schriftsteller beim deutschen Leser. Zwischen 1882–1890 ist sein ganzes Werk ins Deutsche übertragen worden.[21])

Conradi war der erste, der in den „Phrasen" von 1887 eine Gotteslästerungsszene schrieb. Von seiner Feder stammt eine Arbeit über den Russen.[22]) Er kannte Dostojewskis Hauptwerke, besonders die „Brüder Karamasoff" genau. Dort las er mit Angst und Zustimmung jenen Fluch: „Was würde ich dem Menschen antun, der Gott erfand! An eine Espe hinge ich ihn, das täte ihm gut!" Die Szene prägte sich ihm ein, in der Aljoscha von seinem Vater erfährt, wie er vor der Mutter Gott lästerte: „Sie war eine strenge Beterin. Sie beachtete besonders die Feiertage der heiligen Jungfrau; es war dann, daß sie mich ihres Zimmers verwies. Und ich nahm mir vor, jene Mystik ihr abzugewöhnen. ‚Hier', sagte ich, ‚siehst du dein heiliges Bild? Hier ist es! Hier nehm ich es runter. Du glaubst, es sei wundertätig, aber hier, sieh, spuck ich direkt darauf und nichts wird mir dafür geschehen.'"

Diese Kühnheit des Russen ermutigte den Naturalisten in seiner Entschlossenheit, alle Illusionen schonungslos zu zerstören, damit die reine Wahrheit der „bloßen Tatsachen" erkannt werden könne.

Im Zusammenhang seiner Betrachtungen über solche Gotteslästerungen erinnert Julius Hart in dem Buch „Der neue Gott" an den Perserkönig Xerxes, der die aufgeregten Fluten des Hellespont peitschen ließ, weil sie das Auslaufen seiner Kriegsflotte verhinderten, und verweist auf Caligula, der seine Götterstatuen prügelte, wenn ihm etwas in die Quere kam.[23]) Auch Stehr, Wiechert und Toller hatten Dostojewski gelesen. Und wie Conradi und Hart war auch ihnen gewiß nicht die Lästerungsszene in den „Brüdern Karamasoff" entgangen.

Die Gotteslästerungsszene selber war von dem Russen angeregt worden. Warum sie mit solchem Nachdruck aufgenommen wurde, hat freilich tiefere Gründe in der Geschichte des religiösen Bewußtseins und des modernen Menschen. Friedrich Nietzsche hatte in den ungeheuren Raum der Ungewißheit die Kunde vom toten Gotte verbreitet. Seine Sprache traf, wie nur noch einmal zuvor, als die Sprache Luthers vernommen wurde. Und Nietzsche berichtete von dem Menschen, der seinen Gott erschlug, denn „der Gott, der alles sah, auch den Menschen: dieser Gott mußte sterben! Der Mensch erträgt es nicht, daß solch ein Zeuge lebt."[24])

Von den Schriftstellern, über die hier berichtet wird, war keiner achtlos an Nietzsche vorbeigegangen, in ihren Herzen war der hohle Ton jenes Leerraums hörbar geworden, seit Nietzsches Wort vom toten Gotte ihm ihre Aufmerksamkeit zugewandt hatte. Und Dostojewski selbst, bei dem wir die ersten Lästerungsszenen vorzufinden glauben, wurde als Geistesverwandter Nietzsches empfunden. „Jener ‚tolle Mensch' Nietzsches, der sich ‚Mörder Gottes' nennt — mutet er nicht fast wie eine Dostojewskische Romanfigur an?"[25]), bekennt der Nietzsche-Biograph Römer. Es wäre zu weit gegangen, wollten wir eine direkte Beeinflussung oder Abhängigkeit des einen vom anderen annehmen. Dostojewski starb 1881, Nietzsche wurde 1889 umnachtet. Ihr Problem und ihr Ziel, ein neues Heiligtum aufzurichten, war ihnen gemeinsam. Sie waren im modernen Abendland — und Dostojewski selbst stand auch mitten darin — auf jene Stimmung der Unsicherheit und der Leere gestoßen, die vor dem Bewußtsein, Gott getötet zu haben oder Gott töten zu müssen, in grelles Licht gerückt wurde. In den Feinfühligsten, ob sie mit Gleichahnenden in Verbindung standen oder Einzelne blieben, erwuchs aus diesem Gewahrwerden des Nichts das Wort ekstatischer Verzweiflung. Sie erscheinen darum als unruhevolle Lauscher, als Horcher nach etwas, das aus dem Unbestimmten herübertönen möchte, mit gespanntem Ohr, mit sehnsüchtigem oder nach innen gerichtet geschlossenem Auge, in plötzlichem Aufspringen und Dahinjagen, in dunklen Gebärden.

Einfacheren Menschen wie dem Matthaeus Stein, dem Nyland, dem Jürgen oder den erregteren und hilfloseren Frauen wie der Marie Exner wird es in solcher Lage unheimlich. Ekstase und Vernichtung sollen dann die innere Leere übertönen. Ihr Leben und Handeln spiegelt noch im Kleinen das Schicksal der „bestimmenden Bahnbrecher"[26]) ihrer Zeit, Nietzsche und Dostojewski, die beide im Wahn endeten.[27])

Aber auch in der Gotteslästerung, und vielleicht gerade in ihr, ist der Drang zum Göttlichen auf Irrwegen der Verzweiflung am Werke. Nur ganz wenigen ist es vergönnt, niederzuknien und zu verharren, um auf den Gott zu warten, bis er sich kundtut.

ANMERKUNGEN

[1]) G. Hauptmann, *Gesammelte Werke*, I, S. 166.

[2]) ebenda.

[3]) Ilse Langner, *Die purpurne Stadt*, S. Fischer Verlag, Berlin 1937.

[4]) ebenda, S. 556/557.

[5]) Ernst Wiechert, *Die Magd des Jürgen Doskocil*, Albert Langen/Georg Müller, München, 1932, S. 101/102.

[6]) Hans Christoph Kaergel, *Des Heilands zweites Gesicht*, Grethlein Nachf., Leipzig, 1935, S. 137.

[7]) ebenda, S. 159/160.

[8]) Hermann Conradi, *Phrasen*, Leipzig, 1887, S. 41/42.

[9]) ebenda, S. 373/374.

[10]) Ernst Toller, *Hinkemann*, Gustav Kiepenheuer Verlag, Potsdam, 1924, S. 60.

[11]) ebenda, S. 61.

[12]) Hermann Stehr, *Der begrabene Gott*, S. Fischer Verlag, Berlin, 1905.

[13]) Ernst Wiechert, *Das einfache Leben*, Albert Langen/Georg Müller, München, 1939, S. 291.

[14]) Ernst Wiechert, *Die Jerominkinder*, Rascher Verlag, Zürich, 1947, S. 300.

[15]) ebenda.

[16]) Ernst Wiechert, *Der Knecht Gottes Andreas Nyland*, G. Grote'sche Verlagsbuchhandlung, Berlin 1926; besonders das Kapitel: *Der begrabene Heiland*, S. 23.

[17]) siehe Anm. 14.

[18]) Hans Ebeling, *Ernst Wiechert*, G. Grote'sche Verlagsbuchhandlung, Berlin, 1937, S. 61.

[19]) Stefan George, *Das neue Reich*, Georg Bondi, Berlin, S. 64.

[20]) Ernst Morwitz, *Die Dichtung Stefan Georges*, bei Georg Bondi, Berlin, 1934, S. 166.

[21]) Eine ausführliche Untersuchung stellt dar: Theoderich Kampmann, *Dostojewski in Deutschland*, Münster i. W., 1931.

[22]) Hermann Conradi, *Aufsätze, Novellen und Skizzen*, bei Georg Müller, München und Leipzig, 1911, S. 393. Dieser Aufsatz wurde bereits 1889 in der Zeitschrift *Gesellschaft* veröffentlicht.

[23]) Julius Hart, *Der neue Gott, Eugen Diederichs*, Florenz und Leipzig, 1899, S. 307.

[24]) Friedrich Nietzsche, *Also sprach Zarathustra*, Reclam, Leipzig, S. 257.

[25]) Heinrich Römer, *Nietzsche*, Klinkhardt und Biermann, Leipzig, 1921, Band II, S. 13; vgl. hierzu auch Max Rychner, *Zur europäischen Literatur zwischen zwei Weltkriegen*, Atlantis Verlag, Zürich, 1943, S. 178: *Dostojewski und der Westen*.

[26]) Anm. 25, M. Rychner, S. 179.

[27]) Wie gerade die Frauen suchten und rangen und auch scheiterten, beweist übrigens die Gestalt der Tante Edelgart aus dem mir erst nach dem Abschluß dieser Arbeit bekannt gewordenen Roman *Der römische Brunnen* von Gertrud von Le Fort. (Benzinger AG. Einsiedeln/Köln, 1947.) Edelgarts Ringen spielt sich sogar auf scheinbar weniger gefährdetem Boden ab, in Rom, wo sie schon seit vielen Jahren versucht, zur Papstkirche zu finden. Trotz großer Hilfe von vielen Seiten gerät sie immer wieder in die Leere, in den Raum ohne Gottglauben, und versteckt das Kruzifix aus ihrem Zimmer,

bis sie eines Tages, körperlich und geistig gebrochen, auch das Kreuz zerbricht: „ . . . Sie schwang das Kreuz mit beiden Armen hoch über ihrem Kopf empor, als hole sie mit ihm zum Schlage aus: Entsetzen vor ihrem Abgrund, vor ihrer Hölle . . . Dann krachte das Kreuz nieder. Ich hörte sein Aufsplittern . . . Dann, aufblickend, sah ich meine Tante Edelgart am Boden liegend. Sie lag hingestreckt von dem Kreuz, welches sie dereinst angebetet hatte; es war im Versagen ihrer Kraft oder ihres Willens geheimnisvoll auf sie zurückgefallen." (S. 321.)

RUDOLF OTTO UND DER BEGRIFF
DES HEILIGEN

Joachim Wach

ZWEI THEOLOGISCHE Bücher machten auf die studentische Generation, die in den Jahren nach dem ersten Weltkrieg die Hörsäle der deutschen Universitäten bevölkerte, einen tiefen Eindruck: Karl Barths *Kommentar zum Römerbrief* und Rudolf Ottos *Das Heilige*. Es ist sicherlich bedeutungsvoll, daß es sich dabei um zwei Werke handelte, die, weit davon entfernt, bloße Gelegenheitsschriften zu sein, beträchtliche Ansprüche an den Leser stellten. Die Wirkung der Botschaft Barths war, was man vielleicht eine sensationelle nennen könnte. Diese Note hat aber, wie die letzten drei Jahrhunderte deutlich zeigen, keineswegs verhindert, daß die Wirkung weit *und* tief war. Während man aber schon kurz nach dem Erscheinen des Römerbrief-Kommentars allerorts von „Barthianern" zu hören begann und sogar eine gewisse Barthianische „Orthodoxie" sich, nicht notwendigerweise mit dem Segen des Meisters, entwickelte, hat es kaum wirkliche Ottonianer gegeben. Laien und Theologen, und Theologen der allerverschiedensten Richtungen und Gemeinschaften, haben jedoch in den letzten dreißig Jahren *Das Heilige* gelesen und bekannt, tiefe Anregungen von diesem Werk empfangen zu haben. Beide Denker haben weit über die Grenzen Deutschlands hinaus Widerhall gefunden, besonders in den angelsächsischen Ländern.

Warum hat sich so bald eine Barthische Schule gesammelt, während die Sauerteigwirkung, die von dem Buch des Marburger Theologen ausging, in keiner Weise schulbildend gewirkt hat? Verschiedene Antworten auf diese Frage sind denkbar. Da ist einmal die Verschiedenheit in dem Anliegen der beiden Denker, der Unterschied in den Zielen, die sie sich setzen, und in den Mitteln, mit denen sie darauf zuzuarbeiten streben, da ist aber vor allem auch der große Unterschied im Wesen der beiden Persönlichkeiten.

Während Karl Barth und seine Theologie den Gegenstand unendlich vieler Bücher, Aufsätze und Rezensionen in Europa und Amerika darstellen, ist auffallend wenig monographisch über Rudolf Otto und seine Lehre gehandelt worden. Die erste ausführliche amerikanische Darstellung erschien letztes Jahr (1947) unter dem Titel *Rudolf Ottos Interpretation of Religion*. Der Verfasser ist Robert Davidson.

Es ist schwer, denen, die ihn nicht persönlich gekannt haben, ein Bild von der ungewöhnlichen Persönlichkeit des Verfassers des Buches über *Das Heilige* zu vermitteln. Rudolf Otto war eine imponierende Erscheinung. Er hielt sich sehr gerade. Seine Bewegungen waren gemessen. Das scharfgeschnittene Antlitz blieb ernst und veränderte sich kaum, selbst beim Scherzen nicht. Seine Hautfarbe war gelblich-weiß und verriet Leiden. Er hatte sich in Indien eine Tropenkrankheit zugezogen, die ihn zu großer Schonung seiner Kräfte zwang. Sein Haar war weiß und kurz gehalten. Ein kleiner weißer Schnurrbart bedeckte die Oberlippe. Das Faszinierendste an Otto waren seine Augen, blau und stählern. Sie hatten eine gewisse Starre, und es war oft, als ob er, wenn er sprach, etwas sähe, wozu sein Mitunterredner keinen Zugang hatte. Ich sehe ihn vor mir, ausgestreckt auf dem Liegestuhl, auf dem er, wenn immer möglich, zu rasten angewiesen war, mit einer Decke über den Schultern — er fröstelte leicht — umspielt von seinem Haustier, einem Kater, dem er gelegentlich, ohne sich in der gelehrten Unterhaltung zu unterbrechen, sanfte Vorwürfe machte, wenn er sich allzu lebhaft gebärdete. Kein besserer Hintergrund ließ sich erdenken als die vielen Bücher, die sich in seiner Studierstube türmten. Aber ich sehe Otto auch in einer anderen Umgebung, die ihm nicht weniger gemäß war als die stille Klause. Ich sehe ihn vor mir, in einen Überwurfmantel gehüllt, beim Spaziergang in der Marburger Umgebung, seine Blicke über die hügelige Landschaft schweifend, ein „viator indefessus". Niemand, der Otto gekannt hat, wird erwarten, daß dereinst eine Biographie des Verfassers des Buches von Heiligen würde geschrieben werden können. Am allerwenigsten eine von denen, die sich zum Zwecke setzen, ihren Helden dem Publikum „menschlich nahezubringen". Etwas Geheimnisvolles umwitterte ihn. Vertraulichkeit war das letzte, was ein Besucher von ihm erwartet haben oder was er selbst ermuntert haben würde. Die Studenten, die gebannt seinen Vorlesungen zu folgen pflegten, nannten ihn „der Heilige". In dem Sinn, in dem er selbst diesen Ausdruck gebraucht, nicht in dem modernen, sentimentalen, den viele Moderne mit diesem Ehrennamen verbinden, war das eine höchst zutreffende Bezeichnung. Weder vor meiner Begegnung mit ihm noch nachher habe ich einen Menschen gekannt, der mich mehr als ein wahrer Mystiker angemutet hätte. Etwas von der Einsamkeit, in die der Umgang mit der Gottheit ihre Begünstigten führt, war um ihn. In dem schönen Nachruf von Theodor Siegfried, seinem Marburger Kollegen, wird der Ausspruch eines Bekannten angeführt: „Er war doch ein Herrscher." Ein Herrscher aber, der nicht der Demut entbehrte. „Er war", so hat ein anderer bei seinem Tode gesagt, „der Verkünder des unerforschlichen Gottes, der in seiner Unerforschlichkeit ihn heimsucht und heimholt." Siegfried hat es richtig verstanden: „Die Unerforschlichkeit der Liebe Gottes war für Otto die letzte Offenbarung und das tiefste Geheimnis."

Die wichtigsten Daten seines Lebens sind rasch aufgeführt. Er wurde am 25. September 1869 in Peine (Hannover) geboren, war Privatdozent seit 1904 und dann Professor für systematische Theologie in Göttingen, von 1914 an wirkte er in Breslau, um 1917 nach Marburg überzusiedeln. Hier lehrte er, der hervorragendste Vertreter der theologischen Wissenschaft, an dieser an theologischer Tradition so reichen Universität, bis zu seiner Emeritierung 1928. Von 1913 bis 1918 war Rudolf Otto Abgeordneter zum Preußischen Landtag. Ausgedehnte Reisen führten ihn in die islamischen Länder, nach Indien und nach Amerika. Oberlin College darf es sich zur Ehre anrechnen, ihn als Gastprofessor eingeladen zu haben. Sein Ruf verbreitete sich über die Welt, und aus allen Gegenden kamen Professoren und Studenten nach Marburg, um ihn aufzusuchen, bei ihm zu hören und von ihm zu lernen.

1898 erschien die erste selbständige Schrift Rudolf Ottos. Aus der Entfernung — beinahe ein halbes Jahrhundert ist seitdem vergangen — können wir heute, besser, als es den Zeitgenossen möglich war, die Tendenzen erkennen, die die geistige Situation in Deutschland um die Jahrhundertwende bestimmten. Drei mächtige Bewegungen hatten nacheinander ihre Wirkung geübt, von der kaum irgendein Gebiet von Kultur unbeeinflußt geblieben war: die Aufklärung, die Romantik und der naturalistische Materialismus. Die Geschichte der Nachwirkung der Aufklärung, die als solche in einer mit Recht berühmten Arbeit von Ernst Troeltsch glänzend analysiert worden ist, hat bis jetzt noch nicht ihren Historiker gefunden. Während der zweiten Hälfte des 19. Jahrhunderts drangen Motive dieser Weltansicht, in der für alle Massenbekenntnisse charakteristischen Vergröberung in das Denken der breitesten Schichten der Bevölkerung ein und bereiteten den Weg für die Philosophie des naturalistischen Materialismus. Die Gegenbewegung gegen die Aufklärung, die zu Beginn des 19. Jahrhunderts die Begabtesten in der geistigen Elite Deutschlands unter dem romantischen Banner vereinigt und ihrerseits die Lebenshaltung und geistige Produktivität wenigstens zweier Generationen der Intelligenz bestimmt hatte, blieb auf die Gebildeten beschränkt. Romantische Motive waren gegen das Jahrhundertende kaum noch wirksam; sie wurden erst wieder aufgenommen, als sich die neuromantische Schule der Dichtung, über die mein Freund Vietor kürzlich zu Ihnen gesprochen hat, zu sammeln begann. Der materialistische Naturalismus, der, in der zweiten Jahrhunderthälfte unaufhaltsam vordringend, das Denken und den Lebensstil weitester Kreise zu formen bestimmt war, war die Philosophie der siegreich fortschreitenden Naturwissenschaften und der die Massen erfolgreich umwerbenden marxistischen Gesellschaftslehre. Wie groß der Tribut war, den der deutsche Protestantismus, besonders seine akademischen Führer, der Aufklärung zahlte, haben wir erst seit kurzem wirklich zu verstehen begonnen. Während in den intellektuellen Zentren die akademische Theologie ihre Botschaft der Aufklärungsphilosophie anzupassen suchte, bewahrten die kirchlichen Gemeinschaften, besonders im Norden, im Westen und im Süden Deutschlands, die religiöse Substanz des christlichen Glaubens der protestantischen Tradition. Die romantische Schule, primär eine ästhetische Bewegung, die allerdings von Anfang an einer Affinität zum Religiösen nicht entbehrte, rang von ihren Voraussetzungen aus um ein neues Verständnis des Christentums, oder genauer, bestimmter christlicher Motive. Die zwei großen protestantischen Theologen der ersten Hälfte des 19. Jahrhunderts, Schleiermacher und Kierkegaard, sind beide der Romantik tief verpflichtet. Der Pietismus der Gemeinschaften und die Romantik, zwei zutiefst verschiedene Lebensauffassungen, einig jedoch in ihrem Gegensatz zur Aufklärung, bestimmten die Weltansicht des jungen Schleiermacher und seiner berühmten *Reden über die Religion an die Gebildeten unter ihren Verächtern*. Diese Reden gab Rudolf Otto (5. Auflage 1927) neu heraus, derselbe Rudolf Otto, von dem Siegfried berichtet, daß er bei seiner Abschiedsvorlesung vor den Studenten Marburgs 1928 sich als einen „pietistischen Lutheraner" bezeichnete.

In welchem Sinne war Otto Lutheraner? Der Titel seiner Erstlingsschrift gibt einen Wink: „Der Begriff des heiligen Geistes bei Luther" (ursprünglich: „Geist und Wort nach Luther"). Der junge Habilitant zeigt hier, wie Luthers Lehre aus dem zweifachen Gegensatz zum katholischen Sakramentalismus und zum „Schwärmertum" zu verstehen ist. Gegen den ersteren wird das *intus docere* des göttlichen Geistes betont, gegenüber dem letzteren die Gebundenheit an das *Wort* der Schrift, der Predigt und der brüderlichen Ermahnung, um dort die bloße *fides historica* auszuschließen und hier die Berufung auf die subjektive Erleuchtung. Otto zitiert Luther: „Gott muß anheben und predigen durch seinen Geist vom Sohne, so schlägt dir's in die Ohren und hernach sinkt wieder in unser Herz, daß wir es hören und glauben." Der Autor des Buches vom Heiligen war nicht einer der vielen Traditionalisten unter den Spätlutheranern.

Es war das numinose Erlebnis *Luthers,* die Persönlichkeit des gewaltigen, fast prophetischen Verkünders der Schau des verborgenen und sich doch wieder gnädig offenbarenden Gottes, das Otto durch sein Leben hindurch beschäftigte und bestimmte. Aber verweilte er nicht auch, mit sehr viel mehr als historischem Interesse, bei den Vätern der lutherischen Orthodoxie, einem Hollaz, Quenstedt, Chemnitz? Nicht viel wird darüber von seinen Biographen gesagt. Ich möchte die Deutung wagen, daß es neben der gewaltigen systematischen Geisteskraft, die ihre großen dogmatischen Werke bezeugen, die Substanz christlich-reformatorischen Glaubens war, die Otto hier spürte und bewunderte. Stempelt ihn das als einen engen Konfessionalisten? Wir werden sehen, daß dieser wahrhaft liberale Theologe keinesfalls so bezeichnet werden kann. Wohl aber stieß ihn an der zeitgenössischen, halb-aufklärerischen, liberalen Theologie die Oberflächlichkeit ab, mit der das Wesen der Religion und das Wesen des Christentums hier bestimmt wurde. Dem verknöcherten Intellektualismus so vieler konfessioneller lutherischen Theologen gegenüber mußte schon der junge Otto das Apostelwort zur Geltung bringen, daß der Buchstabe tötet, der Geist aber lebendig macht. Die Lehre vom Heiligen Geist war nicht zufällig eines der von der offiziellen Theologie vernachlässigten Gebiete.

Ein zweiter großer Lehrer der Vergangenheit hat das Denken Ottos entscheidend beeinflußt: *Kant.* Selbst der Philosophie der Aufklärung tief verhaftet, hatte der Königsberger Denker, der Metaphysik und Religion aus dem Gebiet des streng wissenschaftlich Erkennbaren ausschließen zu müssen glaubte, doch einen Weg gezeigt, wie das Bedürfnis nach Evidenz für religiöse Urteile befriedigt werden kann. Er hatte in seiner Weise der religiösen Erfahrung ein Eigenbereich gesichert. Freilich war die entscheidende Aufgabe, ihr Wesen zu bestimmen, damit keineswegs gelöst. Von den Denkern, die unter dem bestimmenden Einfluß Kants eine solche Lösung versuchten, haben vier eine Bedeutung für die Ausbildung der Religionslehre Rudolf Ottos. Neben dem schon erwähnten Schleiermacher sind es der weniger bekannte Philosoph Fries, der Theologe Albrecht Ritschl und der Theologe und Philosoph Ernst Troeltsch. *Fries* postulierte ein eigentümliches Vermögen, das er *Ahndung* nannte und kraft dessen wir, nach ihm, des Göttlichen innewerden. Otto hat den zu Unrecht vernachlässigten Denker, für den sich unter seinen Göttinger Kollegen vor allem der Philosoph Leonard Nelson interessierte, hochgeschätzt, wie sein 1904 erschienenes Buch *Kantisch-Friesische Religionsphilosophie* beweist. Albrecht *Ritschl,* zweifellos der einflußreichste protestantische Theologe der zweiten Jahrhunderthälfte, folgte Kant und Schleiermacher mit dem

Nachweis der Existenz eines religiösen Bereiches, das, nach ihm, durch eigentümliche Werturteile konstituiert wird. Damit war die moralistische Bestimmung des Religiösen durch Kant, ebenso wie seine psychologisierende Begründung im Gefühl, wie sie Schleiermacher vorgenommen hatte, überwunden. In der Analyse des christlichen Bewußtseins, die Ritschl in seinem großen Werk über *Die Christliche Lehre von der Rechtfertigung und Versöhnung* unternimmt, wird das Eigentümliche der christlichen Erlösungserfahrung scharf betont. An der Ausschließlichkeit, mit der hier das Religiöse und das spezifisch Christliche identifiziert wird, nahm der bedeutendste Schüler Ritschls, Ernst *Troeltsch* mit Recht Anstoß. Ihm erschien diese Lösung nicht viel von der alten Apologetik abzuweichen, die die Absolutheit des Christentums apriorisch sicherzustellen suchte. Wir haben alles Recht, anzunehmen, daß das Problem des religiösen Apriori, wie es Troeltsch, besonders seit 1895, beschäftigte, durch ihn seinem Göttinger Kollegen Rudolf Otto nahegebracht wurde. Was ist es, was religiöse Erfahrung konstituiert? Während Troeltsch fortfuhr, in tiefgründigen erkenntnis-theoretischen und philosophischen Untersuchungen — sie finden sich im 2. Bande seiner *Gesammelten Schriften* — um die Bestimmung des Wesens des Religiösen zu ringen, ohne ein für ihn selbst und andere befriedigendes Ergebnis zu erreichen, schwieg Otto eine Reihe von Jahren, um dann 1917 mit seinem Buch *Das Heilige* hervorzutreten, das eine neue Lösung der Frage nach dem religiösen Apriori vortrug. Es ist sicherlich nicht ohne Bedeutung, daß Troeltsch, der klarer als irgendeiner seiner Zeitgenossen unter den deutschen Theologen, die fundamentale Bedeutung, die die Erforschung nichtchristlicher Religionen für die Theologie haben muß, erkannte, daß Troeltsch selbst mit keiner außerchristlichen Glaubenslehre tiefere Vertrautheit besaß.

Wir würden gern wissen, wann und wie Rudolf Otto sich mit der heiligen Sprache Indiens, dem Sanskrit, vertraut gemacht hat, wann und wie er seine weitausgedehnten und gleichzeitig gründlichen Kenntnisse der großen Religionen der Welt erwarb. Als Theologe war er natürlich intim vertraut mit der Welt hebräischer und altchristlicher Frömmigkeit. Immerhin war es nicht gewöhnlich, daß protestantische liberale Theologen, sie seien denn Kirchenhistoriker, ihre Bekanntschaft mit der patristischen Literatur in wohlgewählten Zitaten andeuteten. Unter den nichtchristlichen Religionen war es vor allem der Hinduismus, dem Otto seine Aufmerksamkeit zuwandte. Eine Reihe von grundlegenden, zum Teil erstmaligen Übersetzungen und Studien sind ihm gewidmet. 1916 erschien seine Übertragung der *Dipika des Nivasa* mit dem Untertitel: *Eine indische Heilslehre*. 1923 legte er der Öffentlichkeit unter dem Titel

Vischnu — Narayana Texte zur indischen Gottesmystik vor. Im selben Jahr gab er die erste deutsche Version des *Siddhanta* des großen mittelalterlichen Theologen Ramanuja heraus. Ein methodologisch wie inhaltlich hochbedeutsames Werk war die 1926 unter dem Titel *Westöstliche Mystik* veröffentlichte Vergleichung der Lehren Meister Eckarts und Shankaras, in dem die Schule der Vedantisten den größten Religionsphilosophen Indiens sieht. Ihr folgte (1930) eine grundlegende Studie über die Übereinstimmungen und Verschiedenheiten in Christentum und Hinduismus: *Die Gnadenreligion Indiens und das Christentum*, und eine historische Darstellung *Gottheit und Gottheiten der Arier* (1932). Nicht viel später wandte sich der Verfasser des Buchs vom Heiligen der Übersetzung und Kommentierung der älteren Sakralliteratur Indiens zu. Zwei Studien widmete er dem *Sang des Erhabenen, der Bhagavadgita*. Vorbildlich war die 1936 vollendete Übertragung der Katha-Upanishad, eines der kürzeren philosophischen Grundtexte des Brahmanismus.

Aus allen diesen Arbeiten spricht nicht nur eine intime Vertrautheit mit den Texten und der Sprachgestalt, in der sie auf uns gekommen sind, nicht nur eine klare Einsicht in die theologischen und philosophischen Probleme und Systeme, eine gründliche Bekanntschaft mit den Gestalten der hervorragenden Lehrer Indiens und ihrer Folger, sondern vor allem ein tiefes Verstehen der indischen Religiosität. Im Unterschied zu manchem deutschen Indologen war es nicht nur die altindische Frömmigkeit, die Otto zu erforschen strebte, sondern gerade die in Deutschland fast unbekannte Welt des mittelalterlichen Indiens zog ihn an. In seinem späteren großen Werk über *Gottesreich und Menschensohn* zeigte der Verfasser des Buches vom Heiligen, daß auch die Religionen Irans, des alten Persiens, ihm wohlvertraut waren. Den Islam hatte er auf seinen ausgedehnten Reisen, besonders in Nordafrika, aus eigener Anschauung kennengelernt. Obgleich von allen nichtchristlichen Hochreligionen die ostasiatischen vielleicht am weitesten von seinem eigentlichen Arbeitsgebiet ablagen, hat Otto sich eingehend mit den mystischen Lehren Chinas und Japans befaßt und sich, besonders in *Das Heilige* öfters auf sie bezogen. Zum Verständnis der sogenannten primitiven Religionen hat er, obgleich kein Fachmann auf dem Gebiete der Ethnologie, ganz Wesentliches beigetragen, indem er, Mardett und Söderblom folgend, den Phänomenen der Scheu, der Macht und der Heiligkeit eingehende Analysen widmete.

Es ist leicht, über der Betrachtung aller dieser Einzelleistungen und ihrer Resultate den Ertrag aus den Augen zu verlieren, der der methodologischen Besinnung und theologischen Grundlegung aus alledem zu-

wachsen muß. Lassen Sie mich kurz einige der wichtigsten Ergebnisse
für die Religionswissenschaft zusammenfassen. Schon in einem Früh-
werke über *Naturalistische und religiöse Weltansicht* (1904) hatte Otto
eine grundsätzliche Kritik am Naturalismus vollzogen. In einer höchst
lehrreichen Auseinandersetzung mit Wilhelm Wundt und seiner auf
einem zu schematischen Entwicklungsgedanken aufgebauten Völker-
psychologie zeigte er dann, daß es nicht möglich ist, die qualitativen
Verschiedenheiten, die in schöpferischer Folge in Natur- und Geistes-
leben auftreten, in quantitative Unterschiede aufzulösen. Religion entsteht nicht „von selbst", aus etwas, was noch nicht Religion ist, ebensowenig, wie die tieferen Einsichten der höheren Religionen einfach
entwicklungsmäßig aus früheren Auffassungen ableitbar sind. Wie dem
Evolutionismus, so ist Otto dem Psychologismus zu Leibe gegangen.
Feuerbach und später Freud haben aus dem psychologisierenden Ansatz
der Religionstheorie Schleiermachers subjektivistische Konsequenzen
gezogen, indem sie die Religion als Illusion erklärten. Ganz ähnlich
orientiert ist die marxistische Interpretation. Dem allen gegenüber hat
sich Otto nicht damit begnügt, den methodologischen Grundfehler aller
solchen „Erklärung" philosophisch zu erweisen, eine Aufgabe, die gleichzeitig von Husserl in seinen *Logischen Untersuchungen,* von den österreichischen Wertphilosophen und von Max Scheler in seiner Kritik Kants
in Angriff genommen wurde, sondern er hat, vor allem in seinem Werk
über *Das Heilige,* einer der tiefdringendsten Analysen des religiösen
Erlebnisses, die wir überhaupt besitzen, die objektive Bezogenheit, den
„Sinn" der Religion herauszuarbeiten versucht. Im numinosen Erleben
ist der Mensch mit dem ganz Andern konfrontiert. Weit davon entfernt,
in diesem eine Selbsttäuschung zu sehen, faßt Rudolf Otto es auf als das
gewisseste Innewerden einer letzten Wirklichkeit.

In der Völkerkunde und der Religionsgeschichte stritten sich um die
Jahrhundertwende die Vertreter zweier entgegengesetzter Anschauungen. Es handelte sich um die Erklärung von Parallelerscheinungen:
religiöse Vorstellungen und Bräuche ähnlicher oder gleicher Art tauchen
in ganz verschiedenen Gegenden und in völlig verschiedenen Kulturzusammenhängen auf. Die eine Schule vertrat den „Elementargedanken"
und damit unabhängige Entstehung. Die andere, historisch orientiert,
postulierte einen einheitlichen Ausgangspunkt, wobei ihre Vertreter sich
zum Teil stark darin unterschieden, *wo* sie die „Heimat" oder den Ursprung der Ur-Kultur und -Religion suchten (Ägypten, Babylonien,
Zentralasien, China, Europa). In einer methodologisch vorbildlichen
Untersuchung über *Das Gesetz der Parallelen in der Religionsgeschichte*

entwickelte Otto seine Lösung des Problems. Die Theorie, die er vertritt, ist charakterisiert durch den Begriff der *Konvergenz der Typen*. Schlagend weist er an einer Reihe aus verschiedensten Kulturzusammenhängen gewählten Beispielen nach, wie gleichförmig hier und dort das religiöse Erleben sich Ausdruck schafft, wie aber die parallelen Formen dann wieder qualifiziert erscheinen durch die Einwirkung des spezifischen Genius. Der Religionsforschung erwächst daraus die großen Takt erfordernde Aufgabe, Ähnlichkeiten und Verschiedenheiten sorgfältig zu wägen.

Bevor wir nun dazu übergehen können, die Frage zu beantworten, wie Rudolf Otto die von seinem Vorgänger nicht befriedigend gelöste philosophische Frage nach dem religiösen Apriori löst und wie er das theologische Grundproblem des Verhältnisses von Christentum und nichtchristlicher Religion bestimmt, müssen wir etwas näher auf seine beiden Hauptwerke, *Das Heilige* und *Reich Gottes und Menschensohn*, eingehen.

Das erstere Werk erschien 1917, danach in vielen Auflagen (die fünfundzwanzigste 1936). Wir haben schon von der tiefen Wirkung gesprochen, die es ausübte: Übersetzungen in die verschiedensten Sprachen, 1934 in sieben: Englisch, Schwedisch, Spanisch, Italienisch, Französisch, Holländisch, Japanisch, folgten sich. Es kann keine Frage sein, daß es nicht die Eleganz des Stiles oder ganz allgemein der Darstellung war, die dem Buch eine für ein theologisches Werk so ungewöhnliche Popularität verschafften. Der Stil nicht nur in dieser, sondern in allen Arbeiten von Rudolf Otto ist hart und kantig, aber immer original. Der Verfasser verschwendet keine Zeit mit Ein- und Überleitungen. Verschiedene seiner Bücher, darunter *Das Heilige* und die es erläuternden Bände sind eigentlich Sammlungen von Essays. In einigen Werken von Otto kommt eine eigentümliche Orthographie zur Anwendung — kleine Anfangsbuchstaben, besondere Drucktypen —, die er ausdrücklich gewünscht hat. Bemerkenswert sind immer seine Zitate, die gleichzeitig von seiner ungewöhnlichen Belesenheit und seinem Geschmack Zeugnis ablegen. Es ist sehr bedeutsam, daß ästhetische Gesichtspunkte für den Religionsforscher, der alles daran setzte, das spezifisch Religiöse in seiner Eigenart zu erfassen und verstehen zu lehren, keine geringe Rolle gespielt haben. Der scharfsinnige Erforscher und Zergliederer religiöser Lehrsysteme und theologischer Meinungen gehört auf der andern Seite zu den nicht allzu zahlreichen Religionsforschern, die im Kult das Herzstück der Religion erblicken. Seiner Ausübung hat er in allen Religionen, die in sein Blickfeld traten, die größte Aufmerksamkeit gewidmet; die kultische Neugestaltung im Protestantismus der Gegenwart war eines seiner Hauptanliegen. Wir werden etwas später darauf zurückkommen.

Aus allem dem geht hervor, daß Rudolf Otto drei Voraussetzungen für die Abfassung des Buches mitbrachte, das sein *chef d'œuvre* zu werden bestimmt war. Er stand in der *philosophischen* Tradition, in der es um die Bestimmung des Grundproblems der Erkenntnis ging: wie ist Erfahrung möglich? Mit seinen unmittelbaren Lehrern war er tief überzeugt von der Eigenart des religiösen Erlebens, dessen konstitutive Kategorien aufzuweisen er sich nun zur Aufgabe setzte. Zu dieser Aufgabe befähigte ihn neben seiner Begabung für begriffliche Zergliederung und Präzision eine ungewöhnliche Tiefe und Intensität des *religiösen Erlebens.* Vielleicht kann die Behauptung gewagt werden, daß Otto, auch wenn er nicht gleichzeitig die Gaben des gelehrten Historikers und des systematischen Denkers besessen hätte, doch einen bleibenden Beitrag zur Geschichte der Frömmigkeit mit dem rein persönlichen Ausdruck seines religiösen Erlebens geliefert hat. Es ist unmöglich, in diesem Zusammenhang die Frage zu stellen, geschweige sie zu beantworten, wie wir es uns zu erklären haben, daß immer wieder in der Geschichte sich folgender Generationen der eine oder andere Einzelne, unter den gleichen Umständen und mit denselben Einflüssen aufgewachsen wie seine Zeitgenossen, auf die alle bestimmende Tradition schöpferisch, nicht nur aufnehmend, reagiert, sondern von ihr zu neuem und vertieftem Erleben und zu produktiver Ausdeutung angeregt wird. Weil die Mitwelt so gern bereit ist, das von der sogenannten Norm abweichende, das Ungewöhnliche eilends unter eines der geläufigen Stichworte oder Kategorien zu subsumieren, ist Rudolf Otto mit dem Erscheinen seines Buches als „Mystiker" klassifiziert worden. Aber was heißt das? Sollen unter dieser Bezeichnung die ungewöhnlichen Grenzfälle fallen, die die Lehrbücher der Religionspsychologie so gern als typisch religiöse Phänomene behandeln, oder bestehen gute Gründe dafür, anzunehmen, daß alle echte und tiefe Religiosität mystisch gefärbt ist? Jedenfalls ist der Verfasser des Buches vom Heiligen in der Lage gewesen, nicht nur in ungezählten Fällen einzelne Vorstellungen, Bräuche und Institutionen religiöser Art dadurch, daß er das sie belebende religiöse Prinzip sichtbar machte, sinnvoll zu erklären, sondern es ist ihm gelungen, das Zentralerlebnis, das allen als religiös beurteilten Äußerungsformen in den verschiedenen Glaubenszusammenhängen zugrunde liegt, selbst mit ungewöhnlicher Klarheit zu bestimmen. Die dritte Voraussetzung, die ihn zu dieser Leistung befähigte, war seine oben erwähnte umfassende und eindringende Vertrautheit mit der Mannigfaltigkeit der

Ausdrucksformen des religiösen Lebens, seine *Beherrschung der Religions-*
geschichte.

Einige von Ihnen sind mit dem Hauptwerk Rudolf Ottos vertraut.
Ohne auf die zahlreichen feinen und tiefdringenden Einzelanalysen, die
es bereichern, eingehen zu können, müssen wir uns hier damit begnügen,
seine Hauptergebnisse zusammenzufassen. Das religiöse Erleben ist wesentlich verschieden von andern Erfahrungsweisen, obwohl es mit ihnen, der
moralischen oder ästhetischen zum Beispiel, vielfach eng verbunden
auftritt. Es ist eine „eigentümliche Bewertungskategorie", wie Otto sagt.
Er hat für sie den Begriff des Numinosen — vom lateinischen *numen,*
Gottheit, abgeleitet — geprägt. Der Bereich des Religiösen ist das
Heilige. Diese Bestimmung klingt wie eine Tautologie. Aber es bleibt
nicht bei einer solchen. Vielleicht wäre es unmißverständlicher gewesen,
wenn der Verfasser noch stärker, als er es, unserer Auffassung nach, getan
hat, seinen Ausgangspunkt von dem Aufweis der objektiven Qualität
der letzten Wirklichkeit genommen hätte, deren wir in der religiösen
Erfahrung innewerden. Einige seiner Kritiker haben Anstoß daran genommen, daß diesem Aufweis bei Otto eine Analyse der psychologischen
Reaktion — er beschreibt sie als Kreaturgefühl, als Bewußtsein des
numinosen Unwerts oder der Sünde — vorausgeht. Ich erinnere mich
aber des Nachdrucks, mit dem Otto in einer Vorlesung über altprote-
stantische Dogmatik darauf hinwies, daß hier stets der Ausgang genommen wird vom *locus: de Deo.* In der Tat meint die erste Hauptbestim-
mung des Heiligen, daß es Geheimnis *(mysterium)* ist, eine objektive
Qualität. Wenn dieses Geheimnis weiterhin beschrieben wird als das, was
uns mit Scheu erfüllt *(tremendum)* und doch wieder magisch anzieht
(fascinosum), so scheint allerdings die Analyse in die Beschreibung subjektiver Zustände abzuleiten. Aber es scheint nur so, denn die erstere
Reaktion wird alsbald erklärt als beruhend auf dem Erleben des objektiv
„Übermächtigen" und „Energischen" und die zweite, die Anziehung,
die mit der Scheu eine eigentümliche „Kontrastharmonie" ausmacht, als
die Wirkung der „Erhabenheit" *(augustum),* die der letzten Wirklichkeit
eigen ist. Theologisch formuliert finden wir diese Bestimmungen innerhalb *und* außerhalb des Christentums in der Attributenlehre, genauer
in dem *loci* vom Zorn und von der Liebe Gottes. Der Mensch erfährt
sich diesem Gott gegenüber als Kreatur. „Sünde" ist nach Otto das Bewußtsein des Unwerts. In einer Reihe von Aufsätzen, die das Hauptwerk zu ergänzen bestimmt waren, hat er in einer grundlegenden Arbeit
über die Frage: was ist Sünde? gehandelt. Das Gefühl des numinosen
Unwertes weist auf einen „unüberbietbaren", einen „unendlichen" Wert:

die Heiligkeit *(„tu solus sanctus")*. In seiner letzten Schaffenszeit ist Rudolf Otto bestrebt gewesen, im Zusammenhang mit ethischen Untersuchungen, seine Wertlehre systematisch zu begründen. In der Abhandlung über Wert, Würde und Recht (1931) hat er eine phänomenologisch orientierte Axiologie entwickelt.

Wie können wir das religiöse Erlebnis, dessen objektive und subjektive Eigenart diese Fundamentalkategorien zu beschreiben versuchen, „erklären"? In den Disziplinen, die sich der Erforschung der niederen und der höheren Religionen widmen, in Ethnologie und Religionsgeschichte, herrschte zur Zeit der Abfassung des Buches vom Heiligen, und herrscht zum Teil noch heute, die auf einem nicht qualifizierenden Evolutionismus beruhende epigenetische Theorie mit ihrem Reduktionismus. Das Höhere soll aus dem Niederen „erklärt" werden. Schöpferische Spontaneität wird nicht anerkannt. In seiner schon erwähnten Auseinandersetzung mit Wundt hat Rudolf Otto mit dem ihm eigenen scharfen Humor die Frage gestellt, ob Milch, weil sie sich in Käse verwandeln kann, und Käse „dasselbe" sind. Aus nichts wird nichts. „Wie Geist gemacht wird, ist unsagbar." Menschheitsgeschichte fängt mit dem Menschen an. Die religiöse Anlage, die Otto dem Menschen zuschreibt, ist irreduzierbar. Diese „Veranlagung" und „Vorbestimmtheit" zur Religion mag zum „religiösen Triebe" werden, der nicht ruht, bis er seine Ruhe findet in Gott. In einigen großartig knappen Kapiteln führt der Verfasser uns durch die gesamte Religionsgeschichte und zeigt uns, wie sich das numinose Erleben auf den verschiedenen Stufen kultureller und religiöser Entwicklung artikuliert. Seine Kritiker haben Otto deswegen angegriffen, weil er die spezifisch religiöse Erfahrung isoliert habe von andern Weisen der Werterfassung. Allerdings macht der Verfasser den Versuch, ihre Eigenart deutlich zu machen, aber nicht ohne Rücksicht auf die Verbindungen, die das numinose Erlebnis, das Otto als irrational bestimmt, mit andern Kategorien eingeht. So vereinigt es sich mit dem Rationalen. Echte Religiösität ist ausgezeichnet dadurch, daß sie die beiden Extreme, den Rationalismus und den Fanatismus, vermeidet. Über andere Verbindungen, in denen das Religiöse erscheint, wird sogleich ein Wort zu sagen sein. Aber darüber kann kein Zweifel sein, daß „nur das, was ihr Innerstes ist, die Idee des Heiligen selber, und wie vollkommen eine gegebene Einzelreligion dieser gerecht werde oder nicht, der Maßstab sein kann für den Wert einer Religion als Religion". Was allen Menschen als Anlage gemeinsam ist, wird im geschichtlichen Prozeß von prophetischen Naturen entwickelt und artikuliert. Den Höhepunkt sieht Otto in der Erscheinung desjenigen, der „den

Geist in der Fülle hat", in dessen Person und Werk wir das erscheinende Heilige unvergleichlich „divinieren" können. Der letzte Satz des Buches deutet auf ihn, „den Sohn",

Zwei schwierigen Problemen, von denen eins philosophischer, das andere theologischer Natur ist, galt das Denken des Verfassers des Buches vom Heiligen in den letzten zwei Jahrzehnten seines Lebens. Beide ergaben sich für ihn aus der Beschäftigung mit dem Wesen und der Erscheinung des Heiligen in Leben und Geschichte. Das erste ist die Frage nach dem Verhältnis des Religiösen zum Moralischen. Es ist an sich nur ein Unterfall des oben gestreiften Problems der Verbindung des Numinosen mit anderen Erlebnisarten. Es gewann aber für Otto eine besondere Bedeutung und erweiterte sich für ihn in den letzten Jahren seines Lebens zu der Fundamentalfrage nach der *Grundlegung der Ethik*. Wir sagten früher, daß das Ästhetische keine geringere Rolle in Ottos Denk- und Empfindungsweise spielte, und man könnte die Frage aufwerfen, warum ihm die Frage nach der Verbindung des Religiösen mit andern Werterlebnissen zur Beschäftigung mit der Moralphilosophie statt mit der Ästhetik führte. Vielleicht irren wir nicht, wenn wir die Gründe dafür in der Natur des großen Religionslehrers suchen, dem die Formel seines philosophischen Lehrers vom unbedingten Imperativ so tief gemäß war. Fast alle Kritiker haben übereingestimmt, daß der schwächste Punkt in Ottos Analyse der religiösen Erfahrung der von ihm in Anlehnung an Kant entwickelte Begriff des *Schematismus* („Gefühlsgesellung") ist. Das religiöse Erleben wird „schematisiert", wenn es Verbindungen mit anderen Erfahrungs- und Urteilsweisen eingeht. Die religiösen Kardinalbegriffe der Sünde und der Erlösung, ja der des Heiligen selbst, haben ihre ethischen Assoziationen. Hier setzt die Spätarbeit Rudolf Ottos ein, sein Ringen um eine phänomenologische Begründung der moralischen Werte. Er plante den Inhalt der fünf Abhandlungen zu diesem Thema, die zwischen 1931 und 1940 in verschiedenen Zeitschriften erschienen, zu einem Buch über *Moral Law and the Will of God* — der Titel der geplanten *Gifford-Lectures* — zu vereinigen. Sein Hinscheiden ließ es nicht dazu kommen. Die beiden ersten Studien *Wert, Würde und Recht* und *Wertgesetz und Autonomie* zeigen den Einfluß der um die Demonstration der objektiven Gültigkeit der Werte bemühten österreichischen Schule, insbesondere aber der Phänomenologie Schelers und Hartmanns. Der Kantische Ausgangspunkt wird von Otto auch hier nicht aufgegeben, aber stärker als in seinem Buch über *Das Heilige* qualifiziert. Die feinsinnigen Analysen der subjektiven Reaktion auf die ethischen Werte, die wir hier finden, sind mit der gleichen Meisterschaft durchgeführt wie die

Zergliederung der Momente der nuinosen Erfahrung; die Eigennatur und die Unerbittlichkeit der Forderung der moralischen Werte wird aber vielleicht klarer und nachdrücklicher zur Geltung gebracht als die Natur des geheimnisvollen Urwertes der Religion. „Sittengesetz", so lesen wir im Schlußsatz der Abhandlung über *Wert, Würde und Recht*, „sofern es Inbegriff kategorischer Förderung ist, ist nach unserem Sprachgebrauch überhaupt nicht „Gesetz", sondern „Gebot". Dieses wird nicht „gegeben", sondern „es ergibt sich". „Es ergibt sich, begründet aus Wert und Recht. Und aus seiner Befolgung ergibt sich die Würde des guten Willens." Die Analyse des ethischen Grundwertes der Freiheit, die Otto in seiner Studie über *Das Gefühl der Verantwortlichkeit* bietet, führt notwendig zurück in die religiös-metaphysische Sphäre, zur „Idee des schöpferischen Urhebens". Von der Koinzidenz der Notwendigkeit und der Kontingenz haben wir im Verantwortungsgefühl, sozusagen *„per aenigma"* ein *„vestigium"*, eine „unbegriffliche Erkenntnis". —

Wir kommen nun zu dem zweiten, dem großen theologischen Problem, zu dem Otto im Buch vom Heiligen nicht zum ersten Male und auch nicht zum letzten Stellung genommen hat. Es ist die Frage: Was dünket euch um Christus? In demselben Jahr (1902), in dem Rudolf Ottos kleine populäre Studie über *Leben und Wirken Jesu nach historisch-kritischer Auffassung* erschienen war, hatte Ernst Troeltsch in seiner berühmten Abhandlung über die Absolutheit des Christentums die Frage gestellt, ob angesichts der unerhörten Erweiterung unserer Kenntnisse, insbesondere der fremden Religionen, der alte Spruch des Christentums auf Absolutheit aufrechtzuerhalten sei. Seine Antwort war: keine Religion ist absolut, auch die christliche nicht. Absolut ist nur Gott, den zu erkennen, mit dem zu verkehren und von dem erlöst zu werden wir Menschen trachten. Das Christentum ist eine historische Erscheinung wie andere Religionen. Aus dieser Erkenntnis aber braucht man, nach Troeltsch, keineswegs radikal-relativistische Konsequenzen zu ziehen. Die Geschichte schließt Normen nicht aus — diese stellen ihre größte Entdeckung dar. So braucht der Christ nicht zu verzagen; aber der Maßstab zur Bewertung der gar nicht so zahlreichen Religionen, die um die Palme zu streiten scheinen, kann nicht ein apriorischer sein, sondern „kann sich nur im freien Kampf der Ideen erzeugen". Troeltsch selbst hat in warmen, überzeugten und überzeugenden Worten von der Unvergleichlichkeit der Gestalt Jesu gesprochen.

Der frühe Aufsatz Ottos über Jesu Leben und Wirken ist ziemlich konventionell. Jedoch die Art, wie die dem Alten Testament gegenüber „neue Frömmigkeit" Jesu gekennzeichnet wird, verrät schon die eigen-

tümliche Note der Theologie Ottos. „Auch hier", so sagt er, „ist Gott in
erster Linie der Heilige, der Vertreter und Inbegriff des sittlichen Gesetzes, das uns streng und ernst verpflichtet." Und er betont: „Nicht aus
Reflexion und Gedankenarbeit, nicht durch Spekulation und philosophische Bemühung erwächst, nicht erkonstruiert und demonstriert ist
diese neue Religion Jesu. Sie bricht aus der Tiefe und dem Geheimnis
seiner religiös-genialen Individualität . . ." Ihr Zentrum hat sie, das macht
schon diese Frühschrift klar, in der Predigt vom Reiche Gottes. Diesem
Zentralgedanken sollte das zweite Hauptwerk Rudolf Ottos gewidmet
sein. Wir sahen oben, daß das Buch vom Heiligen mit dem Hinweis auf
eine höchste Stufe religiöser Ahndung, die den Geist in der Fülle hat,
schließt. Der sie hat, so wurde dort gesagt, ist mehr als ein Prophet, er
ist „der Sohn".

„*Reich Gottes und Menschensohn*" ist der Titel des zweiten, leider bis
jetzt nicht weit genug bekannten Werkes des Marburger Theologen.
Der bescheidene, aber treffende Untertitel, „Ein religionsgeschichtlicher
Versuch", würde kaum vermuten lassen, daß wir es hier mit einem der
wichtigsten Beiträge zum Verständnis der neutestamentlichen Theologie
und insbesondere zur Christologie zu tun haben, die uns die letzten
Jahrzehnte beschert haben. Die Konsequenzen aus der Situation, die
Ernst Troeltsch in seiner oben erwähnten Rede über *Die Absolutheit des
Christentums und die Religionsgeschichte* so treffend gekennzeichnet
hatte, werden von dem Autor, den sein Göttinger Aufenthalt in nahe
und fruchtbare Berührung mit den Führern der Religionsgeschichtlichen Schule, insbesondere mit Wilhelm Bousset, gebracht hatte, in
vollem Maße gezogen. Während andere Forscher die besonderen
Beiträge der jüdischen, der hellenistischen, der ägyptischen, der früh-
und spätmesopotamischen und syrischen Religionen zum Aufbau der
christlichen Vorstellungswelt ins Licht gesetzt hatten, erörterte Otto in
stärkerem Maße als das vorher geschehen war, den Einfluß iranischer
Vorstellungen auf die Entwicklung des für die Predigt Jesu so fundamentalen Reichgottesgedankens. Es ist aber undenkbar, daß der Verfasser
des Buches vom Heiligen nur einen weiteren Beleg für die These habe
liefern mögen, daß sich die christliche Botschaft in ein Sammelsurium
fremder „Einflüsse" auflösen lasse. Nach seinen methodologischen
Grundsätzen mußte er ein solches Verfahren streng verurteilen. Nun
hatte neben der Religionsgeschichtlichen Schule in den ersten Jahrzehnten des 20. Jahrhunderts eine andere Interpretation der Verkündigung
Jesu eine bedeutende Wirkung auf die Ausleger des Neuen Testamentes
geübt: Albert Schweitzers eschatologische Deutung. Auch Otto erblickt

in Jesus einen „konsequenten Eschatologen" — wie es vor ihm Johannes der Täufer gewesen sei. Aber er setzt die neue Botschaft gegen die des Vorläufers ab. „Genaht ist das Himmelreich" ist, nach Otto, etwas anderes als „Es kommt das Zorngericht". An die Stelle des johannischen „eschatologischen Sakraments der Wassertaufe" tritt die in der späteren Überlieferung verdunkelte Verkündigung von der „geistigen Dynamis des Eschaton im Schon-Anbruch des Reichs". Das ist es, was es zu verstehen gilt, wenn man den „Sinn Christi" erfassen will, daß der Messias, unerachtet seiner Überzeugung, daß „das Reich Gottes das künftige Reich der *End*zeit ist", bereits in seinem, schon gegenwärtig wirksamen Wunder und von seinen Kräften lebt, und daß er anderseits, Kraft seines von dem Täufer verschiedenen Charismas, durch Wort und Tat denen, die ihm folgen, das „Berührtsein von diesem Wunder des Transcendenten als eigene Gabe vermittelt".

„Reich Gottes und Menschensohn" hat Rudolf Otto sein Buch benannt. In der Erörterung der von den Auslegern viel umstrittenen messianiologischen Ehrennamen zu Beginn des *zweiten* Teiles findet sich eine für den Religionshistoriker und Theologen Otto gleichmäßig bezeichnende These. Die Antwort auf die Frage: Ist Jesus der Christus Gottes gewesen? sei eine Angelegenheit des Glaubens und daher nicht vom Historiker zu beantworten. Hier handelt es sich um ein religiöses Urteil vom Typus der numinosen Bewertung, dessen Wesen-Analyse in dem Werk vom Heiligen unternommen worden war. Was aber das Sendungsbewußtsein Jesu anlangt, so spricht es sich in Bildern aus, deren Geschichte und Bedeutung durch die religionsgeschichtliche Arbeit weitgehend aufgehellt werden kann. Otto widmet diesem Vorstellungskomplex, insbesondere der spätjüdischen Messiah-Spekulation Analysen, die zum Besten gehören, was er je geschrieben. Christus hat, wie Otto überzeugend an den Selbstaussagen nachweist, seine eigene Gotteserkenntnis als „einzige und unvergleichliche" gewußt. Sein Leiden und seine Verherrlichung antizipiert Jesus in der neuen Deutung von Jesaja 53, als „notwendige Momente im Kommen des Reiches". — Wir können hier nicht ausführlicher bei der den *dritten* Teil dieses Werkes ausmachenden Lehre Ottos vom Abendmahl als Jüngerweihe für den Eingang ins Gottesreich verweilen. Seine Darlegungen über die Eucharistie erweisen aufs neue Ottos meisterhafte Beherrschung des exegetischen und religionsgeschichtlichen Materials. Sie bezeugen auch die Fruchtbarkeit der eschatologisch orientierten Ausdeutung dieses sooft isoliert behandelten Sakramentes als symbolischen Ausdruck für das messianische Bewußtsein des Herrn. Der Frage der würdigen Gestaltung der Abendmahlsfeier im modernen Kult

hatte Otto schon früher zwei Abhandlungen gewidmet: *Das Sakrament als Ereignis des Heiligen* und *Die Feier des Herrenmahles*. — Der *letzte* Abschnitt des Buches leitet in gewissem Sinn zurück zur Fragestellung im Eingang: Was dünket euch um Christus? Religionssoziologisches und theologisches Interesse treffen hier zusammen. Im weiten Umkreis charismatischer Mächtigkeit und der verschiedenen Formen ihrer Erweisung muß der Religionshistoriker Jesus als Charismatiker sehen. „Will man sagen, was Jesus war, so muß man den Exorzisten, den Charismatiker an ihm ernstnehmen." „Erst mit seiner Gestalt und ihrem Sinn erschließt sich auch der Sinn seiner Botschaft vom Reiche." Für den Theologen aber wird das Verständnis des Charismas Jesu existentiell bedeutsam, in den Worten Rudolf Ottos „als antizipiertes Eschaton" wird es „Wesensmoment einer Gemeinschaft, die eine Kirche des Nazareners sein will."

Im Vorangehenden haben wir, wie unzulänglich auch immer, dem Erforscher des Phänomens des Heiligen, dem Religionshistoriker und Theologen gerecht zu werden versucht. Es bleibt uns nur wenig Raum, Rudolf Ottos als Bürger und Führer der akademischen Gemeinschaft, in der er lebte, als Sohn seines Volkes und schließlich als Weltbürger zu gedenken. Seine Marburger Rektoratsrede über *Sinn und Aufgabe moderner Universität* (1927) handelt von der im steten Wandel immer erneut zu verwirklichenden Idee einer Gemeinschaft der Lehrenden und Lernenden, von der Arbeit des dem Erkenntnisstreben gewidmeten, forschenden Geistes. Otto zeigt, wie aus den drei einander folgenden Epochen des Idealismus, des Realismus und der modernen Lebensphilosophie bestimmte Wahrheitsmomente aufgenommen und, unter Ausschalten von Einseitigkeiten und Irrtümern, in die Idee der *Universitas* eingearbeitet werden müssen. — Rudolf Otto fühlte deutsch im besten Sinne des Wortes. Meine letzte Begegnung mit ihm fand schon unter dem Hitlerregiment statt (1935). Einige Jahre später erfreut sich mein Kollege James L. Adams für einige Monate seines Umgangs. (Ich verdanke dem letzteren allerlei Material zu dieser Studie über Otto.) Wir beide fanden ihn aufrecht. Als echter Deutscher war Rudolf Otto auch ein echter Weltbürger. Er war es in seinem Gelehrtentum, er bekundete es in seinen Programmen für einen religiösen Menschheitsbund, der über die, von ihm in echt ökumenischem Sinne befürwortete Einigung des Protestantismus weit hinausführen sollte. Die Idee, daß der fromme Christ, der fromme Jude, der fromme Moslem oder Hindu etwas Gemeinsames besäßen, was zur Grundlage eines solchen Bundes führen könnte, erschien vielen zur Zeit phantastisch oder gar lächerlich. Sie übersahen, daß der Verfasser des Buches über das Heilige keine verschwommene Vereinerleiung wollte, die die Tiefe der religiösen Gemeinschaften der Erde trennenden Verschiedenheiten verkannte. Es hat sich gezeigt, daß Otto trotz seines Idealismus oder vielleicht gerade deswegen, der größere Realist gewesen ist. Heute, unter dem unerhörten Ansturm religionsfeindlicher Mächte überall, beginnt die Erkenntnis sich durchzusetzen, daß in keiner Religionsgemeinschaft mehr lange Raum für die lauen Mitläufer sein wird. In allen wird um ein neues, tieferes Verständnis des Wesentlichen in der Lehre und im Kultus gerungen. Neue Fronten bilden sich an Stelle der hergebrachten Scheidungen. Kleinere und größere Gruppen finden sich zusammen, hier und dort, die aus einem gemeinsamen Erlebnis des Heiligen ihre Kräfte ziehen und deswegen einander verstehen sollten.

Das ist im Sinne des großen deutschen Christen und Theologen, den wir mit diesem Gedenkwort ehren wollten, und von dem das Wort des Propheten Daniel (2, 20—22) gilt:

„Die Lehrer werden leuchten wie der Glanz des Himmels, und die, die viele zur Gerechtigkeit führen, wie die Sterne immerdar."

VON DER DEUTSCHEN PHILOSOPHIE DER GEGENWART

Eduard Spranger in Dankbarkeit und Verehrung zum 27. Juni 1952

Helmut Kuhn

I

OB DIE dem ersten Weltkrieg folgende Epoche der deutschen Philosophie bedeutend im Sinne der Hervorbringung dauernder Leistungen zu nennen ist, wird für geraume Zeit eine offene Frage bleiben müssen. Aber daß es ihr an Vitalität nicht mangelte, ist gewiß; wobei wir unter Vitalität nicht bloß die Emsigkeit einer Reihe von einzelnen forschenden Geistern verstehen, sondern die wirksame Gegenwart eines Kraftfeldes, welches allen, die in seinen Umkreis gerieten, die Schwingungen einer gemeinsamen Erregung und eines gemeinsamen Strebens mitteilte.

Die Veröffentlichung des ersten Bandes von Oswald Spenglers „Untergang des Abendlandes" (1918) entfachte so hitzige Debatten in den Hörsälen und fand so vielfachen Nachhall in den Köpfen, daß sich die Vertreter historischer Gelehrsamkeit zu einer Art Protestkundgebung bemüßigt fanden. Die Frage, ob die Philosophie zugunsten der Geisteswissenschaften abdanken sollte, war akademisches Tagesgespräch, obwohl fast niemand recht an eine solche Möglichkeit glaubte. Nicolai Hartmann, der in Marburg, der Zitadelle des neukantischen Idealismus, sich als Ketzer entpuppte und mit einer realistischen Philosophie hervortrat, wurde damit der Held eines vielberedeten intellektuellen Dramas. Sendboten aus dem Heidelberger Kreis von Karl Jaspers fanden allerwärts wißbegierige Zuhörer, und das Wort Existenz entfaltete die gleiche Zauberkraft, mit der es heute die Pariser Luft durchschwirrt. Von Heidegger schließlich als dem kommenden Mann wurde geraunt, längst ehe der erste Band von „Sein und Zeit" im Jahre 1927 erschienen war; und die Druckerschwärze war kaum getrocknet, als ihn bereits jedermann gelesen hatte — oder wenigstens darüber zu sprechen wußte.

Zugleich sandten die Erregungszentren an der Peripherie ihre Wellen in das philosophische Kraftfeld. Sie kamen von der dialektischen Theologie und brachten den christlichen Kierkegaard in Konjunktion mit dem entchristlichten Kierkegaard der Existenzphilosophen; von der Heldenverehrung des neuheidnischen George-Kreises; von der religiösen Innerlichkeit protestantischer, katholischer und jüdischer Herkunft, die sich in der Zeitschrift „Die Kreatur" aussprach; endlich von den Naturwissenschaften: von der Physik, wo die von Atomkernforschung und Quantenmechanik ausgelöste Revolution in vollem Gange war, aber auch von den biologischen Wissenschaften, in denen ein lebendigeres Interesse an der Ganzheit des Organismus und seinem vitalen Zusammenhang mit der Umwelt erwacht war. Kunst- und Literaturgeschichte, Erziehungs- und Rechtslehre, Staats-, Gesellschafts- und Wirtschaftswissenschaft, Philologie, Anthropologie und Altertumswissenschaft — sie alle beteiligten sich an dem Spiel des Gebens und Empfangens.

Für die Mitspieler mochte das falsche Pathos, der Parteigeist, der Dilletantismus, Neuerungssucht und die Lust am Geschwätz den Sinn all dies Bestrebens oft zu überdecken scheinen. Dennoch waren sie sich eines zugrunde liegenden Ernstes tief bewußt, und rückblickend werden wir dieser ihrer Überzeugung recht geben. Philosophie war fast eine nationale Angelegenheit geworden, und die darin verhandelten Fragen, so abstrus auch gelegentlich ihr Ausdruck, waren von Bedeutung für jedermann.

Das mehr oder minder offenbare Erregungszentrum, aus dem die Fragen hervorbrachen, läßt sich vielleicht als eine Beunruhigung über die Natur des Menschen bezeichnen. Was ist der Mensch, und was muß ich als Mensch tun? Das bedeutete nicht einfach ein Vorwalten der ethischen Fragestellung. Zu keiner Zeit ihrer Geschichte glichen die Deutschen den Römern, die Ethik meinten, wenn sie Philosophie sagten. Vielmehr wurde die sokratische Frage in ihrer ganzen Schwere empfunden — nicht wie Antisthenes, sondern wie Platon sie verstanden hatte. Die Frage, was wir als Menschen tun sollen, läßt sich nur auf Grund eines Wissens vom Menschsein beantworten. Das Menschsein aber ist verwurzelt im Weltsein, das Sein der Welt im Sein überhaupt. Die Berunruhigung über die menschliche Aufgabe will sich mit nichts Geringerem als metaphysischer Gewißheit beruhigen lassen.

Keine Philosophie, die dieses Namens wert ist, kann es unterlassen, die Frage nach der Natur des Menschen zu stellen. Was aber die jüngere deutsche Philosophie kennzeichnet, ist die Leidenschaft, mit der sie diese Frage angreift — eine verzweifelte und gläubige Leidenschaft, aber doch im ganzen mehr verzweifelt als gläubig. Und diese Leidenschaft wiederum ist bedingt durch die geschichtliche Lage, aus der heraus die Frage gestellt wurde.

In dem vorangegangenen Jahrhundert waren den Völkern Europas einige der sittlichen, metaphysischen und religiösen Überzeugungen entglitten, auf denen ihr Leben beruhte. Dennoch ging ihr Leben weiter, ja es schien zu blühen. Der erste Weltkrieg zerstörte die Illusion des bodenlosen Gedeihens, aber nicht in allen beteiligten Nationen mit gleicher Gründlichkeit. In den Siegerstaaten war es leichter, den Krieg als eine unliebsame, durch händelsüchtige Nachbarn verursachte Unterbrechung des normalerweise fortschrittlichen Kulturlebens anzusehen. Nicht so in dem besiegten, gedemütigten und verarmten Deutschland. Für den Menschen als moralischem Wesen mag die Bitterkeit der Niederlage gefährlicher sein als der selbstgefällige Stolz des Siegs. Für den erkennenden Menschen aber ist das Unglück der bessere Lehrmeister. Früher als in den anderen Ländern bildete sich in Deutschland ein Bewußtsein von der Tiefe der Schwierigkeiten heraus, in die die abendländische Kultur geraten war, und dieses Bewußtsein zwang zu einer radikalen Selbstbesinnung. Das Menschsein wurde ein dringendes und zugleich allgemein gefaßtes Problem. Wenn auch verdüstert und krank (aber wer konnte sich nach dem Fieber des Weltkrieges seiner Gesundheit rühmen?), erwies sich Deutschland auch in dieser der Katastrophe vorausgegangenen Phase seiner Geschichte würdig der Anrede des Dichters:

„DU LAND DES HOHEN, ERNSTEREN GENIUS!" [1])

Das den Deutschen durch ihr Geschick aufgedrängte Krisenbewußtsein bedeutete für die deutsche Philosophie nicht mehr als eine Gelegenheit. Als solche konnte sie Einsichten ermöglichen, aber auch perspektivische Verzerrungen veranlassen, in dem gleichen Sinne wie (um eine sehr hoch gegriffene Parallele zu verwenden) der Verfall der griechischen Polis eine fruchtbare, aber auch begrenzende Gelegenheit für die Entwicklung der platonisch-aristotelischen Philosophie bot.

Die unter solchen Umständen aufwachsende Philosophie mochte sich in das Krisenbewußtsein hineinzustellen und es durch vertiefende Erkenntnis zu überwinden trachten. Das war die Absicht der an Kierkegaard anknüpfenden Existenzphilosophie. „Eine Situation zu erblicken ist der Beginn, ihrer Herr zu werden", schrieb Karl Jaspers im Jahre 1931.[2]) Ähnlich äußerte sich Heidegger, auch er Kierkegaard folgend, auch er stark, stärker, als es die Zitate in seinen Schriften vermuten lassen, von Spenglers Untergangsprophezeiungen beeinflußt. Nach Kierkegaards Lehre ist Angst das Krisenbewußtsein als Gefühl, als Erlebnis des Vor-das-Nichts-Gestelltseins. Angst, schreibt Heidegger, „vereinzelt". „Diese Vereinzelung holt das Dasein aus seinem Verfallen zurück und macht ihm Eigentlichkeit und Uneigentlichkeit als Möglichkeiten seines Seins offenbar."[3]) Der das Individuum vereinzelnde kulturelle Verfall wird hier als „Verfall des Verfallenseins" und damit als Gelegenheit zur Einkehr und Selbstbesinnung verstanden. Die Erschütterung soll schöpferisch werden.

Eine andere mögliche Haltung des Philosophen, sich angesichts der durch das Krisenbewußtsein bestimmten Gelegenheit zu behaupten, ist durch Widerstand gekennzeichnet statt durch Hingabe. Insbesondere Nicolai Hartmann machte den Versuch, der Willkür und Ratlosigkeit des sich hinter dem Idealismus verschanzenden Meinens die feste Struktur des in sich beruhenden, vom Denken unabhängigen Seins gegenüberzustellen, und die Anarchie der Weltanschauungen durch ein von Wesensgesetzen getragenes Wertsystem einzudämmen. Das Verhältnis zum Krisenbewußtsein ist hier negativ. Die Krise soll durch Nichtbeachtung überwunden werden. Im Feld der unerschütterten Vernunft gibt es keine Krise.

Schließlich bleibt eine dritte, vermittelnde Stellungnahme. Man mag mit Hartmann an dem Gedanken einer durch Ontologie zu erhellenden Seinsstruktur festhalten, aber zugleich Sein so verstehen, daß es sich vom menschlichen Standpunkt voll überhaupt nicht, annäherungsweise nur durch das erschütterte Bewußtsein verstehen läßt. Diese vermittelnde Denkweise versucht, im philosophischen Blickfeld die ungeheuren Gegensätze in Harmonie zu zwingen, die der christliche Glaube in einer für den Verstand erschreckenden Kühnheit zusammenfaßt, indem er den Menschen als Sünder begreift und zugleich als Teilhaber und Bewohner einer von Gott erschaffenen und daher göttlichsinnvollen Welt. Dieser Versuch einer Wiedergewinnung der christlichen Philosophie ist in der Hauptsache, doch nicht ausschließlich, in der katholischen Tradition beheimatet. Eine Rückkehr wird vollzogen, aber nicht im wesentlichen zu einer kirchlichen, sondern zu einer metaphysisch-religiösen Überlieferung, und das Moderne heutigen Denkens wird als Gefährdung oder Bereicherung dieser lebendigen Überlieferung betrachtet statt, wie meist von den Denkern der beiden anderen Gruppen, als Aufbruch in das unbekannte Land künftiger Offenbarung.

II

Die Existenzphilosophie als literarische Erscheinung beginnt unmittelbar nach dem ersten Weltkrieg mit der Veröffentlichung der „Psychologie der Weltanschauungen" (1919) von Karl Jaspers. Weltanschauungen wollen die Welt, etwas objektiv Bestehendes, erklären. Im Verfolg dieses Unternehmens aber geraten sie miteinander in unauflöslichen Widerstreit. Darin zeigt sich, daß sie, gemessen an ihrer eignen Absicht, samt und sonders Fehlschläge sind und, so fügt Jaspers hinzu, sein mußten. Denn ihre Absicht ist unausführbar. Es gibt keine richtige, objektive, verstandesmäßig begründbare Weltanschauung, und der Versuch, dies Unmögliche zu ermöglichen, kann nur begriffliche Mythen statt echter Erkenntnis hervorbringen. Daher kann der psychologische Erklärer alle Weltanschauungen vergleichend nebeneinanderstellen und sie als mythische, jenseits von Wahr und Falsch stehende Gebilde behandeln. Hier berührt sich Jaspers mit der Lehre des Wiener Kreises. Auch den Neopositivisten, die Wissenschaft und nichts als Wissenschaft wahr haben wollen, gilt ja Metaphysik als ein erbauliches Gedankenspiel ohne gültigen Sachbezug.[4]) Les extrêmes se touchent.

Was es heißt, sich denkend in die Krise hineinzustellen, wird hier klar. Gewisse, für lange Zeit heilig und unantastbar gehaltene Grundsätze wanken, und die Menschen irren umher wie Wanderer in einem fremden Land. Eine „Weltanschauung" geht in die Brüche. Sie bricht zusammen, erklärt Jaspers, weil sie, wie auch alle anderen Weltanschauungen, von Natur brüchig ist. Der Zusammenbruch ist also letzten Endes nicht Verlust, sondern Befreiung. Die Vernichtung dogmatischer Sicherheit ist die Entdeckung der menschlichen Freiheit, und die Katastrophe klärt den Menschen über sich selbst auf.

Die Ansicht, daß jede Weltanschauung als in sich, ihrem zeitlosen Wesen nach, brüchig zusammenbrechen muß oder zusammenzubrechen wert ist, verbindet sich bei Jaspers und bei anderen mit dem Gedanken, daß „unsere" Weltanschauung zusammenbrechen muß, weil sie im zeitlichen Prozeß der Geschichte zum Zusammenbruch reif geworden ist. Daß diese beiden Arten, die Notwendigkeit des Zusammenbruchs zu erklären, nicht nur voneinander verschieden sind, sondern miteinander im Widerspruch stehen, bleibt unbemerkt. Beide Erklärungsweisen entspringen dem Historismus als dem Bewußtsein von der totalen Gewalt der Geschichte als einer Macht, der wir ausgeliefert sind. Aber die erste entwickelt dies Bewußtsein in historischen Relativismus, die zweite in einen negativen historischen Dogmatismus.

Wenn wir der Erklärung von der zeitlos-naturnotwendigen Brüchigkeit jeder Weltanschauung folgen, dann denken wir, daß jegliches dieser Gebilde zwar schon im Augenblicke seiner Konzeption grundlos war. Aber seine vitale Angemessenheit zu diesem Augenblick verdeckt die Schwäche, bis die Zeit als negative Macht der Veränderung sie enthüllt.

Dies ist, auf eine einfache Formel zurückgeführt, das Historimus-problem, mit dem Dilthey verzweifelt rang, und von dessen Lösung die Gültigkeit jeglicher Philosophie wie auch die Möglichkeit eines einheitlichen historischen Weltbildes abhängt.

Anders verhält es sich mit der zweiten Deutung, wonach der Verlust weltanschaulicher Gesichertheit sich für uns aus einer historischen Not-wendigkeit ergibt. Vorausgesetzt ist auch hier der Glaube an die Ge-schichte als eine totale Macht. Aber diese Macht ist jetzt nicht nur negativ verstanden, als die Ursache der Veränderung, sondern als ge-richteter Prozeß — eine Ansicht, die sich schwerlich vor dem ersten Argument rechtfertigen läßt, das den hochmetaphysischen Gedanken geschichtlicher Fortschrittlichkeit als Begriffsmythologie verdammt. Jaspers, so sehr er auch gegen den Dogmatismus zu Felde zieht, bleibt doch einem metaphysischen Dogma verfallen. Mehr als er es zugeben will, bleibt er Hegelianer. Für Hegel war Geschichte Fortschritt in dem doppelten Sinn einer wachsenden politischen Freiheit und eines Reifens des Freiheitsbewußtseins. Im Denken der Gegenwart ist diese Hinter-lassenschaft unter ungleiche Erben verteilt, wobei das politische Be-standstück des Fortschrittglaubens an die Marxisten und Pragmatisten fällt. Jaspers behält für sich den Fortschritt des Freiheitsbewußtseins. Dieser sein historischer Dogmatismus verdient wohl als negativ be-zeichnet zu werden. Denn wenn wir Erkenntnis der Freiheit mit einer Katastrophe erkaufen müssen, mit einer Entschränkung, in der alle beschränkenden Sicherheiten hinfällig werden, dann muß sich der Fort-schritt zur Erkenntnis der Freiheit in anderer Hinsicht (vielleicht in jeder anderen Hinsicht) als Verfall darstellen. So liegen die Dinge wirk-lich bei Jaspers.

Der positive Fortschrittsdogmatismus stellt sich zuversichtlich in die Fülle der Zeit. Alle Wege der Vergangenheit scheinen ihm zur über-ragenden Höhe der Gegenwart zu führen. Umgekehrt sieht sich der Existenzphilosoph in die Leere der Zeit gestellt. Aber da der Durch-gang durch diese Leere zur Fülle der Freiheitserkenntnis führt, ist der Unterschied der beiden Denkweisen nicht so groß, wie es scheinen möchte. In beiden Fällen haben wir die Grundanschauungen einer präsentischen Eschatologie und die daraus entspringende Überzeugung von der Einzigartigkeit der Gegenwart: unsere Zeit ist nicht wie an-dere Zeiten. Bei Jaspers ist das mit begreiflicher Scheu, aber doch klar genug ausgesprochen. Alle anderen Zeiten, selbst die tief erschütterten, wie z. B. die ausgehende Antike, genossen noch den Schutz eines welt-anschaulichen Gehäuses. Wir allein sind nackt dem Unwetter fremder

Gewalten — dem aktiven Nichts — ausgesetzt. Das größte intellektuelle Ereignis der Neuzeit, nach der Ansicht von Jaspers, die Philosophie
Nietzsches, hat diese einzigartige Situation vollendet. Durch Nietzsche
hat sich die Selbstvernichtung der abendländischen Metaphysik und
des Christentums vollzogen.[5])

„Das Bewußtsein des Zeitalters löst sich von jedem Sein und beschäftigt sich mit sich selbst", so charakterisiert Jaspers die geistige
Situation der Nach-Nietzsche-Zeit.[6]) Aber die einzigartige Not gewährt
eine einzigartige Hoffnung. So heißt es bei Jaspers weiterhin: „Im Blick
auf die vergangenen Jahrtausende scheint der Mensch vielleicht am
Ende. Oder er ist als gegenwärtiges Bewußtsein am Anfang wie nur
im Beginn seines Werdens, aber... auf einem neuen, schlechthin anderen Niveau."[7]) Man beachte das radikale Entweder/Oder, als stünde
die Geschichte selbst am Scheideweg, und den Gedanken einer „schlechthin anderen" Zukunft. Sind die Not und die Hoffnung der Kinder
unseres Jahrhunderts wirklich ohne ihresgleichen, oder spricht hier die
Hybris der Verzweiflung?

Das Bewußtsein des handelnden Menschen konstruiert unweigerlich
die Vergangenheit als eine Vorbereitung zu dem, was jetzt zu tun ist.
Aber das Eigentümliche der von Jaspers typisch vertretenen Denkweise
besteht darin, daß sie solche praktische Orientierung mit Geschichts-
verständnis gleichsetzt — eine Identifizierung, die den Historismus in
dem eben definierten Sinne des Wortes zur Voraussetzung hat. Jaspers
vermag es nicht, den Bannkreis der durch Kierkegaard hindurch-
gegangenen Hegelschen Philosophie zu durchbrechen. Das Dogma von
der Allmacht der Geschichte bleibt sozusagen im Rücken des Kritikers
aller Dogmen.

Die Unhaltbarkeit jeder Metaphysik wird nicht nur aus dem Widerstreit der Systeme im allgemeinen gefolgert oder als Gebot der Stunde
historisch behauptet. Jaspers versucht, auch einen aus der Sache selbst
geschöpften Beweis für seine These zu erbringen. Wir existieren in der
Welt, und die Welt, das absolute Ganze, ist für uns das „Umgreifende".
Der Versuch, dies Umgreifende zu denken, als stünden wir außen und
als stünde es uns gegenüber, muß mißlingen. Die Welt, die die Metaphysik in ihrer Ganzheit zu begreifen versucht, kann ihrer Natur nach
nicht Gegenstand der Erkenntnis werden. Wenn wir Aussagen darüber
machen, als wüßten wir etwas davon, dann sprechen wir in Wirklichkeit von etwas anderem. Wir entweltlichen die Welt durch Vergegen-
ständlichung und gleichen damit das Ganze seinen Bestandteilen an.

Es ist nicht schwer, in dieser Beweisführung die Erkenntniskritik

Kants wiederzuerkennen, die gültige Erkenntnis gleichfalls auf Erfahrungsurteile einschränkt. Wie bei Kant, so erfolgt auch bei Jaspers die Selbstbegrenzung der Erkenntnis in praktischer Absicht, d. h. im Interesse der Freiheit. Für Kant gibt es eine Autonomie der praktischen Vernunft, gerade weil sich Regeln der Sittlichkeit nicht metaphysisch begründen lassen. In ähnlicher Weise ist für Jaspers die Erkenntnis des Umfassenden nicht nur theoretisch unmöglich, sondern der Schein solcher Erkenntnis gilt ihm praktisch als eine Verirrung. Nur die Unkenntnis des uns umfassenden Ganzen gewährt uns Entscheidungsfreiheit. Spekulation ist die theoretische Ausflucht des sich seiner Berufung zur Freiheit entziehenden Menschen.

Angesichts der kantischen wie der jaspersschen Erkenntniskritik wird man fragen müssen, ob nicht der Begriff des Gegenstands der Erkenntnis durch Angleichung an den Gegenstand der physikalischen Wissenschaft verengt ist; ferner, ob nicht diese Erkenntniskritik eine von ihr selbst nicht zu rechtfertigende Erkenntnisart verwendet. Aber für Jaspers haben solche Bedenken kein großes Gewicht, da ihm Erkenntniskritik nur ein einleitendes Verfahren ist. In einer Zeit, in der die Metaphysik zu existieren praktisch aufgehört hat, braucht man mit ihrer Widerlegung nicht viel Federlesens zu machen. Jaspers hat es eilig, uns zur Sache zu bringen, und das ist für ihn nicht die Metaphysik, sondern das Scheitern der Metaphysik.

Es ist in der Natur des Menschen, im Denken das Unmögliche zu wagen. Auch hierin folgt Jaspers der Lehre Kants, wonach sich die Vernunft in einen unausweichlichen Widerstreit mit sich selbst verwickelt. Wenn nun der Denker das Unmögliche unternimmt, indem er das „Umgreifende" zu verstehen trachtet, kommt sein Denken zum Scheitern. Statt vor eine Fülle des sich als Welt entfaltenden Sinnes sieht er sich vor das Nichts gestellt. In diesem Scheitern erfährt der Denkende eine „Grenzsituation". Wie in Kampf und Schuld, Leiden und Tod — den anderen Erscheinungsweisen der Grenzsituation —, so rennt hier das scheiternde Denken gegen die Grenze menschlichen Vermögens wie gegen eine Wand.

Damit ist der Höhe- und Wendepunkt jenes inneren Dramas erreicht, vermöge dessen, nach Jaspers, der Mensch eigentlich existiert. Die Frucht der Krise der Verzweiflung ist ein „Aufschwung". In dem „absoluten Bewußtsein", erworben durch Selbstverlust im Schwindel vor dem Nichts und durch Selbstgewinn im darauf folgenden Aufschwung, baut sich, so glaubt Jaspers, die verlorene Welt als Transzendenz wieder auf. Aber sie ist nicht, was sie zuvor war. Zwar können wieder Worte wie

Gott und Seele, Unsterblichkeit und Erlösung gebraucht werden, aber sie vermitteln nicht mehr eine vermeintliche Erkenntnis über Gegenstände. Sie sind Chiffern für das nicht direkt Sagbare. Als solche haben sie den Sinn eines Appells an andere, die nun diese die Transzendenz beschwörenden Chiffern vielleicht aus ihrer eigenen Erfahrung der Existenz (aus dem Scheitern ihres eigenen Denkens) zu lesen vermögen. Gelingt dies Entziffern, dann stellt sich zwischen Sagendem und Hörendem das Band der Kommunikation her. Solche Kommunikation aber ist die Grundlage der Liebe zwischen Menschen und überhaupt aller wahren Gemeinschaft. Denn sie allein erlöst das Individuum von seiner Vereinzelung, ohne es seiner Freiheit zu berauben.

Im dritten, „Metaphysik" betitelten Band seines Werkes „Philosophie" (1932) hat Jaspers viel und Nachdenkliches über das gesagt, was sich im Sinne der „Beschwörung" über das unerkennbare Sein des Menschen, der Welt und Gottes verlautbaren läßt. Aber es ist, wie eine getreue Schülerin des Meisters bemerkt, unmöglich, den wahren Gehalt der Philosophie von Jaspers in Form einer Darlegung wiederzugeben, „weil das Wesentliche dieses Gehalts in den Wegen und Bewegungen des Jaspersschen Philosophierens liegt".[8] In der Tat kann für Jaspers die Philosophie als solche weder in Büchern noch in Vorlesungen zu finden sein. Ihr Ort ist Existenz, und ihre charakteristische Leistung ist Existenzerhellung. Daher müssen wir echte Existenzphilosophie, die aus der Erfahrung des Scheiterns appellierende Fragen stellt, von einem Existenzialismus unterscheiden, der da glaubt, er habe in der Existenz das Wesen des Menschen erfaßt und definiert. Mit dem vermeintlichen Wissen vom Wesen des Menschen ist ein neuer Dogmatismus an die Stelle der den Menschen „in der Schwebe" haltenden Existenzphilosophie getreten. In Wirklichkeit dürfte es freilich schwer sein, diese Unterscheidung kritisch anzuwenden, da das objektive Kriterium der Angemessenheit zum Gegenstand zugunsten des subjektiven Kriteriums der Echtheit aufgegeben ist. Über Echtheit aber läßt sich im einzelnen Falle überhaupt nicht ohne Anmaßung entscheiden.

Marx hat das Leben des in Entfremdung gestoßenen Proletariers als ein „erfülltes Nichts"[9] beschrieben. Der von Marx abgeleitete aktive Nihilismus will die „Welt", d. h. die gesellschaftlich-politischen Einrichtungen, die diese Nichtigkeit hervorgebracht haben, durch revolutionäre Handlung vernichten, um so die Wiedergeburt des Menschengeschlechts zu ermöglichen. Als Gegenstück dazu finden wir in der Existenzphilosophie einen kontemplativen Nihilismus. Vernichtung und Wiedergeburt des in die Entfremdung verstoßenen Menschen sind hier in die Innerlichkeit verlegt. Während der aktive Nihilismus die Welt gesellschaftlicher Beziehungen von Grund aus verändern will, kann sein kontemplatives Gegenstück nichts verändern wollen. Die einzige Form politischgesellschaftlichen Handelns, die sich von der Existenzphilosophie der Jaspersschen Prägung ableiten läßt, ist der Widerstand des Individuums gegen seine Vergewaltigung durch die Gesellschaft.

Die philosophische Grundfrage ist, ob die Wiederherstellung der Transzendenz bei Jaspers leistet, was sie verspricht. „Gott" z. B. soll eine Chiffer sein, die, statt ein in sich ruhendes und durch sich existierendes Wesen zu nennen, an die innere Handlung des Aufschwungs zum Heiligen appelliert. Aber was ist Gott, wenn er nicht seiender ist als alles andere Seiende? Schon die negative Theologie in ihrer radikaleren Form geriet mit ihrem überspannten Transzendenzgedanken in Schwierigkeiten. Doch wie aktiv und wirklich ist Meister Eckeharts Gottes-Nichts, verglichen mit den durch das „unbedingte Tun" des Denkens heraufbeschworenen Gestalten, die bei Jaspers den Raum der Transzendenz geisterhaft erfüllen!

Heidegger bemerkt, daß das „Philosophieren über das Scheitern durch eine Kluft getrennt von einem scheiternden Denken" ist.[10]) In der Tat versichert eine Philosophie des Scheiterns gegen das Scheitern, da sie das, woran sich scheitern läßt, die Härte des Seins, aus dem Bereich der Erkenntnis entfernt. Man denke sich ein Küstenvolk, das sich die Entdeckung des Erdteils Atlantis zur Aufgabe gemacht hat. Alle Entdeckungsfahrten scheitern, aber diese scheiternden Expeditionen entwickeln in dem Volk eine bisher unerhörte Seetüchtigkeit und Opfermut. Wenn nun aber eines Tages klar wird, daß Atlantis gar nicht existiert und daß aus diesem Grund alle Entdeckungsfahrten scheitern müssen, dann ist es mit dem Scheitern aus. Trotzdem mögen patriotische Männer, eingedenk der sittlichen Früchte scheiternder Unternehmungen, jene Seefahrten als symbolische Übungen fortsetzen. Ihre Unternehmungen würden sich dann zu den ihrer Vorfahren verhalten, wie sich die Existenzphilosophie zur Metaphysik verhält. An die Stelle einer harten Bemühung von zweifelhaftem Ausgang setzt sie eine tiefsinnig-gemütvolle und symbolisch bedeutsame Geste.

Der Existenzphilosophie gelingt es nicht, die unlösbare Aufgabe, die sie sich gestellt hat, zu lösen. Es ist nicht möglich, wie sie es gern möchte, die Freiheit des Nihilismus zu bewahren (die Freiheit der Unverpflichtetheit allen Setzungen des Glaubens und metaphysischen Wissens gegenüber) und zugleich die Früchte der metaphysisch-religiösen Überlieferung zu genießen. Als Philosophie der Entscheidung ist sie doch eine unentschiedene Philosophie, die den übermenschlichen Trotz des modernen Prometheus (die Grundhaltung des Nihilismus) mit der hellenisch-christlichen Demut der Seinshinnahme und Gottesunterwerfung verbinden möchte. Aber Mißlingen bedeutet nicht Vergeblichkeit der Bemühung. Der existenzphilosophische Versuch hat zu einer aufschlußreichen Erforschung der mit sich selbst beschäftigten Innerlichkeit geführt. Darüber hinaus hat er im Zeitalter der Massenorganisation und angesichts der heranrückenden Kolonnen des totalen Staates die Heiligkeit der Person verteidigt. Während der fanatische Nationalismus wuchs, hat Jaspers auf der schmalen, aber zum Widerstand befähigenden Grundlage seines Denkens daran festgehalten, daß Heil und Unheil von dem Individuum und seiner Entscheidung abhängt.

III

Parmenides, und ihm folgend die Metaphysik des Abendlandes, hat das Seinsproblem in den Mittelpunkt des Denkens gestellt. Man mag zweifeln, ob es Jaspers gelungen ist, dieses Problems habhaft zu werden. Heidegger widmet sich ihm ganz. Im Vorwort zu „Sein und Zeit", erste Hälfte (der bislang keine zweite Hälfte gefolgt ist) heißt es:

„Haben wir heute eine Antwort auf die Frage nach dem, was wir mit dem Wort ‚seiend‘ eigentlich meinen? Keineswegs. Und so gilt es denn, die Frage nach dem Sinn von Sein erneut zu stellen." Ähnlich gegen Schluß des sich mit Kant beschäftigenden Buches:

„In der Frage, was das Seiende als ein solches sei, ist nach dem gefragt, was überhaupt das Seiende zum Seienden bestimmt. Wir nennen es das Sein des Seienden und die Frage nach ihm die Seinsfrage... Um aber die wesenhafte Bestimmtheit des Seienden durch das Sein begreifen zu können, muß das Bestimmende selbst hinreichend faßbar, das Sein als solches, nicht erst das Seiende als solches, muß zuvor begriffen werden. So liegt in der Frage: τί τὸ ὄν (Was ist das Seiende?) die urspünglichere: Was bedeutet das in jener Frage schon vorverstandene Sein?"[11])

Während das Seiende von der Ontologie zu erforschen ist, nennt Heidegger die Erforschung des Seins Fundamentalontologie. Später gibt er diesen schwerfälligen Namen preis, ohne von der überragenden Würde des Seins — das Gegenstück zu dem Primat der Fundamentalontologie — ein Jota nachzulassen. Im Gegenteil, das Sein scheint für Heidegger an Würde zu wachsen. Neuerdings schreibt er „Seyn" und Es, wenn er darauf Bezug nimmt. Er mutet ihm Tätigkeiten zu, wie daß es den Menschen in Anspruch nimmt, oder daß es ihn in die Wahrheit des Seins „wirft".[12]) Und wenn das Sein, nach Heideggers Versicherung, weder Gott noch Weltgrund ist,[13]) so müssen wir wohl verstehen, daß es größer oder „anfänglicher" ist als beide.

Mit der Frage nach dem Sein entfernt sich Heidegger keineswegs von dem Erregungszentrum der zeitgenössischen Philosophie, der Beunruhigung über den Menschen. Vielmehr will er den Rahmen zeichnen, innerhalb dessen die Fragen einer philosophischen Anthropologie und Ethik erst sinnvoll gestellt werden können. Der Schein nämlich, daß die Seinsfrage die abstrakteste und gehaltleerste aller Fragen sei, trügt.

Es gibt so etwas wie ein Verstehen des Seins, und dies Verstehen betrifft das Sein nicht als etwas ihm Äußerliches, sondern geht das Sein als solches an. Sein und Wahrheit gehören zusammen. Anders gesagt, es gehört zum Sein, daß es sich enthüllt — und Wahrheit ist diese seine Enthülltheit ($\dot{\alpha}\lambda\dot{\eta}\vartheta\varepsilon\iota\alpha$) — aber auch, daß es sich verbirgt. Dasjenige Seiende nun, dem Sinn sich enthüllt und verbirgt und das in solchem Seinsverstehen sein Wesen hat, wird von Heidegger als „Dasein" beschrieben, womit das Sein in seiner menschlichen Ausprägung als Selbst gemeint ist. Dasein ist der fundamentalontologische Ausdruck für Sein als Selbstsein.

Heidegger ringt hier mit dem Problem, das zu dem Streit zwischen Realismus und Idealismus Anlaß gegeben hat, und zugleich versucht er, wie Kant und Hegel vor ihm, festen Boden jenseits dieser Alternative zu fassen. Das Sein, das in seinem Schoße (im Dasein) Seinsverständnis erzeugt, soll weder als Objekt-sein noch als Subjekt-sein begriffen werden, noch auch als ein bloßes Neutrum, ein abstraktes Weder-Noch. Vielmehr versucht Heidegger zu einer ursprünglicheren Seinsstruktur vorzudringen, die nicht der Wesensart eines bestimmten Seienden angeglichen ist, wie z. B. der Seinsbegriff der Cartesischen Philosophie das Ding (res) als den natürlich-vorfindlichen Gegenstand zum Vorbild hat und dadurch die Aussicht auf die echte Seinsstruktur verbaut. Sein, ursprünglich verstanden, soll über dergleichen besondere Beschaffenheiten hinausgreifen und sie allererst verständlich machen. So ist das Sein, auf das Heidegger abzielt, weder Sein im Sinne des Was-seins (Essenz, Wesen), wodurch Möglichkeiten des Wirklichseins umgrenzt werden, noch auch im Sinne des Daß-seins (Existenz), wodurch innerhalb des Möglichen Wirklichkeit gestiftet wird, sondern es soll erst den Erklärungsgrund für diese Aufspaltung des Seins enthalten. Wenn Existenzphilosophie bedeutet: Vorordnung der existentia gegenüber essentia, dann paßt der Titel vielleicht auf Jaspers, gewiß auf Sartre, aber nur mit Einschränkung auf Heidegger. Die Behauptung, Heidegger habe das

Selbst, als die Einheit von Essenz und Existenz, an die von der christlichen Metaphysik Gott zugewiesenen Stelle gesetzt, geht an Heideggers eigentlicher Absicht vorüber.[14])

Im Ringen nach einer angemessenen Charakterisierung des fundamental-ontologisch verstandenen Seins bewegt sich Heidegger in „Sein und Zeit" sehr weit in die Richtung des Idealismus. Er schreibt dem Dasein (also der menschlichen Seinsweise) einen doppelten Vorrang zu. Das Was-sein (essentia) des Daseins ist durch seine Existenz bestimmt, derart, daß die Existenz als die Substanz des Daseins beschrieben werden kann.[15]) Das Dasein als der Ort des Möglichen liegt somit „vor" der Aufspaltung des Seins in Was-sein und Daß-sein. Dieser „ontische" Vorrang des Daseins verbindet sich mit seinem „ontologischen" Primat. Es ist dem Dasein eigentümlich, sich selbst und anderes Seiende im Hinblick auf Sein überhaupt zu verstehen. Der Zugang zur Erkenntnis des Seins führt notwendigerweise durch das Dasein. Die gesuchte Fundamentalontologie muß daher in der Analyse des Daseins (in der Existenzialanalyse) zu finden sein.

Diese idealistische Ausrichtung wird weiter betont durch Heideggers Überzeugung, daß seine eigene Bemühung als eine Fortführung des von Kant begonnenen Unternehmens zu betrachten sei. Dabei stützt sich Heidegger auf eine Auslegung der Kritik der reinen Vernunft, wonach die Lehre von der „transzendentalen Einbildungskraft" als das zentrale Thema Kants erscheint. Indem er in diesem Thema seine eigene philosophische Absicht wiederfindet, schreibt er: „Die Einbildungskraft bildet im vorhinein den Anblick des Horizontes von Gegenständlichkeit als solcher vor der Erfahrung des Seienden."[16]) Ohne von derartigen Äußerungen abzurücken, hat Heidegger späterhin der Gefahr des idealistischen Mißverständnisses dadurch zu begegnen versucht, daß er das Sein in eine göttliche und mehr als göttliche Höhe rückte.

Die Vorrangstellung, die Heidegger dem Dasein zuschreibt, kann von zwei verschiedenen Seiten angesehen werden. Von der Seite des Seins her betrachtet ist Dasein der Ort, an dem sich die „Lichtung" des Seins als Wahrheit ereignet.[17]) Umgekehrt, vom Dasein selbst her gesehen, liegt das Auszeichnende des Daseins darin, „daß es Sein-verstehend zu Seiendem sich verhält".[18]) Dasein ist „Ek-sistenz", ein Außer-sichsein, das immer schon bei Seiendem verweilt. Diese Grundeigenschaft des Daseins wird von Heidegger als seine Transzendenz bezeichnet. Die Herkunft dieses Begriffes aus der Phänomenologie ist unverkennbar. Edmund Husserl hat gezeigt, daß die intentionale Struktur allen Akten des Bewußtseins gemeinsam eignet. Im Erkennen, Wahrnehmen, Glauben, Lieben, Hassen oder Fürchten ist immer ein Etwas intendiert, daß da erkannt, wahrgenommen, geglaubt, geliebt, gehaßt oder gefürchtet wird. Aber Heidegger, bei aller Verehrung für seinen Lehrer Husserl, ist sehr darauf bedacht, seinen Begriff der Transzendenz als tiefer liegend von dem der Intentionalität zu unterscheiden. Intentionalität, schreibt er, ist „nur möglich auf dem Grunde der Transzendenz".[19])

Transzendenz ist „Überstieg". Aber das, was überstiegen wird, ist nicht etwa die Subjektivität, noch ist das, worauf hin der Überstieg erfolgt, das Objekt. Vielmehr — und hier geht Heidegger über Husserls Intentionalitätsbegriff hinaus — wird alles Seiende „überstiegen", sowohl das Seiende als Dasein (als Subjektivität oder Selbst) wie auch das Seiende als Gegenstand. Das nun, worauf hin der Überstieg sich vollzieht, ist die Welt. Die Transzendenz als Grundbeschaffenheit des Daseins ist eins mit seinem In-der-Welt-sein. Welt wiederum ist nicht ein Gegenstand unter anderen noch auch die Summe aller Gegenstände, sondern ein „Wie des Seins des Seienden" und der allumfassende Horizont jeglicher Seinserfahrung.[20]) Die Struktur der Welt durchherrscht bestimmend alles in der Welt Seiende, und sie muß immer schon im voraus verstanden sein, damit innerweltlich Seiendes sich verständlich machen kann. Welt aber, als ein vorgängig zu verstehendes Ganzes, „ist selbst relativ auf das menschliche Dasein. Die Welt gehört mithin gerade dem menschlichen Dasein zu, obzwar sie alles Seiende, auch das Dasein, mit in Ganzheit umgreift."[21])

Die Welt schließt sich zu einem einheitlichen Gefüge zusammen dank der Mitwirkung eines weiteren, in der Transzendenz selbst begründeten Motivs: des „Um-willen". Damit lenkt der Überstieg zum Sein auf das Dasein zurück — das Dasein, welches allein „umwillen seiner" existiert.[22]) Die Welt ist sozusagen der Raum, in dem sich dies rückbezügliche Um-willen entfaltet. In keinem Punkte seiner Ausführungen berührt sich Heidegger so nahe wie hier mit Platon, auf dessen Idee des Guten (ἀγαθόν) er sich ausdrücklich bezieht.[23]) Dieser Hinweis mag uns als Warnung dienen, nicht voreilig von einer „voluntaristischen" Wendung zu sprechen. Wie Heidegger bemüht ist, hinter den Gegensatz von Idealismus und Realismus zurückzugehen, so will er auch in eine Schicht jenseits der Unterscheidung von Wille und Intellekt vorstoßen. Mit dem letzteren Bestreben ist er erfolgreicher als mit dem ersteren. In der Tat gibt das Motiv des Um-willens dem idealistischen Element ein solches Übergewicht, daß die Welt nun klipp und klar „subjektiv" heißt.[24]) Und doch wohl nur scheinbar wird ein Gegengewicht eingeführt, wenn Formeln gebraucht werden wie der vom Verfasser gesperrte Satz: „Das

Dasein gründet (stiftet) Welt nur als sich gründend inmitten von Seiendem."[25])

Der Begriff des Um-willen, der in der Abhandlung „Vom Wesen des Grundes" (wohl der schönsten und klarsten Schrift Heideggers) in Kürze, aber scharf umrissen wird, findet sich in „Sein und Zeit" vorgebildet in der Kennzeichnung des Daseins als Sorge. Wichtiger aber als ein Eingehen auf diesen Begriff sind für uns hier zwei ergänzende Bemerkungen über das Verhältnis von Ichheit und Dasein und über die Natur des Wissens.

Das Ich erschließt sich nur im Verhältnis zu einem Du, und diese Wechselbezogenheit des Mitseins liegt im Wesen der Selbstheit oder des Daseins beschlossen.[26]) Wenn daher die Welt als subjektiv in Beziehung auf das Dasein bezeichnet wird, so folgt daraus kein Solipsismus, und der Satz vom Dasein als ein um seiner selbst willen Existierendes begründet keineswegs das Prinzip der Selbstsucht. Man hat sich darüber verwundert, warum Heidegger im allgemeinen von Dasein spricht statt von Selbstheit. Einer der Gründe hierfür liegt wohl darin, daß Heidegger eine universelle, über-individuelle Struktur im Auge hat ähnlich der, die Kant durch seinen Begriff des Vermögens der transzendentalen Einbildungskraft (oder der transzendentalen Apperzeption) auszudrücken versucht. Wiederum liegt der Versuch vor, eine oberflächliche Alternative — hier die des Subjektiven im Sinne des Nur-Meinigen und des Intersubjektiven — durch eine tiefere Grundlegung verständlicher zu machen. Schließlich kommen wir zu einer letzten, schon berührten Unterschneidung dieser Art, die den Gegensatz von praktischem und theoretischem Verhalten oder von Akten des Interessenehmens zu Akten des Vorstellens betrifft.

Zum Wesen des Daseins gehört ein Seinsverstehen, das sowohl anderes Seiende als das Dasein selbt umfaßt. Dies Verstehen ist aber nicht Begreifen oder Erkennen. Schon hier, auf der Stufe des elementaren Verstehens, gibt es Wahrheit, die Heidegger als „ontische" Wahrheit von „ontologischer" Wahrheit unterscheidet. Es handelt sich um eine „vorprädikative Offenbarkeit" des Seins — ein Sachverhalt, an dem jeder Versuch einer logischen Erklärung des Wahrheitsbegriffes, etwa im Sinne der Übereinstimmungshypothese, scheitern muß. Dies ontische Offenbaren, so erklärt Heidegger, „geschieht im stimmungsmäßigen und triebhaften Sichbefinden inmitten von Seiendem und in den hierin mitbegründeten strebensmäßigen und willentlichen Verhaltungen zum Seienden".[27]) Wenn sich also das vorontologische Verstehen nicht der Scheidung von praktisch und theoretisch fügen will, so wird das gleiche vom ontologischen Begreifen, der Theorie im eigentlichen Sinne des Wortes, gelten. Denn Theorie beginnt nicht ab ovo, sondern nimmt ein immer schon erzieltes Verstehen zum Ausgangspunkt. Demgemäß darf die Haltung, in der sich Theorie verwirklicht, nicht einfach negativ bestimmt werden als Abwesenheit praktischen Interesses: „Im Erkennen gewinnt das Dasein einen neuen Seinsstand zu der im Dasein je schon entdeckten Welt." [28])

Die Frage des Menschseins ist das Schlüsselproblem jeglicher Philosophie. Es handelt sich darum, zwei Sachverhalte miteinander in Einklang zu bringen. Der Mensch als seiend findet sich inmitten von anderem Seienden. Zugleich aber hat er eine Sonderstellung. Das Seiende als Ganzes ist für ihn da, und die Richtung und Art seines eignen Seins (seine Daseinsführung) ist bestimmt durch diese Doppelbeziehung — dadurch, daß Seiendes mit ihm und um ihn, aber doch zugleich, als gewußt, für ihn ist. Die Formulierung und Auflösung dieses zentralen Problems gehört weder der Erkenntnislehre, noch der Kosmologie, noch der Ethik an, sondern sie betrifft das gemeinsame Fundament dieser Forschungsgebiete. Sie ist in der Ordnung der Erkenntnis (nicht des Seins) auch der theologischen Fragestellung vorgeordnet. Daß Gott den Menschen sucht, sagt zwar etwas Wesentlicheres sowohl über Gott wie über den Menschen aus als die umgekehrte Feststellung. Aber die Philosophie als ein menschliches Unternehmen muß doch ihren Ausgang vom Menschen nehmen, der Gott sucht. Heidegger ist daher in seinem Recht, wenn er meint, daß mit der Entwicklung seiner Grundbegriffe, insbesondere mit der Interpretation des Daseins als In-der-Welt-seins, „weder positiv noch negativ über ein mögliches Sein zu Gott entschieden" ist. [29])

Die große Leistung Heideggers, soweit wir sie bisher betrachtet haben, besteht darin, das Schlüsselproblem der Philosophie von seinen Überlagerungen mit abgeleiteten Begriffen befreit und mit Klarheit und Kraft erfaßt zu haben. Er hat dadurch das Unternehmen der Metaphysik wieder recht eigentlich in Gang gebracht. Damit hat er zugleich eine frische Einsicht in das Wesen philosophischer Systeme der Vergangenheit ermöglicht und der Geschichte der Philosophie, die nach Zersetzung der Hegelschen Gesamtschau in Doxographie und Geistesgeschichte auseinanderzubrechen drohte, einen fruchtbaren Anstoß gegeben. [30])

Ein großes Unternehmen wurde durch Heidegger in Gang gebracht. Es bleibt die Frage: Wie weiter? Man könnte sich ein Weitergehen in die Richtung einer gläubigen Metaphysik vorstellen. Die nächsten Schritte würden dann in der Wiedergewinnung von zwei komplementären Begriffen bestehen müssen, von denen der eine den Weltbegriff, der andere den Begriff des Selbst befestigen und ergänzen müßte. Um den Weltbegriff endgültig gegen ein Mißverständnis im Sinne eines subjektiven Idealismus zu schützen, wäre es nötig, die aristotelische Unterscheidung zwischen Erkennbarkeit an sich und Erkennbarkeit für uns wiederherzustellen. Diese Unterscheidung würde es klar machen, daß die menschliche Sehweise zwar im Sein begründet, aber nicht seinsbegründend ist. Zweitens wäre es nötig, den Begriff des Erkennens als einer Form der Befindlichkeit in einer Erneuerung des echten Begriffs der Schau ($\vartheta\varepsilon\omega\varrho\iota\alpha$) zu entwickeln. Denn die von Platon entdeckte und geübte theoria ist ja nichts weniger als bloße Loslösung vom Interesse. In ihr läutert sich das leidenschaftliche Interesse zu einer in Liebe betrachtend-hinnehmenden Teilhabe.

Das wirkliche Weitergehen Heideggers erfolgt aber in einer ganz anderen Richtung. Er verwahrt sich später gegen die Behauptung, das Denken in „Sein und Zeit" sei in eine Sackgasse geraten. Vielmehr sei, wenn auch unbehilflich, dort eine neue Denkweise zum Ausdruck gekommen, die wir erst einholen müssen.[31] Im Hinblick auf die Fundamentalbegriffe möchten wir zustimmen. Mit der weitergehenden Interpretation des Daseins aber verfängt sich das Denken nicht nur in einer Sackgasse, sondern bereitet sich sein Cannae.

Wir rechnen Heidegger zu den Denkern, die sich in das Krisenbewußtsein stellen oder sich ihm sogar überantworten. Die Überantwortung geschieht bei Heidegger dadurch, daß er die Seinsfrage mit dem von Kierkegaard entliehenen Existenzbegriff verbindet. Das von Dilthey entwickelte Historismusproblem trägt zur theoretischen Verschärfung des existentiellen Krisenbegriffs bei. Heidegger will den historischen Relativismus dadurch überwinden, daß er ihn zu Ende denkt. Nun ist zwar die Verbindung von ontologischer und existenzialistischer Denkweise in „Sein und Zeit" und „Vom Wesen des Grundes" kunstvoll genug, aber doch nicht so eng, daß sie sich nicht auflösen ließe.

Das kunstvolle, wenn auch nicht unauflösliche Bindeglied besteht in der existenzphilosophischen Ausdeutung des phänomenologischen Begriffs der Intentionalität oder vielmehr seines fundamentalontologischen Gegenstücks, der Transzendenz. Die Tatsache, daß das Bewußtsein immer Bewußtsein von etwas ist, wird gedeutet als eine Bewegung des Selbst von sich selbst hinweg, ein Verlust der Eigentlichkeit der Selbstheit, wenn auch ein Verlust, der mit dem Wesen des Selbst unausweichlich gesetzt ist. Denn als In-der-Welt-sein ist das Dasein notwendigerweise Selbstentäußerung. Der Mensch ist „ein Wesen der Ferne".[32]) Das Sein aber ist „das Nächste". „Doch die Nähe bleibt dem Menschen am weitesten."[33]) Das bedeutet: Der Weg zum Sein und zur Eigentlichkeit (dies beides gehört zusammen) führt unweigerlich über den ungeheuren Umweg durch die Vielfalt des als Welt zusammengeschlossenen Seienden. Transzendenz, wir erinnern uns, ist Überstieg über das Seiende auf das Sein hin. Das Dasein nun klammert sich im allgemeinen an das Seiende. Es verfällt ihm. Das entschlossene, die Transzendenz durchdenkende Erkennen muß sich dieser Anklammerung und dieser Verfallenheit entreißen. Es muß die Welt vernichten, d. h. ihre Nichtigkeit als ein Verfallsphänomen durchschauen und ihren Grund in der begründenden Freiheit entdecken. Die Freiheit als „der Grund des Grundes" ist aber zugleich der „Abgrund" des Daseins. Das Sein des Menschen erscheint als ein „Seinkönnen in Möglichkeiten, die vor seiner endlichen Wahl, d. h. in seinem Schicksal, aufklaffen".[34]) So vollendet sich, nach Heidegger, im Ergreifen der Freiheit die nach einem letzten Grund suchende Bewegung des Denkens wie auch das praktische Bestreben nach Wiederherstellung der Eigentlichkeit.

Was ist nun diese Eigentlichkeit? Verzweiflung. Und was das Sein der Welt? Negation der Negation — ein Nichts, das als „nichtend" sich an die Stelle des Seins gedrängt hat. Sehen wir uns in der Welt um, in die uns Heideggers Weiterschreiten von der ontologischen Grundlegung zur existenziellen Interpretation geführt oder vielmehr gestürzt hat.

Zunächst zeigt sich das schon in der Grundlegung bemerkbare Wirken idealistischer Motive mit verstärkter Deutlichkeit. Das Weltstiften aus der Freiheit des Daseins wird als Entwerfen bezeichnet. Das klingt wie ein Ausdruck entschiedensten Idealismus. Doch als Gegengewicht findet sich die Behauptung, daß das Dasein selbst „geworfen" sei, wohl etwa in dem Sinn, wie ein Gefangener ins Gefängnis geworfen ist. Der Gedanke der Verfallenheit des Menschen an seine eignen Entwürfe wird dann besonders mit Rücksicht auf das menschliche Zusammenleben entwickelt. An Kierkegaard anknüpfend analysiert Heidegger das Verfallsphänomen des öffentlichen Bewußtseins — die Nichtigkeit dessen, was „man" sagt, denkt, tut. „Gerede, Neugier und Zweideutigkeit charakterisieren die Weise, in der das Dasein alltäglich sein ‚Da', die Erschlossenheit des In-der-Welt-seins ist."[35]) Man kann sich dieser Ausführungen nicht recht freuen, weil die wahrheitsträchtige „Sage", auch sie eine Form der im Miteinandersein öffentlich gewordenen Rede, mitbetroffen zu sein scheint; vor allem aber, weil die Nichtigkeit, die sich hier im menschlichen Umgang enthüllt, zugleich die wirklichen

Dinge um uns, die Erde selbst und das Leben der Pflanzen und Tiere, ihres Eigenstands beraubt und sie in das geisterhafte Licht der Verfallenheit rückt.

Unter dem Zwang des Kierkegaardschen Existenzbegriffs gibt Heidegger seine Hinneigung zu dem Kosmos der Vorsokratiker preis. Der Mensch ist nirgend zu Hause, weder in der Welt noch anderswo. „Das beruhigt-vertraute In-der-Welt-sein ist ein Modus der Unheimlichkeit des Daseins, nicht umgekehrt."[36]) Der Zustand, in dem einem „unheimlich ist", wird, wiederum mit Anlehnung an Kierkegaard, als Angst beschrieben. In der Angst holt sich das Dasein aus der Öffentlichkeit des Geredes (der Verfallenheit an das „Man") zurück und vereinzelt sich zum wahren Selbst. Insofern also verschließt die Angst. Zugleich aber „entschließt" sie. Die Angst offenbart das „Freisein für die Freiheit des Sich-selbst-wählens und -ergreifens".[37]) Die Grundlegung des Grundes geschieht also in Angst, und Angst soll sehend machen. Angst ist an die Stelle der theoria, des liebend-hingebenden Anschauens der Fülle des Seins getreten — Angst, der sich das Nichts zeigt. Das Nichts ist gleichbedeutend mit der Unbestimmtheit des bloß Möglichen. Gleichzeitig aber wird das Nichts konkret für das Dasein als dessen eigne, unausweichliche Vernichtung. Die Selbstvergewisserung in der Angst enthüllt die Freiheit als „Freiheit zum Tode",[38]) und durch entschlossenes „Vorlaufen" zum Tode erwirbt das Selbst die Eigentlichkeit seiner Existenz.

. Nicht Befreiung vom Tod — das Trachten des Platonikers und des Christen —, sondern Befreiung durch und für den Tod wird zum Thema des Lebens. Hier, im inneren Bereich der Existenzanalyse, kann von der offen gelassenen Frage eines Seins zu Gott nicht mehr die Rede sein. Der verzweifelte Entschluß zur Endlichkeit kann kaum nachdrücklicher ausgesprochen werden als in „Sein und Zeit". Die Welt der in sich vermauerten Innerlichkeit, die sich in diesem Werk aufbaut, erinnert an gnostische Vorstellungen — an den von bösen Dämonen erschaffenen und bewachten viersphärigen Kosmos, in dessen mittlerem Verlies die Seele wie ein Gefangener schmachtet. Auch im Mythos der Gnosis ist der Mensch in die Welt „geworfen", und es ergeht an ihn, wie an den Menschen in „Sein und Zeit" ein „Ruf".[39]) Aber die Dämonologie der Gnostiker läßt doch den Ausblick auf Erlösung. Jenseits der feindlichen Gestirne wacht der Vater des Lichts und wartet der Paraklet. Erst der moderne Dämonologe vermauert die Kerkerpforte. Bei Heidegger ertönt der Ruf nicht von außen (es gibt kein Außen), sondern er ist eine Erinnerung an das Schuldig-sein. Da aber das Dasein nicht durch

Verfehlung schuldig wird, sondern als solches schuldig ist,[40]) kann die Schuld nicht durch Reue und Gnade, sondern nur durch Vernichtung ausgelöscht werden.

Der Grund, auf dem sich der todessüchtige Angsttraum dieser Welt aufbaut, ist die menschliche Freiheit — die furchtbare Freiheit, die den Menschen vor das Nichts unbestimmter Möglichkeiten stellt. Doch dieser Grund ist nicht eine ruhende Basis, sondern rastloses Geschehen. „Welt ist nie, sondern weltet."[41]) Der Geschichte der „weltenden Welt" liegt die „Urgeschichte" der Transzendenz zugrunde.[42]) Mit anderen Worten, Transzendenz als das „Urgeschehen" im Dasein „zeitigt sich".[43]) Dasein ist Zeit, oder besser Zeitigung, und das ek-sistierende Selbst ist die „ekstatische Einheit der Zeitlichkeit, d. h. die Einheit des ‚Außersich' in den Entrückungen von Zukunft, Gewesenheit und Gegenwart".[44])

Mit dem Gedanken der Freiheit zum Tode denkt Heidegger Nietzsches Finitismus zu Ende und liefert ein im Geiste Kierkegaards entworfenes Gegenstück zu dem Wahngedanken der Ewigen Wiederkehr. In ähnlicher Weise führt sein Gedanke von der Zeit als dem Sein des Daseins den Dynamismus Nietzsches zu Ende — den Versuch, die Tat ohne den Täter, Macht ohne den Mächtigen zu denken —, wobei Diltheys Vorstellung von der „Geschichtlichkeit des Daseins" Berücksichtigung findet.[45]) Mit der Lehre von der Zeit setzt Heidegger seinem theoretischen Gebäude die Bekrönung auf — und bringt es gleichzeitig zum Einsturz. Er scheint unablässig bemüht, Seinsstrukturen als feststehende (überzeitliche) Züge alles Wirklichen herauszuarbeiten. Darin wenigstens ist er Platoniker. Aber wenn sich dann herausstellt, daß alles Sein sich durch freie Entscheidung zeitigt, so zwar, daß es seinem eigensten Wesen nach „geschieht", dann wird jenem Strukturganzen der Boden entzogen. Der Anspruch, den historischen Relativismus durch Radikalisierung überwunden zu haben, wird hinfällig, und die Bedeutung des Geleisteten schrumpft zu der eines geistigen Selbstportraits zusammen. Um sich aus dem stürzenden Gebäude zu retten, vollzieht Heidegger die von ihm verkleinernd anerkannte Wendung von „Sein und Zeit" zu „Zeit und Sein". Der Akzent liegt jedesmal auf dem zweiten Wort. Dem Sein soll seine Würde und sein Eigenstand gesichert werden. „Der Mensch ist nicht der Herr des Seienden. Der Mensch ist der Hirt des Seins. Er gewinnt die wesenhafte Armut des Hirten, dessen Würde darin beruht, vom Sein selbst in die Wahrnis seiner Wahrheit gerufen zu sein."[46]) Das ist ein neuer Ton. Die Stimme von 1947 ist nicht mehr die von 1927. Was O. F. Bollnow von der Existenzphilosophie im allgemeinen bemerkt —

daß sie über sich hinaus „von der Verzweiflung zu einem neuen Glauben drängt"[47]) —, bewahrheitet sich im Falle Heideggers. Der von ihm erkorene Prophet ist Hölderlin.

Der Hölderlin, der für Heidegger zum Befreier aus dem existenzphilosophischen Nihilismus wurde, ist im wesentlichen der Dichter der späten Hymnen, der Trauernde in „dürftiger" Zeit, aber auch der Sänger der Engel des Vaterlands und der Verkünder der Wiederkehr der hellenischen Götter in künftiger Schicksalswende. „Das weltgeschichtliche Denken Hölderlins, das im Gedicht ‚Andenken' zu Wort kommt" scheint Heidegger „anfänglicher und deshalb zukünftiger" als Goethes Weltbürgertum.[48]) Wie er sich Hölderlins weltgeschichtliches Denken zu eigen macht, gilt ihm nun die „Heimatlosigkeit" des Menschen nicht mehr als eine allgemein-existenziale Tatsache, sondern als ein „Weltschicksal", dem auch Marx mit seinem Begriff der Entfremdung auf der Spur gewesen ist.[49]) Zugleich dämmert eine große, wenn auch unbestimmte Hoffnung auf. „Angesichts der wesenhaften Heimatlosigkeit des Menschen zeigt sich dem seinsgeschichtlichen Denken das künftige Geschick des Menschen darin, daß er in die Wahrheit des Seins findet und sich zu dessen Finden auf den Weg macht."[50]) Der in „Sein und Zeit" aufgebaute existenzielle Kerker ist zerbrochen. Aber noch ist der Gefangene nicht wirklich frei. Die für das deutsche Denken verführerischste Häresie hält ihn weiter umstrickt. Noch wird die Allmacht der Geschichte geglaubt, und das Neue oder Zukünftige mit dem Wahren gleichgesetzt. Noch bewegt sich das Denken auf dem Irrweg, auf den Lessing es mit seiner Lehre von dem „neuen ewigen Evangelium" gelenkt hatte,[51]) und der von Hegel zu einer großen Heeresstraße der Geister ausgebaut worden war.

Es ist nötig, dem heraklitischen Strom, in den in „Sein und Zeit" die Gestalten der Welt und des Daseins zurückzusinken drohen, etwas Festes entgegenzustellen. So heißt es in der Abhandlung über „Hölderlin und das Wesen der Dichtung" (1937): „Seitdem der Mensch sich in die Gegenwart eines Bleibenden stellt, seitdem kann er sich erst dem Wandelbaren, dem Kommenden und Gehenden aussetzen; denn nur das Beharrliche ist wandelbar. Erst nachdem die reißende Zeit aufgerissen ist in Gegenwart, Vergangenheit und Zukunft, besteht die Möglichkeit, sich auf ein Bleibendes zu einigen."[52]) Dichtung, die „Ursprache eines Volkes"[53]) und zugleich das „ursprüngliche Nennen der Götter",[54]) ist berufen, dies Bleibende zu begründen:

WAS BLEIBET ABER, STIFTEN DIE DICHTER

Heidegger selbst zählt sich nun der auserwählten Schar der „Denkenden und Dichtenden"[55]) bei, die das Sein „hüten", indem sie sich von
ihm in Anspruch nehmen lassen. Dies das Sein hütende Denken ist für
Heidegger nicht mehr Philosopie oder Metaphysik. Diese von Platon
und Aristoteles begründeten Verfahrungsweisen setzen schon, meint
Heidegger, eine technische Umdeutung des Erkennens voraus. Das Denken gilt ihnen als „das Verfahren des Überlegens im Dienste des Tuns
und Machens".[56]) Die zuvor schon angedeutete Rückwendung zu den
Vorsokratikern wird hier ausdrücklich vollzogen. Gleichzeitig wird die
frühere Terminologie, die trotz all ihren Sprachneuerungen der jetzt ab-
gelehnten Tradition verpflichtet war, als mißverständlich preisgegeben.[57])
Die einstigen Sprachgewaltsamkeiten verschwinden nicht ganz. So wird
zum Beispiel ein qualvoller Versuch unternommen, der etymologischen
Verbindung von „Wesen" und „Anwesenheit" eine Charakterisierung
des Seins als „Anwesung" abzuzwingen.[58]) Doch gelingen jetzt bisweilen
schlichte und reine Formulierungen, wie besonders in den Sätzen, mit
denen Heidegger die Philosophie als nicht länger dienlich verabschiedet:
„Das Denken ist auf dem Abstieg in die Armut seines vorläufigen
Wesens. Das Denken sammelt die Sprache in das einfache Sagen. Die
Sprache ist so die Sprache des Seins, wie die Wolken die Wolken des Himmels sind. Das Denken legt mit seinem Sagen unscheinbare Furchen in
die Sprache. Sie sind noch unscheinbarer als die Furchen, die der Land-
mann langsamen Schrittes durch das Feld zieht."[59])

IV

Wie Heidegger, so ist auch Nicolai Hartmann von dem Problem des
Seins bewegt. Auch er strebt eine Seinslehre oder Ontologie an. Beide
Denker knüpfen in diesem Bestreben in selbständiger Weise an Husserls
Phänomenologie an, die mit ihrem vieldeutigen, aber zunächst befreien-
den Schlagwort „Zurück zu den Sachen" eine neue Offenheit des philosophierenden Geistes der Erfahrungsmannigfaltigkeit gegenüber erwirkt
hatte. Nicht mehr dialektisch-erkenntniskritische Konstruktion, wie sie
zum Beispiel Windelband und Rickert geübt hatten — hie individuali-
sierende, da generalisierende Erkenntnis, und auf dieser gewaltsamen
Zweiteilung wird dann weitergebaut —, sondern ein geduldig aufneh-
mendes Hinsehen auf das sich darbietende vielgliedrige Seiende ist nun
methodisches Ideal.

Doch wie wir diese Gemeinsamkeit feststellen, klafft auch sogleich der
Unterschied auf. Der Seinsbegriff Heideggers ist zweidimensional, der

Hartmanns eindimensional. Bei Heidegger verlangt der Begriff des Seins den Gegen- und Mitbegriff des Seienden zu seiner Erklärung. Die Mannigfaltigkeit des Seienden liegt offen da, ist aber in ihrer Gesamtstruktur bestimmt durch den verborgenen apriorischen Horizont des Seins, den zu enthüllen Heidegger sich leidenschaftlich bemüht. In dem Bemühen, dem Sein zur „Lichtung" zu verhelfen, wird aber zugleich das, worin die Lichtung erfolgt, das menschliche Selbst und seine Erkenntnistätigkeit, zum Problem. Daraus ergibt sich dann jenes eigentümliche Widerspiel der Ausdrücke des Tuns und Leidens (Entwerfen — Begegnen-lassen, oder Stiften — anfänglich Erfahren), die das Denken zwischen Idealismus und Realismus in der Schwebe halten.

Hingegen ist der Seinsbegriff Hartmanns monolithisch und von einer geradezu überwältigenden Simplizität. Er ist durch einfachen Hinblick auf das Seiende im Verfolg der natürlichen, d. h. gegenstandgerichteten Erkenntniseinstellung gewonnen. Wohl erkennt Hartmann das reflektierende, d. h. auf die Erkenntnisakte zurückgewandte Denken als echte Erkenntnisquelle an. Aber Reflektion gilt ihm nur als ein besonderer Fall des allgemeinen, gegenstandzugewandten Denkens — als ein Denken, das auf einen ganz eigenartigen Gegenstand, aber doch auf einen Gegenstand gerichtet ist. Man geht also fehl, glaubt Hartmann, wenn man in solcher Rückgewandtheit ein Merkmal philosophischer Erkenntnisweise oder den Zugang zum Problem des Seins sucht. Damit wendet er sich nicht nur schroff von Kants Gedanken einer transzendentalen Forschungsweise ab (den Heidegger umgestaltet fortführen wollte), sondern er verwirft auch Husserls ἐποχή, die ja gleichfalls eine Methode der Rückwendung einleitet.

Die Betonung der objektgerichteten Erkenntnisweise bedeutet aber keineswegs, daß Sein gleichzusetzen sei mit Objektsein. Mit dieser Gleichung würden wir in das korrelativistische Vorurteil zurückfallen[60]) und der Erkenntnistheorie eine Vorrangstellung zuerkennen, die nach Hartmann der Ontologie gebührt. Die Korrelationslehre verbaut sich den Zugang zum Sein, indem sie zunächst den Erkenntnisakt mißdeutet. Das Wesen der Erkenntnis ist Transzendenz,[61]) d. h. Erkennen von Etwas, das unabhängig von seinem Erkanntsein existiert. Die richtige Deutung des Erkenntnisaktes also verbietet uns, das Phänomen der Erkenntnis in den Mittelpunkt der Seinslehre zu stellen. Alles was sich über den Erkenntnisbezug des Seins aussagen läßt, kann in der Feststellung zusammengefaßt werden: einiges Seiende ist so beschaffen, daß es erkannt werden kann. Die dem Idealismus zugrundliegende Korrelativitätslehre erweitert diese richtige Feststellung in die unhaltbare Behauptung: Sein ist Erkanntsein oder Erkanntwerdenkönnen. Demgegenüber behauptet Hartmann die Übergegenständlichkeit des Seins.

Die Übergegenständlichkeit des Seins bestimmt das dem Erkennen innewohnende Ethos. In unendlicher Offenheit wendet es sich der Vielheit des an sich Bestehenden zu, um es in geduldiger Kleinarbeit Stück für Stück, Zug um Zug aufzuklären. Man möchte in dieser den Erkenntnisfortschritt leitenden Transobjektivität das berühmte X des Marburger Neukantianismus wiedererkennen: die Bestimmung des Erkenntnisobjekts als unendliche Aufgabe erkennender Objektivierung. Aber Hartmann schützt sich gegen diese Auffassung. Transobjektivität besagt für ihn nicht bloß Noch-nicht-erkanntsein, und es bedeutet auch mehr als das Rechnen mit Dingen, die faktisch nicht erkannt werden können, wie zum Beispiel unbeobachtet gebliebene und spurlos vergangene Ereignisse der Vergangenheit. Wir müssen die Möglichkeit von seinem Wesen nach unerkennbarem Seienden ins Auge fassen.

Bei der Analyse von Heideggers Ontologie ergab sich, daß die Unterscheidung zwischen „erkennbar für uns" und „erkennbar an sich" erforderlich gewesen wäre, um die Vormacht des idealistischen Motivs zu brechen und den Gedanken der Endlichkeit des Erkennenden auf eine haltbare Basis zu stellen. Auch Hartmann sucht zwar seinen theoretischen Ausgangspunkt in einer unparteilichen Prüfung der Phänomene jenseits des Streites zwischen Idealismus und Realismus.[62]) Da es ihm aber im Verlauf dieser Prüfung mit der Abweisung des Idealismus sehr Ernst wird, greift er auf den aristotelischen Gedanken des „für uns" zurück, unterwirft ihn jedoch einer gründlichen Umgestaltung.[63]) Das „an sich Erkennbare" wird seiner spekulativen Bedeutung entkleidet. Davon, daß das summum ens auch ein summum intelligibile sei, kann keine Rede sein. In der Tat kehrt Hartmann diesen Satz um. Nach ihm gibt es zwei Grenzen: erstens die Grenze des für uns Erkennbaren, die verschiebbar und keineswegs mittels einer einfachen Formel wie sie Kant zu liefern versuchte, zu bestimmen ist; zweitens die Grenze des überhaupt Erkennbaren. Jenseits dieser zweiten Grenze dehnt sich das Mehr-als-Transobjektive — das Transintelligible; und dort liegt „der natürliche Schwerpunkt des Totalgegenstandes (des objiciendum)".[64]

Zweierlei ergibt sich aus dem Gedanken, daß das Erkennbare nur ein endlicher Ausschnitt aus dem unendlichen Gebiet des Seienden ist. Erstens kann nun der Begriff des Ansichseins in dem der Irrationalität verankert werden. Der transintelligible Teil des Seienden (des „Totalgegenstandes", wie Hartmann mit nicht sehr glücklicher Wortwahl sagt) ist an sich seiend ex hypothesi. Ist aber, so schließt Hartmann, „ein Teil von ihm ansichseiend, so ist notwendig der ganze Gegenstand ansichseiend".[65]) Daraus folgt nicht etwa eine Aufspaltung des Seinsbegriffes in mehr und weniger Seiendes. Keineswegs depotenziert das Gegenstandwerden den Seinscharakter des Erkannten, sondern es bleibt „dem Seienden als einem solchen überhaupt äußerlich".[66]) Die Indifferenz des Seins gegenüber der Erkenntnis begründet seinen monolithischen Charakter. „Der Totalgegenstand ist unter allen Umständen homogen."[67])

Die zweite aus dem peripheren Charakter der Erkenntnis gezogene Folgerung betrifft den Prozeß des Erkennens. Die überwiegende Irrationalität des Seins erklärt, „warum alle irgendwie fundamentalen Problemketten auf irrationale Grundprobleme hindrängen".[68]) Dem entspricht ein als Aporetik zu bezeichnendes Erkenntnisverfahren. Im unbefangenen Hinsehen auf das Seiende bei strenger Enthaltung von vereinfachenden Hypothesen treten Aporien auf, die als solche anerkannt werden müssen. In ihnen kündet sich die fundamentale Irrationalität des Seins an. Mit Ausdrücken, die doch wieder an die Marburger Schule anklingen, heißt das Transintelligible der unendliche „Rest aller Problemgehalte, die der endlichen Erkenntnis eine Grenze möglichen Vordringens ziehen".[69]) Die Wege des philosophischen Erkennens verlieren sich bei Hartmann in undurchdringliches Dunkel.

Mit der Umdeutung des aristotelischen Begriffs der Erkennbarkeit „für uns" bringt Hartmann seine eigene Ontologie in scharfen Gegensatz zur Ontologie der traditionellen Metaphysik. Die alte Seinslehre gründete sich auf den einladenden, aber unhaltbaren Satz von der immanenten Rationalität (Erkennbarkeit-an-sich) des Seins. Sie hing, anders ausgedrückt, an der These, „das Allgemeine, in der essentia zur Formsubstanz verdichtet und im Begriff faßbar, sei das bestimmende und gestaltgebende Innere der Dinge".[70]) Diese Überzeugung ermutigte zum Wagnis einer deduktiven Ableitung der „Seinskategorien". In Wirklichkeit aber, versichert uns Hartmann, fallen die Seinskategorien nicht mit den Erkenntniskategorien zusammen. Daher können sie nicht konstruiert, sondern müssen den „Realverhältnissen abgelauscht" werden. „Die Seinskategorien sind keine apriorischen Prinzipien." Der Unterschied zwischen a priori und a posteriori wird überhaupt aus der Seinslehre in die Erkenntnislehre verbannt. „A priori können nur Einsichten, Erkenntnisse, Urteile sein."[71]) Ob und wie sich diese Stellungnahme mit der früher behaupteten „transzendenten Apriorität"[72]) vereinigen läßt, ist schwer zu sagen. Jedenfalls will Hartmann wohl nicht bestreiten, daß sich a priori Einsichten bezüglich idealer Gegenstände, wie sie zum Beispiel in der Logik, in der Mathematik und (soweit es etwas Derartiges gibt) in der Wertlehre gewonnen werden, auf Realverhältnisse anwenden lassen. Aber übergehen wir hier die Frage des idealen Seins, die Schwierigkeiten bereitet, weil sie die Homogenität des Seinsbegriffs bedroht,[73]) und begnügen wir uns mit der Feststellung, daß jedenfalls das Apriori in der Seinslehre keinen konstitutiven oder konstruktiven Charakter besitzen darf.

Wie aber, fragen wir, kann sich dann überhaupt etwas wie eine organisierte Gesamtansicht des Seins ergeben? Das Sein ist überwiegend irrational, kann also kein organisierendes Prinzip enthalten. Noch kann ein solches Prinzip im Erkennen gefunden werden, das ja für Hartmann nicht ein „Lichten" des Seins, sondern ein dem Sein äußerliches Verfahren bedeutet. Hartmann beantwortet diese Zweifelsfrage, indem er vor den Augen seiner Leser eine a posteriori gewonnene Totalansicht aufbaut. Ihr gemäß zeigt sich das Seiende nach Stufen geordnet. Den Ausgangspunkt bildet die Reihenfolge von „Ding, Pflanze, Tier, Mensch, Gemeinschaft" — eine alt-bekannte Stufenleiter, bei der nur die Überordnung der Gemeinschaft über den Menschen als eine bedenkliche Neuerung auffällt. Diese grobe Aufteilung wird dann durch Einführung der cartesischen Unterscheidung von extensio und cogitatio, oder Außenwelt und Innenwelt, in ein System von vier Schichten entwickelt, „die den ganzen Umkreis der Seinsmannigfaltigkeit in der realen Welt umspannen".[74]) Von unten beginnend begegnen wir zuerst der Außenwelt, die ihrerseits in zwei Schichten zerfällt, „die der Dinge und physischen Prozesse einerseits, die des Lebendigen andererseits".[75]) Das obere Stockwerk ist gleichfalls zweigeteilt. Auf dem Untergeschoß des Seelischen baut sich das Geistige auf, wobei das Unterscheidungsmerkmal des Geistigen in der Erfassung objektiver, von vitaler Gebundenheit abgelöster Gehalte bestehen soll.

Die philosophische Bedeutung dieser Schichtenordnung wird verständlich erst mit der Formulierung der von Hartmann aufgestellten Dependenzgesetze. Sie lassen sich auf zwei Grundgesetze zurückführen: das Gesetz der Stärke und das Gesetz der Freiheit.[76]) Diese beiden Gesetze halten sich gegenseitig in einem Gleichgewicht, das die Grundlage für Hartmanns Unparteilichkeit gegenüber dem Streit der Materialisten und Idealisten bildet.

Das Gesetz der Stärke: die höheren Kategorien sind auf den niederen begründet und können nicht ohne diese sein. Umgekehrt sind die niederen Kategorien von den höheren unabhängig. So gilt der Satz: je höher, desto schwächer, je niedriger, desto stärker. Man erkennt hier Max Schelers Lehre von der relativen Ohnmacht des Geistes wieder. Wenn das Gesetz uneingeschränkt gilt, dann — eine von Hartmann selbst nicht

ausdrücklich gezogene, aber unausweichliche Folgerung — kann es weder
Gott noch Unsterblichkeit geben. Die Existenz eines freischwebenden
Seelisch-Geistigen ist ausgeschlossen.[77])

Das Gesetz der Freiheit: die niederen Kategorien bestimmen die
höhere Seinsschicht nur im Sinne einer unentbehrlichen und beschränkenden Bedingung. Innerhalb dieser Beschränkung aber bestimmen sie nicht
die Eigenart der überlegenen Schicht. Unbeschadet seiner Seinsabhängig-
keit besitzt das Novum der höheren Schicht die Freiheit der Selbstbestimmung.

Die Nichtbeachtung der beiden Gesetze verursacht zwei einander entgegengesetzte philosophische Irrtümer. Die Nichtbeachtung des Gesetzes
der Stärke verleitet dazu, die Gesamtheit des Seienden einschließlich der
unteren Seinsstufen nach Maßgabe der nur in der obersten Schicht be-
heimateten Sinnforderung zu deuten. Dies ist, nach Hartmann, der Erb-
fehler der Metaphysik und insbesondere der teleologischen Systeme. Der
gleiche Irrtum liegt vor, wo ein von den Geisteswissenschaften entlehnter
Verstehensbegriff auf physikalische oder biologische Tatsachen angewandt werden soll. Umgekehrt verletzen Materialisten und Naturalisten
das Gesetz der Freiheit, indem sie seelisch-geistige Tatsachen durch Rück-
führung auf leibliche Vorgänge zu erklären versuchen. Um derartige
Fehler zu vermeiden, müssen wir bei der Erforschung eines jeglichen
Wirklichkeitsbereiches die Autonomie der fraglichen Seinsschicht und
gleichzeitig ihre Abhängigkeit von anderen Schichten im Auge behalten.

In dem vierstöckigen Seinsbau findet auch das ideale Sein, dessen Loka-
lisierung uns Schwierigkeiten bereitete, wenn nicht seinen ontologischen
Ort, so doch seinen realen Anknüpfungspunkt. Er ist auf der obersten
Seinsstufe, der des objektiven Geistes, zu suchen. Unter den idealen
Wesenheiten nehmen in Hartmanns Denken die Werte einen ausgezeich-
neten Platz ein. Noch ehe er seine Ontologie zu ihrer gegenwärtigen
systematischen Gestalt entwickelt hatte, legte Hartmann seine Werttheorie in seiner gewichtigen „Ethik" (1926) nieder.

Hartmann beschreitet hier die von Max Scheler gewiesene Bahn, die
über die „formale" Ethik Kants hinaus zu einer „materialen" Ethik
führen soll. Hier geht es dem Philosophen nicht um Seiendes oder jedenfalls nicht um real Seiendes. Seine Ethik ist nicht wie die mit der alten
Metaphysik verschwisterte Glückseligkeitslehre auf ontologischer Grundlage errichtet. Werte sind von der Realität ablösbare, „schwebende"
Wesenheiten.[78]) Ihr Sein besteht in ihrem Gelten. Sie bilden sozusagen
ein Firmament, das sich über dem Boden der Realität wölbt, ohne auf
ihm aufzuruhn. Das Reale, die menschlichen Handlungen, mögen den

Werten entsprechen oder ihnen widersprechen. Ihr Sein bleibt von der Entsprechung ebenso unberührt wie vom Widerspruch. Wäre auch jede Rede ein Wortbruch, so bliebe doch Worthalten ein Wert.

Gerade das Schweben der Werte über der Realität verleiht der Werterkenntnis den Charakter eines strengen Apriorismus. Die Werte haben einen unmittelbar fordernden Charakter. Jeder einzelne von ihnen verlangt eine „Wertantwort" und wird durch das „wertfühlende" Bewußtsein mittels eines Aktes der „Wertschau" erfaßt. Dieser Akt ist, wie alle Erkenntnisakte, durch Transzendenz gekennzeichnet, wobei es sich hier, wie bei den Wesenheiten überhaupt, um Idealtranszendenz statt um Realtranszendenz handelt. Die Wertschau ergreift mit dem Wert selbst auch seine Beziehung zu anderen Werten, insbesondere seine relative Werthöhe. Besteht doch die aktive Wertantwort des Individuums in einer Entscheidung, durch die der höhere dem niederen Wert vorgezogen wird. Damit ist der Gedanke einer Hierarchie der Werte gesetzt. Trotzdem weigert sich Hartmann, seinem Vorgänger Scheler bei der Entwicklung von Kriterien der Werthöhe zu folgen.[79]) Die einzigartigen Verhältnisse zwischen Werten, die sich dem Wertfühlen offenbaren, dürfen nicht mit realontologischen Verhältnissen wie zum Beispiel Teil — Ganzes oder Vergänglichkeit — Dauer vermengt werden.

Das Problem des Wandels der Werthaltungen und Wertsysteme in der Geschichte, das die Ethik mit Relativismus bedroht, findet auf dem Boden dieser objektiven Axiologie eine spielende Auflösung.[80]) Es handelt sich nicht um einen Wertwandel, sondern um ein Wandern des Wertblickes, der sich mit Aufmerksamkeit bald auf dieses, bald auf jenes Wertgestirn richtet. Was als ein Konflikt im Wertbereich erscheint, wie zum Beispiel der Streit zwischen einer Ethik des Mannesstolzes und einer Ethik der Demut, ist tatsächlich auf eine partielle Wertblindheit zurückzuführen. Wertoffenheit ist daher das höchste Gebot, und der ideale Moralphilosoph, der mit seinem Wertblick den ganzen Werthimmel umfaßt, würde jenseits des Konfliktes der Weltanschauungen stehen. Wir sind sehr weit von Jaspers entfernt. In der Tat, indem wir Hartmann folgten, haben wir Jaspers und noch andere außer ihm, Dilthey zum Beispiel, gänzlich aus den Augen verloren.

Den Strudeln des Krisenbewußtseins und des in ihm kreisenden Denkens gegenüber richtet Hartmann die glatte, unerschütterte Doppelfront seiner Ontologie und Axiologie auf. Das an sich seiende Reale und die an sich geltenden Werte werden von existentialistischen Nöten nicht berührt. Niemand, so vermuten wir, kann beim Durchwandern des Hartmannschen Baus etwas wie Erhebung empfinden, noch auch betrach-

tet der Baumeister eine solche Wirkung als im mindesten erwünscht. Ihm
ist es an einer Klarheit gelegen, die jedem aufleuchten muß, der sich nur
die Mühe macht, der Darlegung zu folgen. Nichts von „Beschwörung",
nichts von „Weltanschauung", nichts von der Sprache als dem „Haus des
Seins". Philosophie will Wissenschaft sein, und Hartmann spricht gern
von der entsagungsvollen Geduld des Forschens und den noch unerschlos-
senen Problemgebieten.

Angesichts dieser großen und bewunderungswürdigen Leistung fragen
wir, ob es hier wirklich gelungen ist, das philosophische Wissen auf jenen
festen Grund zu stellen, nach dem von anderen mit Leidenschaft gesucht
wird. Statt mit einem glatten Ja oder Nein zu antworten (beides wäre
Vermessenheit), begnügen wir uns damit, Fragen zu formulieren und
auf Schwierigkeiten hinzuweisen.

Wir kommen auf eine frühere Bemerkung zurück. Das Problem des
Menschseins ist der Knotenpunkt aller philosophischen Problematik. Der
Mensch als seiend unter anderem Seienden ist doch auch das ausgezeich-
nete Seiende, für das alles Sein ist. Das Seinsproblem, das Erkenntnispro-
blem und das ethische Problem entspringen aus dieser „anthropologi-
schen Differenz". Darum hat Heidegger recht, wenn er den Ausdruck
„Lebensphilosophie" für eine Tautologie erklärt. Aus dem gleichen
Grunde dürfte es unmöglich sein, die Philosophie in wissenschaftlicher
Sicherheit außerhalb des Krisenbewußtseins anzusiedeln.

Hartmanns Satz von der Indifferenz des Seins dem Erkennen gegen-
über durchhaut den Knoten, statt ihn aufzulösen. Das Problem des
Menschseins (und damit des Erkennenkönnens und des sich selbst im
Lichte der Erkenntnis Bestimmens) wird zu einer peripheren Frage.
Ontologie hört auf, „Weltanschauung" zu sein, denn Weltanschauung
setzt einen wesentlichen und nicht bloß akzidentellen Bezug des Ange-
schauten zum Menschen voraus. Nach Hartmann aber muß sich der
Mensch in einer „nicht auf ihn angelegten Welt zurechtzufinden" suchen.[81]
Es fragt sich nun, ob mit dieser ontologischen Beziehungslosigkeit nicht
das Prinzip der einheitlichen Interpretation der Welt überhaupt preisgegeben ist; ob nicht die Hartmannsche Schichtenordnung ein typisches
Beispiel dessen ist, was Aristoteles tadelnd als ἐπεισοδιώδης[82]) bezeichnet — ein Weltaufriß, in dem, man weiß nicht wie, immer noch etwas
hinzukommt und hinter dessen serienhafter Einheit sich ein Eklektizismus verbirgt. Zweckdienlichkeit im Kosmologischen soll als Verstoß
gegen das Gesetz der Stärke ausgeschlossen sein. Aber müssen nicht die
unteren Schichten so beschaffen sein, daß sie als Fundament der höheren
dienen können, und liegt nicht darin eine rudimentäre Teleologie?

Solchen Fragen gegenüber muß Hartmann darauf bestehen, daß die Suche nach einem Sinn, der die Realität zu einer festeren Einheit verknüpfen würde, unberechtigt ist, daß wir mit einer Befriedigung unseres Sinnverlangens in eine subjektive, wenn auch vielleicht „erhebende" Weltanschauung zurückfallen würden, während er doch eine unparteiliche, überweltanschauliche Seinslehre errichten will. Dann aber fragen wir weiter, ob Hartmann nicht doch, gegen seinen Willen, von dem Augenschein der Sache bezwungen (ὑπ' αὐτῆς τῆς ἀληθείας ἀναγκασθείς) eine bestimmte Weltanschauung, wenn auch mit gedämpfter Stimme, vorträgt, und ob nicht diese Anschauung gerade im Leugnen der Subjektivität sehr subjektiv bleibt? Und sollte dies vielleicht die Nemesis sein, die dem Entschluß, außerhalb des Krisenbewußtseins zu bleiben, folgt — daß nämlich dies Außerhalb sich als ein uneingestandenes Innerhalb enthüllt?

Mit der Behauptung, daß es kein frei-schwebendes, auf den unteren Seinsschichten nicht aufruhendes Seelisch-Geistiges geben könne, berührt Hartmann ein altes, tief beunruhigendes Problem der Metaphysik. Dies Problem liegt der Schwierigkeit zugrunde, die bei Aristoteles und den mittelalterlichen Aristotelikern den Gedanken eines immateriellen, aber dennoch Selbstheit konstituierenden intellectus agens belastet. Und es findet eine symbolische Antwort in der christlichen Lehre von der Auferstehung eines verklärten, d. i. vergeistigten Leibes. Ist die barsche Entscheidung, die Hartmann trifft, wirklich auf hinreichendes Zeugnis der Erfahrung gegründet? Denn Hartmann läßt uns keinen Zweifel darüber, daß es sich bei dem „Gesetz der Stärke" um einen sich durch Erfahrung bestätigenden Satz a priori handelt. Und ist nicht diese Entscheidung, wenn nicht vorweggenommen, so doch allzusehr erleichtert durch die Entfernung des anthropologischen Problems aus dem Mittelpunkt der Philosophie? Drückt sich nicht in diesem scheinbar unparteiischen, „wissenschaftlichen" Satz von der Stärke (d. i. der Schwäche des Geistes) eine weltanschauliche Entscheidung aus — die Entscheidung Nietzsches zur Endlichkeit? Nicht nur muß der Mensch, so glaubt Hartmann, in einer nicht auf ihn angelegten Welt zurechtzukommen suchen, sondern das erscheint ihm auch im Vergleich zum Leben in einer angeblich für den Menschen zubereiteten Welt die „bei weitem größere und seiner Selbstbestimmungskraft würdigere Aufgabe".[83])

Derselbe gedämpfte Titanismus, die Grundhaltung des von Gott emanzipierten, sich zum Finitismus bekennenden Menschen ist gleichfalls spürbar in Hartmanns Ethik. Zwar ist auch hier der Aufbau der Theorie durch das Bestreben nach Unparteilichkeit bestimmt, und deutlicher als in der Ontologie muß diese Unparteilichkeit mit dem Mangel eines organisierenden Prinzips bezahlt werden. Aber entgegen der Absicht des astronomisch-unbeteiligten Wertentdeckers macht sich wiederum die entschiedene Haltung eines wirklichen, philosophierenden Menschen, eine „Weltanschauung" geltend.

Im allgemeinen steht der „Wert", eine Neuerung in der Ethik, unter dem Verdacht, auf diesem Gebiet ein Fehlbegriff zu sein. Unter seiner Anleitung entdeckt man wohl die disjecta membra des ethischen Lebens, aber schwerlich seine Gestalt. Das wahrhaft organisierende Prinzip in der Ethik ist, außer dem Begriff des Guten, das der Wahl oder Entscheidung. Für Hartmann ist Entscheidung das Vorziehen eines Wertes gegenüber einem anderen. Dies ist kein falscher, aber vielleicht ein unzulänglicher Begriff. Er verdeckt die grundlegende Entscheidung, die hinter dieser Vorzugswahl liegt — den Akt, durch den erst (um die Sprache der Werttheorie zu reden) die Werte sich als eine konkrete Ordnung von Höher und Niedriger darstellen. Wie es Jaspers mißlingt, über den Entscheidungsbegriff zu objektiven Maßstäben vorzudringen, so versperrt sich Hartmann umgekehrt den Rückweg von den objektiven Werten zur Entscheidung, in der sie sich aktualisieren.

Damit ist aber der Gehalt der Hartmannschen „Ethik" nicht erschöpft. Der zweite Band dieses reichen Werkes, der sich mit den ethischen Werten im einzelnen beschäftigt, ist keineswegs ein lebloser Katalog. Man vergleiche nur das Kapitel über Nächstenliebe[84]) mit dem über „Fernstenliebe".[85]) Von der Nächstenliebe sagt Hartmann, daß das frühe Christentum sie übertriebenerweise zum Einheitsprinzip aller Tugenden habe machen wollen, während er glaubt, ihre Ausübung sei zum Beispiel mit Ungerechtigkeit vereinbar. Wie man sieht, verkennt Hartmann die Untrennbarkeit von Gottesliebe und Nächstenliebe und damit die Grundlage der christlichen Ethik. Dagegen gewinnen seine Darlegungen Ernst und Tiefe, wo er auf Nietzsches Spuren die „Fernstenliebe", d. h. die Liebe zum Menschen wie er sein soll, bespricht. Denn hier kann er auf dem Boden ethischer Überlegung jene „bei weitem größere und seiner Selbstbestimmung würdigere Aufgabe" des Menschen, sich in einer nicht auf ihn angelegten Welt durchzufechten, ins Auge fassen.

Wir erwähnten den Eklektizismus, der sich bei Hartmann aus der lockeren Einheit der Stufenordnung ergibt. Dieser Zug ist besonders auffallend in der Behandlung der obersten Stufe der Realität, des objektiven Geistes. Hartmanns Schichtenlehre erlaubt es ihm hier, zwischen Hegels idealistischer und Marx' materialistischer Geschichtsdeutung zu vermitteln.[86]) Aber damit gibt er sich der gleichen Voraussetzung gefangen, die auch für Jaspers und Heidegger feststeht, und wir erreichen einen Punkt, in dem die großen Gegensätze in der Haltung dieser drei Denker verschwinden. Zuvor stutzten wir, als wir in Hartmanns Stufenordnung die Gemeinschaft dem Individuum übergeordnet sahen. Nun finden wir in seiner Behandlung geisteswissenschaftlicher Probleme die uns schon bekannte Überzeugung von der Übermacht der Geschichte als einer in sich geschlossenen, autonomen Sphäre wieder. Gut hegelsch wird das historische Wissen als ein Selbstbewußtsein des lebendigen, sich in der Geschichte auswirkenden Geistes verstanden.[87] Dem kommenden Geist vorzuarbeiten, den Willen der Geschichte zu vollbringen als wäre es Gottes Wille — dies erscheint für den in der Geschichte lebenden Menschen der große Imperativ. So schreibt Hartmann in dem 1933 erschienenen Buch „Das Problem des geistigen Seins": „Der Realpolitiker großen Stils ist der, der wirklich wenigstens in einem entscheidenden Punkt das erfaßt, was im Zuge der Zeit geschichtlich positiv im Werden ist, und ihm die Wege zu bereiten weiß — in der Auswertung gegebener politischer Situation ebensosehr wie im Begreifen und Wollen der Mitlebenden."[88]

Ein falsches Vertrauen in die Geschichte endet damit, daß die Geschichte die so Vertrauenden im Stich läßt. Geschichte ist nicht Gott, nicht Selbstentfaltung des Geistes. Doch können wir Gott in der Geschichte begegnen, die sich dann, im Licht einer übergeschichtlichen Wahrheit, als das Widerspiel von Gnade und Versuchung enthüllt.

V

Die drei Philosophen, deren Gedanken wir untersucht haben, veranschaulichen drei verschiedene, in dem Problem des Menschseins beschlossene Schwierigkeiten. Jaspers veranschaulicht die Bedeutung, aber zugleich die Schwierigkeit des Begriffs der Krise oder Entscheidung. Krisis bedeutet ja wörtlich etwas wie Sichtung oder richterliche Entscheidung. Die kritische Sichtung verlangt Maßstäbe, woran das zu Sichtende gemessen werden kann. So muß zum Beispiel in der Krise der Reue und Zerknirschung der Gedanke eines gerechten Richters gegenwärtig bleiben. Wenn der Glaube an das Gute als etwas außerhalb der Krise Verankertes nicht festgehalten wird, dann geht der Sinn des Vorgangs verloren.

Die Schwierigkeit des Krisenbegriffs besteht darin, daß er in seiner existentialistischen Verschärfung alles in sich hineinreißt, nichts Festes übrigläßt und damit selbst sinnlos wird. Der Sünder in Gewissensqual fürchtet sich vor dem Gericht und der Verdammnis. Der existentiell Verzweifelte fürchtet sich davor, daß es so etwas wie ein Gericht überhaupt nicht geben möchte, daß Hoffnung und Qual umsonst waren, daß, wie Hebbel es einmal ausgesprochen hat, „alles nichts bedeutet". Kierkegaard glaubte, und die modernen Existentialisten glauben mit ihm, daß die Krise des Nihilismus die tiefste und fruchtbarste Krise sei, das unumgängliche Purgatorium auf dem Weg zur wahren Existenz. Aber das ist vielleicht ein Irrtum. Ernstlich untersucht, zeigt sich die nihilistische Krise als zweideutig. Der Gedanke, „daß alles nichts bedeutet", kann auch, wie in der Zeile Hebbels, eine große Erleichterung ausdrücken, und mehr noch als dies: der Gedanke des Ausgelöschtwerdens im Nichts hat eine Verführungskraft sondergleichen. Sollte vielleicht das existentialistische Wühlen in der Verzweiflung des Krisenerlebnisses der Versuchung intellektueller Wollust unterliegen und die fruchtbare Krise, das wahre „Stirb und werde!" verfehlen? Mit tieferer Weisheit zählt Augustin unter den Gaben, die ihm in allen Verirrungen der Jugend treu blieben, seine Lust an der Wahrheit auf: „veritate delectabar".[89] Ähnlich spricht Carlyle über seine tödliche Krise, die ihm das Ewige Nein vor Augen stellte: „Ich liebte immer noch die Wahrheit."[90] Die Gefahr der in Kierkegaards Sinn gedeuteten Krise besteht darin, daß sie mit dem Willen zur Wahrheit ihre eigne Dynamik vernichtet.

Bei Heidegger weitet sich der Horizont. Dem Selbst wird seine Welt zurückgegeben. Aber diese Welt macht zugleich eine zweite Schwierigkeit im Problem des Menschseins klar. Die dem Nichts abgewonnene, absolut gesetzte Endlichkeit dieser Welt erscheint nicht als die Heimat des Menschen, sondern als sein Gefängnis. Die Schwierigkeit besteht darin, das menschliche Sein ohne Zwang in der Welt einzuschließen.

Endlich, in Hartmanns Philosophie, finden wir das feste Sein und die bleibenden Werte, in denen das Menschsein seinen Ankergrund finden könnte. Die Schwierigkeit ist hier, innerhalb der Seins- und Wertewelt, überhaupt einen Ort für den Menschen zu entdecken. Das Selbst, d. h. der Mensch, sofern er Entscheidungen trifft, ist für Hartmann unauffindbar. Dieser Leerstelle in seinem Philosophieren entspricht die Leere des Seins, das negativ bestimmt ist als Ansich im Sinne der Un-abhängigkeit vom Denken.

Das weltlose Selbst, an der Grenze der Entscheidung, im Moment seiner höchsten Lebendigkeit, zur Erstarrung gebracht — das mit seinem unendlichen Streben in der Weltendlichkeit eingesperrte und dadurch dämonisierte Selbst — der Selbstverlust in der Hingabe an ein sich bestehendes, irrationales Sein: dies ist die dreifache Schwierigkeit, in die uns unser Studium gestoßen hat. Vielleicht läßt sich diese Schwierigkeit so deuten, daß sie von verschiedenen Seiten auf die übergangene, aber sich

gegen den Willen der Erkennenden ankündigende Realität Gottes hin-
deutet. Diese Vermutung als Diagnose des Zustandes der gegenwärtigen
deutschen Philosophie auszugeben, ist schwerlich erlaubt. Die literarischen Unterlagen wollen das Gewicht einer solchen Interpretation nicht
tragen. Noch auch ist die Vermutung leer. Eine Reihe von Denkern bewegen sich in der durch sie gewiesenen Richtung, wenn sich auch keine
dieser Bemühungen zu einem Werk verdichtet hat, das sich mit den zuvor besprochenen Leistungen an repräsentativer Geschlossenheit vergleichen ließe. Paul Tillich ist hier zu erwähnen, der seine Lehre vom
Kairos zu einer ontologisch fundierten christlichen Dogmatik zu erweitern im Begriffe ist, Gerhard Krüger, der den Historismus durch eine der
Geschichtlichkeit vorgeordnete Onto-Theologie überwinden will,[91]
Eduard Spranger, der sich vom Boden Diltheyscher Geisteswissenschaft
der Wiedergewinnung eines christlichen Gottesbegriffes zubewegt[92] —
all dies Ansätze und Versprechungen, aber noch keine greifbare Erfüllung. In die gleiche Richtung weist das Streben der katholischen Philosophen, bei denen freilich der Feinsinn der Interpretation und die geistige
Weite bisweilen mit einer schwebenden Unbestimmtheit der Grundbegriffe erkauft ist. Ohne den Versuch, erschöpfend oder auch nur gerecht
in der Auswahl zu sein, nennen wir Romano Guardini, Erich Przywara,
Theodor Haecker, Peter Wust, Hans Urs von Balthasar und Josef Pieper.

Das im Entscheidungsaugenblick erstarrte Selbst muß von seinem
Krampf erlöst werden durch Beziehung auf ein objektives, im Sein ver-
wurzeltes Gutes. Aber dieses Gute muß dabei doch dem ihm zugewandten Selbst Freiheit gönnen — eine Freiheit, die echte Krise und „Scheitern" ermöglicht. Sollte dies gesuchte Gute Gott sein? Eine bejahende
Antwort würde eine Revision des Glaubens- und Vernunftbegriffes erforderlich machen, vor allem des letzteren. Es müßte gezeigt werden,
daß die Vernunft zwar auf das transzendente Sein Gottes natürlicherweise
hinführt, daß es also so etwas wie einen Aufstieg, ein itinerarium mentis
ad Deum gibt, daß aber diese Aufstiegslinie einen ontologisch bedingten
„Bruch" hat, der die Krise auslöst. Aber diese Krise, so müßte sich zeigen,
betrifft wohl den ganzen Menschen, hat aber ihr Zentrum im Willens-
leben, nicht im Intellektuellen.

Das in der endlichen Welt dämonisch umgetriebene Selbst muß durch
einen transmundanen Seinsbegriff (zu dem Heidegger längst unterwegs
ist) befreit werden. Aber wiederum erhebt sich die Frage, ob diese Befreiung überhaupt anders zu denken ist als durch Beziehung der Mensch-
Welt-Einheit, der „Schöpfung", auf Gott. Dann erst (um hier nur die
Frage der Haltung ins Auge zu fassen) könnte sich der verzweifelte Tita-

nismus, die Haltung des sich selbst mit Kierkegaards Augen durchschauenden Übermenschen, in die Demut der Gottesliebe verwandeln; und die Welt, weder Heimat noch Fremde, könnte wieder in der göttlich-dämonischen Zweideutigkeit ihres Wesens als Durchgang verstanden werden.

Endlich: wenn es möglich sein sollte, über die aufgerafften Seinskategorien Hartmanns hinaus zu einer echten Sinneinheit des Wirklichen vorzudringen, für uns nicht voll faßbar, aber Klarheit in Gott, dann würde auch dem Menschen sein Ort in der Realität wiedergegeben werden, und Seins- und Existenzlehre ließen sich vereinigen.

Als die Aufgabe, in der die anderen Aufgaben mitbeschlossen sind, ergibt sich die Gewinnung eines angemessenen Geschichtsverständnisses. Die falsche Verallgemeinerung, vor der uns die Existenzphilosophie mit Recht warnt, weil sie den Menschen entzeitigt und entwirklicht, wird eben so zu meiden sein wie Geschichtsunterwürfigkeit, die große Versuchung der Erben Hegels. Der Augenblick der Entscheidung, obwohl geschichtsbedingt und geschichtsbildend, hat doch eine ewige Bedeutung; in ihm gilt es, nicht das Zeitgemäße, sondern das Rechte zu tun. Auch diese ewige Bedeutung, als in der Zeit verwirklicht, konstituiert Geschichte. Aber diese Geschichte — die Geschichte der civitas Dei — ist unserem Verstehen fast ganz entrückt. So wenig fällt sie mit der Geschichte der Kulturen und Reiche zusammen und so dunkel ist für uns der Zusammenhang der beiden Ereignisreihen, daß der Augenblick der Katastrophe in dieser sich als Augenblick der Gnade in jener enthüllen kann.

Niedergeschrieben im November 1948.

ABKÜRZUNGEN:

Karl Jaspers:	Die geistige Situation der Zeit. Berlin, Leipzig, 1951	GS
Martin Heidegger:	Sein und Zeit. Erste Hälfte. Halle a. S., 1927	SZ
	Vom Wesen des Grundes, in: Festschrift für Husserl, Halle a. S., 1927	WG
	Kant und das Problem der Metaphysik. Bonn, 1929	KM
	Platons Lehre von der Wahrheit. Mit einem Brief über den „Humanismus". Bern, 1947	PL
Nicolai Hartmann:	Ethik. Berlin, 1926	ET
	Das Problem des geistigen Seins. Untersuchungen zur Grundlegung der Geschichtsphilosophie und Geisteswissenschaften. Berlin, 1933	PG
	Zur Grundlegung der Ontologie. Berlin, Leipzig, 1935	GO
	Neue Wege der Ontologie, in: Systematische Philosophie, her. Nicolai Hartmann. Stuttgart, 1942	NW

ANMERKUNGEN

[1]) Hölderlin, „Gesang des Deutschen". Werke, her. N. v. Hellingrath, IV, 129.

[2]) GS 23.

[3]) SZ 191.

[4]) R. v. Mises, Kleines Lehrbuch des Positivismus. Chicago 1939. S. 294—295.

[5]) Karl Jaspers, Nietzsche. Einführung in das Verständnis seiner Philosophie. Berlin, Leipzig 1936; Nietzsche und das Christentum. Hameln, kein Datum.

[6]) GS 14.

[7]) GS 19.

[8]) Hannah Arendt, La philosophie de l'existence, in: Deucalion, Nr. 2 (1947), 244.

[9]) Karl Marx, Der historische Materialismus. Frühschriften, her. S. Landshut und J. P. Mayer, 2 Bde. Leipzig k. D. I, 362 (Nationalökonomie und Philosophie, 1844).

[10]) PL 92.

[11]) KM 213.

[12]) PL 74—75.

[13]) PL 76.

[14]) So z. B. Hannah Arendt, S. 237, vgl. Anm. 8.

[15]) SZ 13, 42.

[16]) KM 124.

[17]) PL 77.

[18]) WG 78.

[19]) Ibid.

[20]) WG 85.

[21]) 85.

[22]) 97.

[23]) 99.

[24]) 97.

[25]) 104.

[26]) 97.

[27]) 76.

[28]) SZ 62.

[29]) WG 98 Anm.

[30]) Von denen, die Heideggers Einsichten durch Interpretationen in der Geschichte der Philosophie fruchtbar gemacht haben, seien genannt: W. Bröcker, H.-G. Gadamer, Hans Jonas, Gerhard Krüger, Karl Löwith, Wilhelm Kamlah.

[31]) PL 91.

[32]) WG 110.

[33]) PL 76.

[34]) WG 109.

[35]) SZ 175.

[36]) 189.

[37]) 188.

[38]) 266.

[39]) Hans Jonas, Gnosis und spätantiker Geist. Teil 1: Die mythologische Gnosis. Göttingen 1934. S. 106, 121.

[40]) SZ 285.

[41]) WG 101.

[42]) 98.

[43]) 110.

44) SZ 350.
45) 382 ff.
46) PL 90.
47) „Existenzphilosophie" in: Systematische Philosophie, her. N. Hartmann. S. 430.
48) Über den Humanismus, Frankfurt a. M., 1949, S. 26.
49) 87.
50) 89.
51) Die Erziehung des Menschengeschlechts, § 86.
52) 9.
53) 12.
54) 14.
55) PL 53.
56) 54.
57) 110.
58) 35, 46.
59) 119.
60) GO 84 ff.
61) NW 305.
62) GO 39 f.
63) 172 f.
64) 175.
65) 176.
66) 176.
67) 176.
68) 175.
69) 70.
70) NW 204.
71) 209.
72) GO 258.
73) Vgl. die Abhandlung über „Problem und Stellung des idealen Seins" in GO 242 bis 322.
74) NW 234.
75) 233.
76) 266.
77) 264.
78) GO 306.
79) ET, 1. Teil, Kap. 3.
80) GO 309 f.
81) NW 267 f.
82) Metaphysik, 1090 b, 19.
83) NW 268.
84) ET, Kap. 24.
85) Kap. 30.
86) PG 11.
87) 478.
88) 286.
89) Confessiones, I cap. 20.
90) Sartor Resartus, II, chapter 7.
91) Die Geschichte im Denken der Gegenwart, Frankfurt a. M., 1947.
92) Die Magie der Seele, Tübingen, 1947.

RUDOLF BORCHARDT
1877—1945

Herbert Steiner

RUDOLF BORCHARDT wird meist mit und nach George und Hof-
mannsthal erwähnt. Aber er war sehr anders geartet. Er gehört zur
Generation der siebziger Jahre wie Hofmannsthal, Mann, Rilke, Hesse,
Schröder. Seine ersten Gedichte erschienen um 1900 in der Zeitschrift „Die
Insel", sein letztes Buch, „Pisa", kam nicht nach Deutschland. Seine Werke:
Dichtungen, Übersetzungen, Prosaschriften, Trümmer eines großen Baus.
Er war ein ungewöhnlicher Dichter, nicht gleichmäßig, ein Philologe und
Historiker von hohem und seltenem Rang und ein Polemiker. Von höch-
ster Bildung, von belebendem Wissen, immer Dichter und Forscher in
einem, bedeutend, befremdend, bestürzend als Mensch und als Autor.

Durch das ganze 19. Jahrhundert zieht, seit der Französischen Revolution, eine Reihe von Gestalten, die sich geistig und politisch gegen die
Zeit gestellt haben. Sie haben nicht nach Freiheit verlangt, sondern nach
Bindung. Sie sahen die großen Überlieferungen bedroht, sie wollten
bewahren. Zwischen den beiden Weltkriegen gab es in Deutschland für
diese Gesinnung (oder eine ihrer Ausprägungen) Worte wie „konservative
Revolution" oder „schöpferische Restauration". Wir wissen, wie stark in
Deutschland das Gefühl von der Notwendigkeit einer nationalen Tradition
war, wie sehr man eine solche als abgebrochen oder fehlend empfand.
Einer der Versuche, sie herzustellen, war der Borchardts.

Damit ist sein Standort bestimmt. Wir dürfen keines der zwei Worte
überhören: „Revolution" *und* „konservativ". Borchardt war ein Revo-
lutionär aus Temperament, ein Traditionalist aus Überzeugung. Drei
heroische Zeiten waren seine Traumsphäre, seine innere Heimat. Ein
großer Teil seiner Produktion bezieht sich auf sie.

Die erste ist die Antike, besonders das griechische Mittelalter. Er hat
Pindar und die „Perser" des Aeschylus übersetzt.

Die zweite: unser Mittelalter — die Provenzalen, Dante, Wolfram, zeit-
abgewandte, zeitrichtende Gestalten. Er tränkte sie mit seinem Blut und
holte sie herauf ins Leben. Indem er sie übersetzte, wurde er erst er selber.
Dichterische Übersetzung ist ein Teil unserer Dichtung: Luther, Voß,
Schlegel, George, Schröder. Hierher gehört Borchardt mit seiner seltenen

Sprachgewalt, und seiner Gewaltsamkeit. Er will verschüttete Adern neu quellen machen. Er weiß, man kann einen Dichter nicht wiedergeben, ohne in ihm zu leben, Dante nicht wiedergeben in der Sprache einer ihm ungemäßen Zeit. So hat er, um die Göttliche Komödie zu übersetzen, „eine Geschichtslücke gefüllt", eine neu-alte Sprache sozusagen rückerschaffen, die es nie gegeben hat: eine deutsche Verssprache vom Ende des 14. Jahrhunderts. Innerhalb all der archaisierenden Versuche, die wir kennen, immer noch ein kühnes Unternehmen. Borchardts Übersetzungen sind meist von bedeutenden Abhandlungen begleitet. So ist er fast der einzige, der Arnaut Daniel wieder aufgerufen hat, den Provenzalen, den Dante verehrte.

Die dritte von Borchardts großen Zeiten ist die der deutschen Klassik und Romantik, die eines geistig mächtigen Deutschlands. Wenige haben so wie er von Herder gesprochen, so wie er an das enzyklopädische Streben der Romantik angeknüpft, von der ausstrahlend Geschichtswissenschaften und Sprachwissenschaft sich entfalteten.

Borchardt hat mit verschollenen Seelen gelebt und sich leidenschaftlich mit der Gegenwart auseinandergesetzt. Liebe und Haß sind bei ihm stark getönt. In späteren Jahren wurde sein Stil zuweilen zur Manier. Aber in den besten Arbeiten ist es einer der Männlichsten, Dichterischsten unserer neueren Literatur: die langen latinisierenden Perioden klar und machtvoll geführt, bebend von Leidenschaft, der Geschichtsblick dem der großen Historiker vergleichbar. Schriften von zorniger Schönheit, von tiefem Ernst: seine Städtebilder, Worms, Volterra; die Vergleichung italienischen und deutschen Wesens, die „Villa" heißt; die Geschichte des deutschen Niedergangs im 19. Jahrhundert im Eranosbrief an Hofmannsthal; die Burdach gewidmete Abhandlung, die den deutschen Dante rechtfertigt und begründet. Dichter und Forscher in einem.

Der Dichter Borchardt war bei ungeheuren Gaben eine schwere Natur. Der Guß des Metalls ist nicht immer gelungen. Seine Jugendgedichte sind vielleicht der einzige deutsche Widerklang der englischen Lyrik des 19. Jahrhunderts, seine Verserzählung „Der Durant" die einzige Erneuerung Wolframs und der mittelalterlichen Epen. Mit ihr und mit einigen Gedichten, etwa dem auf die verwundete Schwalbe und dem Helenalied, steht er neben den bedeutenden Lyrikern seiner Zeit, schwer mit Schwerem ringend, ins Reine strebend. Der Reinigungsprozeß vulkanischer Naturen geht nicht ohne Schlacken vor sich.

Ein Kritiker wie wenige, als Kämpfer oft bedenklich. Ich sagte, „ein Polemiker", fast hätte ich gesagt, „ein Pamphletist". Vor allem in seiner politischen Haltung, in seinem überstarken Nationalismus war er heftig, eigenwillig, donquichottisch. Von einem Abenteurer war manches in ihm, aber auch von einem, der die Dinge von weitem voraussieht. Die Dosierung der Elemente in einem Geist, einem Charakter, grad auf sie kommt es an. All dies war mit Borchardts Größe, mit dem Erzieherischen in ihm verknüpft. Die Rede von 1915 „Der Krieg und die deutsche Selbsteinkehr" ist ein Dokument vielleicht nicht dessen, was die Deutschen sind, aber dafür, wie sie damals sich selbst im Gegensatz zum Westen sehen wollten. Das Große und das Bedenkliche stammen so oft aus der gleichen Wurzel.

Den Dichter sieht Borchardt als eine besondere Ausprägung der Gattung Mensch, herüberreichend aus Urzeiten, in denen der Seher, der Priester, der Gesetzgeber, der Dichter, der Weise eines waren, — als den, der das Gedächtnis der Welt darstellt. Gedächtnis dieser Art war es, was an Borchardt selbst auffiel, an dem glanzvollen Redner und seinem Gespräch.

Merkwürdig war dieser Mensch in vieler Hinsicht, eindrucksvoll durch sein zuweilen dunkles Feuer und durch seinen leidenschaftlichen Ernst. Durch den Rang und durch den Zwiespalt. Merkwürdig war sein Schaffensprozeß. Oft konnte er es durch Jahre nicht über sich gewinnen, ein Werk niederzuschreiben, das in ihm abgeschlossen war, bis irgend ein Umstand die Hemmungen niederriß und der Inhalt mehrerer Bände rasch zu Papier gebracht wurde. Als Student hatte er seinem Lehrer, einem strengen Altphilologen, seine Doktorarbeit scheinbar vorgelesen, in Wirklichkeit aber frei vorgetragen. Sie wurde angenommen. Er hat sie nie geschrieben und nie den Doktorgrad erworben.

Eine wie verschiedene Entwicklung haben die Dichter einer Generation genommen! Von ihrem Streben und Scheitern, ihren Krisen und Wandlungen hat Borchardt in seinem Brief über das Drama gesprochen, aus eigenstem Erleben — vergleichbar dem Vorwort Paul Valérys zu Fabres Gedichten im ersten Band „Variété". Beides sind Dokumente, bezeichnend für einen ganzen Zeitraum der Literatur.

KARL WOLFSKEHL

Curt von Faber du Faur

DER WELT, den Freunden, verschwand Karl Wolfskehl vor vierzehn Jahren. Auf der Arnobrücke in Florenz, erregt, wortlos und entschlossen, nahm er Abschied. Er fuhr nach New Zealand, ins Fremdeste und Entlegenste, zu den Antipoden. Und es war, als ob es Europa sei, das Europa verließ. So sehr war er verflochten gewesen, aus so alten Wurzeln gewachsen, so vom Zentrum aus hatte er gelebt. So sehr hatte er von allem gewußt: er, der Halberblindete, war der Belesenste in allen Literaturen. Einsammeln und Ausstreuen war seine Tätigkeit gewesen so viele Jahre lang, von überallher nahm er den Stoff und gab ihn weiter so vielen aufhorchenden Ohren. Nicht daß er eigentlich von Natur Lehrer gewesen wäre; er setzte zuviel voraus und liebte nicht, zu erläutern. Aber an Fingerzeigen und Hinweisen ließ er es nie fehlen, an Andeutungen und Verwerfungen, die dann dem glücklichen Besitzer gesunder Augen weiter halfen als eine lange Vorlesung.

Was ihn trieb, war vor allem ein unbändiges Temperament. Zu Ruhen war ihm nicht gegeben. Er schritt nie bedächtig, er stürmte. Sein Gespräch war hastig, sich überstürzend, die Rede kam dem Überfließen der Gedanken und Verbindungen kaum nach. Wie er eine unleserliche Handschrift schrieb, so war er der Schwierigste in der Auseinandersetzung. Weite Strecken logischer Folgerungen ließ er aus, ihm schienen sie selbstverständlich, nur die Gipfelpunkte hob er heraus, leicht von einer Gebirgshöhe auf die andere sich schwingend auf Siebenmeilenstiefeln. Wollte man verstehen, mußte man nach, so gut es gehen wollte, ahnend, erratend, sich mitschwingend. Unterbrechungen machten ihn ungeduldig oder warfen ihn selbst aus dem Strom der Assoziationen. Er erschöpfte seine Zuhörer, er selbst war unerschöpflich, er konnte Tage und Nächte so weitergehen. Sein Ernst und seine Pathetik lagen aber nur hinter den Sätzen, sehr selten einmal in ihnen. Seine Sprache war, ähnlich der seines Meisters, hessisch, darmstädterisch bei ihm, von einem aus dem Dialekt geborenen Humor erfüllt, von Anspielungen, Wortspielen, Fehldeutungen, sprachlichen Verzerrungen und scherzhaften Mißbildungen überflutend, alle original, aus dem Moment geboren und sofort vergessen. Nie erzählte er einen Witz, den ein anderer gemacht hatte, oder wiederholte er eine seiner Anekdoten.

Das ganze Europa stand ihm offen, seine Freundschaften reichten weit, er kannte fast jeden. Er war in seiner atemlosen Reiselust fast überall gewesen. Nirgends war er allein. In jeder fremden Stadt war er empfohlen, erwartet, gern aufgenommen und ungern entlasssen. Seine Ansprüche waren bescheiden, auch der alternde Mann brauchte wenig Bequemlichkeit, keinen Komfort. Jedes Essen schmeckte ihm, er entdeckte Besonderheiten an jeder Küche, wenn auch sein Geschmack da ebenfalls dem Abgelegenen, Ungewöhnlichen besonders zugeneigt war: zweifelhafte Mayonnaisen, verdächtig aussehende Salate, merkwürdig gefärbte Fische verzehrte er mit Genuß und im Besitz einer eisernen Konstitution. Vor allem aber liebte er den Wein, Weĭ, wie er mit Darmstädter Nasallaut aussprach, direktes Sonnengeschenk, feinste Essenz aller Erdstoffe, glühend und kühl, in den Landschaften, die er liebte, allgegenwärtig. In tausend Formen verehrte er ihn, reiste er ihm entgegen, wanderte er ihm nach. Er ruhte nicht, bis er Falerner getrunken hatte und den einmal so berühmten Malvasier wieder entdeckt hatte, von den neueren erschien ihm der Lambrusco besonders verehrenswert, aber auch der stillen und bescheidenen Gabe des Bacchus in Toscana, dem Wein von Arcetri, schrieb er große Gaben zu. Dabei war er nie unmäßig im Trinken, niemand hat ihn je vom Wein überwältigt gesehen. Bei allem Überschwang, mit dem er dem Leben überhaupt entgegentrat, besaß er doch die Gabe des Maßhaltens, wie in allem, so auch hier. Wie liebte er Feste! Der Münchener Fasching war ihm jedes Jahr eine hohe, zu begehende Feier, und ein Karneval war tot ohne ihn, als er um die Jahrhundertwende, langbärtig und mächtig, ihren Mittelpunkt bildete, als „Schwabinger Zeus" zuerst, dann, reifer mit einigen grauen Fäden im Bart, einäugig und von noch mächtigeren Proportionen als „Schwabinger Wotan". Dann fiel der Bart dem Zeitgeist zum Opfer, aber die langen flatternden Locken blieben, dunkel noch bis zur Zeit des Abschieds auf der Brücke in Florenz.

Er war ein Gesegneter und vom Fatum Begünstigter gewesen für die längste Zeit seines Lebens. In Verhältnisse geboren, die man am besten mit „sehr wohlsituiert" bezeichnet, der Sohn eines Darmstädter Bankiers und langjährigen Landtagsabgeordneten, in seiner reichen und rasch auffassenden Begabung auf Schule und Universität mühelos erfolgreich, war ihm das Glück der großen Begegnung gegeben, die den jungen empfänglichen Menschen formt und bestimmt. In München, noch Student, traf er Stefan George, und er wurde sein treuester Anhänger, die Urzelle des „Kreises". Nie hat der bescheidene Mann über den Meister hinaus-

gestrebt; er war da, wenn George ihn brauchte, hielt sich zurück, wenn
er nicht aufgesucht wurde, erfüllt von dem Takt, der ihn nie verließ, dem
Wissen um sich, um seine Stellung in der Welt, um den Wert des anderen.
In Männern irrte er sich nie, bei Frauen half ihm manchmal die Kurz-
sichtigkeit zu der glücklichen Vorstellung, daß fast jede eine Venus sei.
Aber wie war es ihm auch da gegeben, mit leichten Händen zu nehmen
und zu geben! „Die nicht so sind, die straft das Leben", sagt Hofmannsthal, „und Gott erbarmt sich ihrer nicht." Und das Leben hat ihn reich-
lich belohnt.

Als er abgezogen war in das ganz Fremde, fort aus Italien, das ihm
schon lange zur zweiten Heimat geworden war, das er heiligen Boden
nannte, war es, als ob mit ihm einer der guten alten Götter das Land
verlassen habe. Keiner der ganz Großen, aber einer, der Pans Flöte aus
allen Gebüschen hörte, dem die Sirenen aus allen Buchten sangen. Man
konnte nicht gehen mit ihm, ohne daß er wissend und wundervoll von
diesem Geist der Landschaft sprach, ja, daß er ihn ausstrahlte, heller
machte als er wirklich war, ihm eine unbeschreibliche Leichtigkeit und
feine Richtigkeit verlieh, etwas Griechisches. Er liebte die Götter, die auf
leisen Sohlen schreiten.

Vom anderen wußte er auch, hatte er immer gewußt. „Ich habe einen
Januskopf", erläuterte er. Das andere Gesicht war Jahve zugewandt,
Jehova, der aus dem Donner spricht. Die Zeit, langsam aber unerbittlich,
trieb ihn zurück zu diesem antlitzlosen Vater seines Stammes. Er wußte
viel von ihm, kannte ihn als reizbaren Erwähler eines Wüstenvolks,
strengen Stifter des ersten Gesetzes, aber auch als den, zu dem einmal
die Psalmen Davids und die Klagelieder des Jeremias gedrungen waren.
Und Jehova war es, der seine Stimme in den Jahren der Not wieder
löste. Lange war er fast stumm gewesen, nie war ja dem Hastigen Zeit
zu langer Reisepause und Sammlung gewesen. Jetzt kamen ihm Gedichte,
neue Töne, weitab von allem Griechischen. Wenn er sie selbst vortrug,
so gab er sie wieder mit gezogenen Vokalen, in monoton gedämpften
Klagelauten, ohne die Stimme zu erheben. Sie sprachen vom ewigen Fluch
des Wanderns, der Unstäte, des Ausgetriebenseins. „Immer wieder", war
der Refrain, der einem nicht aus den Ohren weichen wollte.

Und nun, diesmal mit ungedämpftem Pathos einsetzend, nahm er Abschied von den Deutschen. Wenn je einer, so hatte er sie geliebt und mehr
als das, er hatte sie verstanden. Nach seinen Worten: „Er hatte von ihnen
gewußt." Er kannte ihre Literatur, ihre Geschichte, ihre Sonderheiten
und Antriebe wie wenige. Er folgte ihrer Dichtung, wie er in Italien dem
Wein folgte: bis in die entlegensten Winkel. Mit Friedrich von der Leyen

gab er die ältesten deutschen Dichtungen heraus in meisterlichen Übertragungen. Mit Herrn Walter saß er auf dem Steine, in der Pose des Sinnenden nicht nur, sondern auch in der des Richtenden, des Thulr, wie es dem sehenden Dichter zukam. Das Volkslied war ihm lebendig, ein neuer Fund auf diesem Gebiet eine Quelle der Freude, die über Wochen sprudelte. Und erst der Barock! Wie er sie verstand, diese Dunkeln und Ringenden, die die neue Epoche aus sich gebaren! Sie waren ihm alle Freunde und Brüder, er hatte sie gesammelt und geliebt, als noch niemand sich um diese „Periode des tiefsten Verfalls der deutschen Dichtung" kümmerte. Die Auswahl deutscher Lyrik aus der klassischen Epoche, die seinen und Stefan Georges Namen trägt, ist längst vorbildlich geworden. Hier haben wir die erste mit modernen Empfindungen zusammengestellte Anthologie.

Nun nahm er Abschied. Ein Abschied, der nie und unter keinen Umständen hätte sein sollen. Ein Valetsagen, das nicht mehr zurückzunehmen ist. Daß er, der Verstehende und Sehende, der Europa gewogen und mit so ganzem Herzen Deutschland ergriffen hatte, das Land seiner Geburt damit zugleich zum Land seiner Wahl machend, der Mann, der das Herz von München gewesen war, der seine Legende mitgeschaffen hatte, sich abwandte, schien unerhört. Er war es, der es so tapfer verteidigt hatte, als eine Gruppe von Unzufriedenen es zu beschimpfen begann, und das einzige wahre Wort fand, das an einem berühmt gewordenen Diskussionsabend gesprochen wurde, das von der „Jovialität" dieser Stadt, so, wie sie damals war, als es kaum eine nationalsozialistische Partei gab. Die Jovialität, das Leben und Lebenlassen, das Dulden des Unverstandenen, der lässige Schönheitssinn, der heitere geistige Himmel — er war der einzige, der das alles nannte und der erreichte, daß es mit einemmal im Saal war und die Kritik langsam abflaute, und man nicht recht wußte, wogegen man eigentlich protestiert hatte.

Wird sein Name untergehen? Werden künftige Geschlechter nichts mehr hören von Karl Wolfskehl? Wird er nur in den Verzerrungen weiterleben, wie er in den Büchern von Fanny Reventlow, Oskar A. H. Schmitz und Willy Seidel erscheint? Schon hat Georg Fuchs in seiner Geschichte Münchens um die Jahrhundertwende seinen Namen ausgelassen, der doch der prominenteste hätte sein sollen im bacchantisch sich schwingenden Schwabing. Wird ein verbessertes, unkastriertes Buch erscheinen können, kündend von diesen Sagenzeiten, in denen das Leben leicht und reich war, und der freie und unbeschwerte Geist die Möglichkeit fand, zu philosophieren und zu feiern zugleich? Diese Epochen sind selten. Viele Jahrhunderte können vergehen, ehe der Menschheit eine neue geschenkt ist, und diese wird verschieden sein, verschieden reden, verschieden denken, vielleicht besser, vielleicht nicht ganz so gut. Aber das München von 1894—1914, und das einiger glücklicher Jahre zwischen den Kriegen, sollte als Kunde und Sage wenigstens nicht ganz verlorengehen. Und mit ihm nicht der Gast aus Darmstadt, der ihr das Herz und das Hirn gab, und diese einzigartige Gabe dazu: Überschwang zu sein und zugleich Maß.

Sein Werk ist nicht groß an Umfang, aber auch nicht ganz klein. Vieles ist noch zerstreut, es könnte verdoppelt und verdreifacht werden, wenn es gesammelt würde.

Da ist die „Ulais", erschienen im Verlag der Blätter für die Kunst im Jahre 1897.

> Ein großes Harren
> War bis heute dein Heil
> Und deine Schritte nimmer im Staube.

So sagte er zu sich, ein jugendlicher Höhenwanderer, das Haupt in den Wolken, wartend, was der Himmel spenden würde. Es war kein untätiges Warten, von dem diese Gedichte sprechen. Da war eine Blüte zu pflegen, die Frucht verhieß, dort ein Schrein zu öffnen, der Kleinode enthielt, drüben ein Turm, darin unerlöste Herrscher zu befreien waren. Er nahm das alles auf sich in rastloser Verschwendung seiner Kräfte, ohne sich zu verlieren.

Diese Gedichte des Achtundzwanzigjährigen haben noch kaum eigenen Ton. Sie sind schöne Derivate der Georgeschen Muse, vielleicht die am feinsten geformten. Melchior Lechter stattete sie aus und gab ihnen das unverkennbare Gesicht ihrer Geburtsstunde zwischen dem „Jahr der Seele" und dem „Teppich des Lebens".

Dann folgten die „Gesammelten Dichtungen" von 1921. Sie enthalten das meiste, was aus der Ulais bekannt war, anders gegliedert, mit Auslassungen und Zufügungen. „Die Dumpfen Lieder" sind, sehr erweitert, jetzt erst zum dumpfen Zyklus geworden. Sie sind gesprochen, als ob der Dichter vor dem Tode stände, der doch noch dreißig Jahre auf sein Opfer zu warten hatte. Aber Wolfskehl muß oft mit ihm gerungen haben, er sah ihn mit plastischer Schärfe stehen:

> Sie gehen auf den Zehen
> Und reden leis,
> Dahinter seh ich stehen
> Den grämlichen Greis.

Willst du mich erwarten?
Dir komm ich noch lang
In deinen grünen Garten.
Mir ist vor dir bang.

Ihr Pfühle, ihr Wände,
Seid ihr sein Gesicht?
Da sind seine Hände,
Da löscht er das Licht!

Der erste Eindruck, den das Gedicht vermittelt, ist, daß für Wolfskehl der Tod kein Genius mit der Fackel und auch kein schauriges Gerippe war, daß er ihn nicht verschönte, ihm keine falsche Majestät lieh, daß er ihn zeigte, wie er heute kommt: im Hospitalzimmer ein grämlicher Greis. Aber der Grämliche ist ein ganz anderer, vom Dichter lang Verehrter und Gefürchteter. Erst später wird er ihn nennen und sein Wesen enthüllen.

Denn erst im „Umkreis", der 1927 erschien, ist Wolfskehl ganz er selbst. Hier erst kommt sein eigenster Beitrag. Hier haben wir unmittelbar seine Handschrift, und niemand konnte das gemacht haben als er. Da ist der „Fimbul Winter", „Aus Gefällen der Verdammten", das unerhörte „Finis initium", „Böser bäumen sich die Glieder", „Herr betast uns" und viele andere. Sein Ton ist herber geworden, anklagender, verzweifelter und verachtender, ohne daß er je in den fatalen Ton der Kaffeehausüberlegenheit fiele, von dem die zwanziger Jahre voll waren:

Nova apocalypsis

Endchrist, Endchrist, du wurdest zum Spott,
Statt deiner kommt der Fliegengott.

Larven aus faulenden Hirnen gekrochen
Sind nun ins Leben hereingebrochen.

Breiten sich dreist über alle Gassen:
„Das Reich ist unser: wir kommen in Massen.

Der geht noch aufrecht — reißet ihn um,
Der hat noch ein Antlitz — zerret es krumm!

Der schreitet noch — er schleiche und hinke,
Der schaut noch — macht, daß er schiele und zwinke!

Kein Arm: wir brauchen nur Taster und Greifer,
Kein Blut: wir brauchen nur Gallert und Geifer!

Hinweg mit Seelen, mit Höhen und Himmeln,
Wir brauchen nur Staub: wir, die kriechen und wimmeln."

Was er gesehen hatte, kam. Der Fliegengott hat viele Anbeter und Sekten verschiedener Farbe. Wolfskehls Welt war vernichtet. Sein nächstes Gedichtbuch zeigt einen anderen Menschen. Im „Umkreis" war er noch stark im nordischen Bann gewesen. Von Wotan — wie er sich selbst ausdrückte — wußte er viel. Götter waren ihm nie Allegorien oder Symbole, sondern immer lebendige Wesenheiten, er spürte ihre Kräfte. Zweimal hatte er eine jener Begegnungen gehabt, wie sie den Dichtern und den Heiligen werden: ein Engel kommt, die Mutter Gottes, eine Muse, eine Inkarnation. Ihm war der Wanderer begegnet — wer sonst sollte dem Rastlosen erscheinen? Ihn sah er überall, das Wolfische in ihm war ihm vertraut, er hat ihn geliebt und gefürchtet und sich ihm mit folgenden Versen ergeben:

Ur-Odin

Bist du noch, wirrst du noch, fährst noch im Sturm, Sturm?
Bist du noch, irrst du noch, bohrst noch den Turm, Wurm?
Bist du noch, schwirrst du noch runenumzuckten Speers?
Schmilzt du noch Welten in Werg, Meer kochenden Teers?
Weisel, brummst du noch kreißend im Honigbade?
Werwolf, bestreunst du noch Grenzen und Pfade,
Und jede Diele?
Wir wollen dich. Spiele
In unserem Blut. Ist dein Schlund noch groß,
Uns einzuschlingen? Ist dein prangender Schoß
Noch deiner Beter Wiege? Säumender,
Am letzten Abhang ewig Träumender:
Du standest lang. Schöpf dich wie Rahm
Und schlürfe dich. Die Stunde kam,
Du nicht mehr Gott, du nicht mehr Tier
Verschwind in dir, erschein in dir!

Jetzt erst enthüllt sich uns der grämliche Greis der „Gesammelten Dichtungen". Jetzt wissen wir, warum er einen grünen Garten besitzt. Schon damals war er der Drohende, der Immervorhandene, der, dem das letzte Wort zustand.

Aber jetzt in dem Gedichtbuch von 1935 „Die Stimme spricht" wendet er sich an einen anderen Gott, der zweite Mund des Januskopfes ist es, der allein sich noch öffnet: „Herr! Ich will zurück zu deinem Wort! Herr! Ich will ausschütten meinen Wein!" Und er bricht auf:

Fraget nicht, wohin?
Wir ziehn,
Wir ziehn, so ward uns aufgetragen
Seit Ur-Urvätertagen.

Es ist nur noch Aufbruch, Absage und Wegwendung da und Hinwendung zu *dem,* den er selbst als „Gottgespenst" empfunden hatte, den Gestaltlosen, der nur Stimme ist. Ein Schritt, der ihm schwerer geworden sein muß wie den meisten. Denn gerade *Gestalt* war es gewesen, das ihn anzog, das Geformte. Er sah es überall, wie er das Raunende und Drängende des werdenden Lebens überall spürte und nach Gut und Böse wertete, ehe es geboren war.

Ein Prosaband „Bild und Gesetz" aus dem Jahr 1930 ist vorhanden, der einsetzt mit einem Mysterium „Die Menschwerdung": „Das eine der beiden großen Güter, die der Schöpfer mitzugeben hat ins Tal des Lebens, das ist die Gestalt." Das zweite Gut ist die Ordnung, die uns ermöglicht, zusammenzuleben: das Gesetz. Gestalt und Gesetz behandelt er in diesem Buch, ein tief Erfahrener, ein Geordneter, ein Westler, erfüllt von alter europäischer Kultur, ein Liebender, der alle geformten Dinge mit zarten Fingern anfaßte, ein Kunstkenner, ein Bibliophile von Rang, wie schwer muß ihm der Abschied geworden sein! Aber er vollzog ihn: „Dein Weg ist nicht mehr der meine, Teut!" sagt er in dem langen Gedicht, das von 1933 bis 1944 durch Erweiterungen, Zusätze und Abänderungen in ihm reifte: „Karl Wolfskehl an die Deutschen", 1937 in Zürich erschienen. Sechsfach baut er seinen Anspruch auf Zugehörigkeit auf. Eure Kaiser, eure Dichter, eure Sagen, eure Sprache, euer Traum und eure Gegenwart „sind auch die meinen". Er weiß: nur aus dem Fernsten kann die Erneuerung kommen.

So nimmt er in seinen letzten Gedichtbänden Abschied von der Welt, der er einmal so tief verwurzelt angehört hatte. Nicht mehr Zeus oder Wotan, jetzt ist sein Name Hiob. In dem *Sang aus dem Exil* reißt er die Wurzeln aus, die ihn gefesselt haben, ein alter ungeheurer Baum, der sie selbst stöhnend aus dem Boden zieht, ein Märchenvorgang, der hier vor uns Wirklichkeit wird. Er beschaut sie, die in ferne Jahrhunderte zurückreichen, und hält sie noch einmal für alle ans Licht: Moses und die Propheten, den Heldengriechen Alexander und das heroische Rom, Maria, Gottesmutter und Meerstern, Kaiser und Päpste, Napoleon, der die letzten „echten Kriege" führte, und den Meister, der ihn einmal berief. Alles was kühn im Kampf und hell im Geist war und die einzigartige Wirklichkeit schuf: Europa, den Kern der Welt für ihn, und das Mittelmeer, das jetzt von Galathea, der Weißen, übergeht an die „Hungerleider nach dem Unerreichlichen", die Kabiren von Samothrake.

Dann ist die Trennung vollzogen, anwachsen kann der Baum nicht wieder. In *Hiob oder die vier Spiegel* steht er getrennt. Eine Steingestalt, zeitlos, einer der Propheten des Alten Bundes, wie sie an den gotischen Portalen sich recken, blickloser furchtbarer Richter, der nur noch *eine* Demut kennt, die vor Gott. Seine Stimme hallt stärker als die des wortgewaltigsten Predigers unter der Kreuzung und spricht ohne Zurückhaltung in schrecklicher Direktheit.

Er scheint allem Deutschen ganz fern. Aber es ist doch nur ein fremdes Kleid, das er übergeworfen hat. Diese Stimme ist den Deutschen vertraut, viele Jahrhunderte haben sie gebildet. Sie gehört, untrennbar, dem Deutschen zu. Im Leben konnte er sich lösen, ein Vertriebener, im Tode wird er doch zurückkehren. Denn eines kann ja nie vergessen werden: die Treue, mit der er gedient hat:

„Nicht nur Verdienst", sagt Panthalis, „auch Treue wahrt uns die Person."